수능전략
영어 영역

Chunjae Makes Chunjae

[수능전략] 영어 영역 어법

편집개발 고명희, 김미혜, 정혜숙, 최미래
디자인총괄 김희정
표지디자인 윤순미, 심지영
내지디자인 박희춘, 안정승
제작 황성진, 조규영

발행일 2022년 1월 15일 초판 2022년 1월 15일 1쇄
발행인 (주)천재교육
주소 서울시 금천구 가산로9길 54
신고번호 제2001-000018호
고객센터 1577-0902
교재 내용문의 (02)3282-8837

※ 정답 분실 시에는 천재교육 교재 홈페이지에서 내려받으세요.

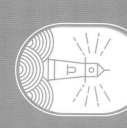

수능전략 | 어법

수능에 꼭 나오는
필수 유형 ZIP 1

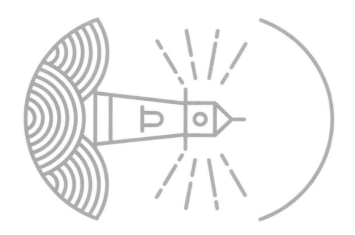

실전에 강한

수능전략

강약약
어법

수능에 꼭 나오는
필수 유형 ZIP 1

천재교육

11 1. 것이저를 읽고 노릇은 완전히 정확하게 어린 시절을 다시 체험할 수 있다.
2. 세포, 유기체, 사회 집단, 그리고 문화에 의해 제공되는 맥락이 없으면, DNA는 비활성이다.

12 1. 물고기가 지느러미와 강력한 꼬리를 갖춘 유선형이고 매끈한 몸통을 가지고 있는 것은 우연이 아니다.
2. 어떻게 시각적인 입력 정보가 맛과 냄새에 우선할 수 있는지는 이미 놀랍고 것이다.

13 1. 그것들이 이러한 신경절들을 새로운 방식으로 사용하기 때문에, 우리는 그것들이 특히 흥미롭다고 여긴다.
2. 여러분은 미소를 짓고 기분이 고양되는 것을 느낄 것이다.

14 1. 애완동물 우울증이 있거나 만성적인 질병이 있는 환자들의 치료에 중요하다.
2. 100칼로리 섭취의 건포도를 먹은 후에 느끼는 것보다 100칼로리 섭취의 포도를 먹은 후에 씬 더 만족감을 느끼게 된다.

15 1. 직접경험 느끼면서 그녀는 경주를 포기하는 것에 대해 생각하기 시작했다.
2. 어떻게 해야 좋을지 몰라서 그녀는 나의 조언을 구하러 왔다.

16 1. 아이들의 경악은 표정을 보고 나서 그녀는 영화관에 주목하는 차를 운전했다.
2. 사람들은 자신들의 견해를 뒷받침하는 정보에는 주목하는 반면, 반대되는 증거는 무시한다.

17 1. 최종 건강 진단을 받고 나서, 우주 비행사들은 우주 공간에 탑승했다.
2. 계다가, 그들은 수술국가에 전적 의존한 적이 없고, 이미 생산력을 갖은 성인으로 들어왔다.

18 1. 환호하는 친구들에게 둘러싸여 그녀는 기쁨으로 가득 친 승리를 중얼였다.
2. 또렷한 글씨로 쓰여 있어서, 이 리포트는 읽기 쉽다.

19 1. 1927년 오하이오주 클리블랜드에서 태어난 Carl Stokes는 생애 이른 시기에 힘든 시간을 보냈다.

20 1. 저는 귀하가 이 문제를 시간을 잡고 진지하게 다루어 주시길 요청합니다.
2. 학교의 주임 교수는 화학을 무기 연기 것을 주장했다.

21 1. 당신은 일광 통행에서 U턴을 해서는 안 됩니다.
2. 그곳 마을의 인구가 많아서 더 직고, 더 유명 생활을 하는 수렵채집 집단에서는 지속되지 못했
을 벌물 퍼뜨리기에 충분했다.

01 1. 학습 기회에 규칙적으로 투자하는 것은 여러분이 자신에게 줄 수 있는 가장 훌륭한 선물 중 하나이다.
2. brother-in-law를 아내의 남자형제인지 여자형제의 남편인지 구별할 수 없다는 것은 인간 관계의 구조 내에서 혼란스럽게 보일 것이다.

02 1. 그녀의 증거물의 초점이 배중 그 자체를 즐기는 것에서 당신을 기쁘게 하는 것으로 옮겨 간다.
2. Hans Lippershey는 1608년에 한 개의 관 양쪽 끝에 두 개의 렌즈를 붙여 '소형 망원경'을 만든 것에 대해 인정을 받고 있다.

03 1. 나는 막 청소를 끝냈다.
2. 저는 이 곳에 사는 것을 즐겨 왔고 계속해서 그러기를 바랍니다.

04 1. 그들이 출판하기 위해 선택하는 글은 성업적 가치가 있어야 할 뿐 아니라 아주 민족을 만족하게 쓰였으며 편집 및 사실 오류가 없어야 한다.
2. 후에 망원경이라 불리게 될 점점 더 나은 소형 망원경을 만들면서, Galileo는 망원경을 달로 향하게 하기로 결심했다.

05 1. 갑자기 나는 큰 엔진 소리를 들었고, 버스들이 움직이기 시작했다.
2. 어루 양서장 근처 지역에 서식하는 지역 야생 생물에 미치는 부정적 영향은 그 산업에 있어서 지속적으로 대중과의 관계 문제로 계속되고 있다.

06 1. 세탁기가 더 이상 작동하지 않는다고 말하게 되어 유감입니다.
2. 나는 그가 사람에 불합격한 사실을 당신에게 말한 것을 후회한다.

07 1. 공격하고, 비판하고, 비난하기 위해 공격의 위치를 이용할 사람에게 그것을 넘겨주는 것은 전략과 전술상의 실수이다.
2. 소장품이 중요한 연구 도구로 여겨질 만큼 중분히 많고, 중분히 공부해지는 데에는 여러 해가 걸릴 것이다.

08 1. 인터넷 정부가 이전의 그 어느 때보다 더 자유롭게 흐르도록 해 준다.
2. 각 종이 반응 개요로 그 종이 자신과 관련된 냄새의 원천이 있는 위치를 파악하고 그에 따라 반응하는 것을 가능하게 할 것이다.

09 1. 씨앗을 심고 그것들이 자라는 것을 보는 것은 쉽다.
2. 올해 초 출판된 한 연구 조사에서 부모 열 명 중 일곱은 자녀들이 절대 장난감으로 놀게 하지 않을 것이라고 말했다.

10 1. 그는 활활 타고 있는 불 앞에서 손을 따뜻하게 했다.
2. 그 에너지의 약 4분의 3은 누런에 사용되는데, 누런은 우리의 생각과 행동을 발생시키기 위해 광대한 연결망 안에서 소통하는 전문화된 뇌세포다.

Week 2 조동사와 조동사

개념 확인 해석

Week 1 개념 확인 해석

12 1. 유사한 과정이 인간에게 나타났는데, 그들은 녹색에 의해 길들여진 것으로 보인다.
   2. 밝은 나라에서, 젊은 사람들 사이에서 신문을 읽는 습관이 감소하고 있으며, 전에 신문 광고에 쓰였던 돈의 일부가 인터넷으로 이동하고 있다.

13 1. 공장직 자기대화, 애들 들어 우리가 우월할 때 "나는 멋져"라고 되뇌는 것에 관해 많은 글이 씌어 있고, 많이 이야기되었다.
   2. 최근 역사에서, 순 유럽이 가장 높은 성장률을 보였다.

14 1. Schreiber는 족적인의 운동 성장으로 1년 전에는 고등을 겪었다.
   2. Schreiber는 족적인의 운동 성장으로 지금까지 고등을 겪어 왔다.

15 1. Hannah는 청가 자리를 멈췄지만 복도 쪽 다섯 번째에 앉게 되었다.
   2. 그가 저음에는 만성 통증 환자를 치료하는 힘든 일을 맡고 있었는데, 그를 중 다수는 진통적인 통증 관리 요법에는 잘 반응하지 않았다.

16 1. James라는 분이 2시부터 당신을 만나려고 기다리고 있다.
   2. 누군가가 이 침대에서 내내 자고 있다.

17 1. 수색대가 그를 발견했을 때, 나의 힘은 물만 마시며 살고 있다.
   2. Sweet 증후는 순둥이가 을 때까지, 부어들의 30분 동안 이야기하고 있었다.

18 1. 재즘 보충사에는 귀사에게 여분의 부품과 제료를 무료로 제공하지만, 기사의 노동에 대해서는 비용을 부과한다고 되어 있습니다.
   2. 이러한 도축점에는 받은 이상한 감제를 못 쳐 볼이 진에 술책 들어가 꽃가루 염어리 그체에 열을 낮는다.

19 1. 'Merton 부인'은 2003년에 런던 남서부에 있는 Merton의 지역 기획관인 Adrian Hewitt에 의해 고안되었어요.
   2. 세탁기가 발명되기 전에, 사람들은 비록 빨기 위해 빨래판을 이용하거나, 세탁물을 강가나 개울을 가져가 그곳에서 바위에 치거나 문질렀다.

20 1. 그 돌들은 심지어 (해·달의) 식물을 예측하는 데 사용되었을지도 모른다.
   2. 애완동물이 지속적인 애정을 건너고 있는 사람들에게 그들의 핵심적인 분점이 손상되지 않았다고 안심시켜 주기 때문에 중요하다고.

01 주어와 동사의 수 일치 (1-1)

대표 예문

1 This app is currently not available.
이 앱은 현재 사용할 수 있다.

2 The lawyers blame the government.
그 변호사들은 정부를 비난한다.

핵심 개념

주어가 단수이면 동사도 ❶ [   ] 형으로, 주어가 복수이면 동사도 ❷ [   ]
으로 써야 한다.

단수 주어 – 단수 동사

복수 주어 – 복수 동사

Tip

탑 ❶ 단수 ❷ 복수

개념 확인

다음 문장의 네모 안에서 어법상 알맞은 것은?

1 The noise of barking and yelling from the park at night [is / are] so loud and
disturbing that I cannot relax in my apartment. 수능

2 Except for the swimming pool, the facilities at the Barbados Sun Resort
[was / were] excellent. 학평

답 1 is 2 were

---

01 1. 밤에 그 공원에서 들려오는 (개가) 짖고 소리를 지르는 소음이 너무 시끄럽게 나는 아파트에서 쉴 수가 없다.

2. 수영장을 제외한 Barbados Sun Resort의 시설은 훌륭했다.

02 1. 문자 기록에 대한 요구는 항상 경제 활동을 동반해 왔다.

2. 문자 소설의 문학적 구현은 그것이 성와 성장을 디지털로 구현하는 것 못지않은 것 장치이다.

03 1. 모든 농부들은 어려운 부분이 밭이 준비되도록 하는 것임을 안다.

2. 만약 모든 실수가 영구적인 기록으로 영원히 보존된다면, 우리는 자기 탐구를 하는 것이 더 어려움을 알게 될지도 모른다.

04 1. 허식이 있는 사람들은 무식한 사람들을 경멸하기 쉽다.

2. 정신적으로 젊은 사람들은 인생을 즐긴다.

05 1. 뇌에서 신호를 보내고 있는 개개는 뉴런은 마라톤을 하고 있는 다리 근육 세포만큼의 에너지를 사용한다.

2. 1905년과 1909년 사이에 건설된 Gunnison 터널은 서부 Colorado 일부 지역에 물을 대기 위해 설계되었다.

06 1. 그 지역에 서식하는 독특한 동물 중 하나는 Kermode 곰이다.

2. 사육으로 인해 아기된 다양한 신체적 변화들 중 하나는 뇌 크기의 감소이다.

07 1. 많은 수의 '청년 친화적인' 정신 건강 웰 사이트들이 개발되어 있다.

2. 우리가 결정을 내리든 데 근거가 되는 정보의 원천의 수가 폭발적으로 증가해왔다.

08 1. 우리의 뇌는 모두 동일한 기본 구조를 가지고 있지만, 우리의 신경망은 우리의 지문만큼이나 고유하다.

2. 그들 중 거의 40퍼센트가 다른 학생들이 서조에 무엇이 쓰여 있는지 기억할 것이라고 확신했지만, 단지 10퍼센트만이 실제로 그러했다.

09 1. 여러분의 생각을 넓히는 것은 창의적인 것에 필수적이다.

2. 그가 어떻게 해서 계속 활동하고 있는지 나로서는 알 수 없다.

10 1. 그것은 더 진실한 것이 아니며, 그것은 단지 이론이 부정확성을 제거하는 여과장치일 뿐이다.

2. 잠자리에 듣기 전에 험 일의 목록을 만드는 사람들은 지나간 일에 관해 쓰는 사람들보다 9분 더 빨리 잠들 수 있었다.

11 1. 최초의 수정 사진인 William Thompson이라는 영국인에 의해 촬영되었다.

2. 나는 그 곰아 최고의 몇몇 전문인들이 나를 방문하여 사체를 관찰하도록 이므로 이학적 호기심의 대상이 되었다.

21 조동사+have+과거분사

대표 예문

1 You **should have spent** more time with your children.
당신은 아이들과 더 많은 시간을 보냈어야 했어요.

2 I **must have left** my phone on the bus.
제가 핸드폰을 버스에 두고 내린 게 틀림없어요.

핵심 개념

「추측, 가능, 의무」의 조동사+have+과거분사는 과거에 대한 추측이나 후회의 의미를 나타냅니다.

could + have + 과거분사	~했을 수도 있다
must + have + 과거분사	~했음이 틀림없다
may[might] + have + 과거분사	~했을지도 모른다
cannot + have + 과거분사	~했을 리가 없다
should + have + 과거분사	~했어야 했다
shouldn't + have + 과거분사	~하지 말았어야 했다

답 ❶ 추측 ❷ 후회

개념 확인

다음 문장의 네모 안에서 어법상 알맞은 것은?

1 You should / could not have made a U-turn on a one-way street. 수능

2 Their populations were large enough to spread diseases that should / could not have survived in smaller, more nomadic foraging communities 학평

답 1 should 2 could

---

02 주어와 동사의 수 일치 (1-2)

대표 예문

He confirmed that **the information** about the organization
was classified.
그는 그 조직에 대한 정보가 기밀이라는 것을 확인했다.

핵심 개념

셀 수 없는 명사는 ❶_____ 동사와 함께 쓴다.

Tip

셀 수 없는 ❷_____ 명사:
물질명사(milk, water, sound)
추상명사(information, music, knowledge)
일부 집합명사(furniture, fiction, clothing)

답 ❶ 단수 ❷ 없는

개념 확인

다음 문장의 네모 안에서 어법상 알맞은 것은?

1 The desire for written records has / have always accompanied economic activity. 수능

2 The literary rendering of the original novel is / are as much an invention as the digital rendering of its fantastical creatures. 학평

답 1 has 2 is

20 조동사 should의 쓰임

대표 예문

He suggested that she **(should) buy** her camera at the department store.

그는 그녀에게 카메라를 그 백화점에서 살 것을 제안했다.

핵심 개념

요구, 주장, 제안, 명령, 필요 등을 나타내는 표현에 이어지는 that절의 동사를 「should + ❶ 　　」으로 쓴다. should는 ❷ 　　할 수 있다.

> Tip
>
> 동사 advise, demand, insist, order, propose, recommend, require, suggest, request 등
> 형용사 essential, necessary, important 등
> 명사 demand, order, suggestion 등

冒 ❶ 동사원형 ❷ 생략

개념 확인

다음 문장의 네모 안에서 어법상 알맞은 것은?

1 I ask that you would / should take the time to seriously address this issue. 학평

2 The chairman of the department insisted that the conference is / be postponed indefinitely.

冒 1 should 2 be

---

03 주어와 동사의 수 일치 (1-3)

대표 예문

Every child needs a teacher.

모든 아이들은 스승을 필요로 한다.

핵심 개념

「each, every + ❶ 　　 명사」는 ❷ 　　 동사와 함께 쓴다.

> Tip
>
> each, every는 단수명사와 함께 쓰여요!

冒 ❶ 단수 ❷ 단수

개념 확인

다음 문장의 네모 안에서 어법상 알맞은 것은?

1 Every farmer know / knows that the hard part is getting the field prepared. 학평

2 We might find it harder to engage in self-exploration if every false step is / are preserved forever in a permanent record. 학평

冒 1 knows 2 is

 수능에 꼭 나오는 필수 유형 ZIP 1

19 수동태 분사구문 (2)

대표 예문

(Having been) Told about the dangers of chemical pesticides, the farmer turned to the bio-pesticides.

화학 살충제의 위험성에 대해 듣자, 농부는 바이오 살충제로 눈을 돌렸다.

= As he/she had been told about the dangers ~. (생략된 주어 he/she가 '들은' 것이므로 ❶ [수동태])

핵심 개념

분사구문에서 ❷ [ ] 된 주절의 주어를 알아야 수동태의 쓰임이 비문지 확인할 수 있다.

답 ❶ 완료 ❷ 생략

개념확인

다음 문장의 네모 안에서 어법상 알맞은 것은?

1 Born / Having born in 1927 in Cleveland, Ohio, Carl Stokes had a hard time early in his life. 모평

2 Sometimes calling / called brood parasites, these bees are also referred to as cuckoo bees, because they are similar to cuckoo birds. 모평

답 1 Born 2 called

---

04 주어와 동사의 수일치 (1-4)

대표 예문

The injured are being taken to the hospital by us.

부상자들은 우리에 의해 병원으로 이송되고 있다.

핵심 개념

'the+형용사'는 '~한 사람들'이라는 의미로 ❶ [ ] 취급한다.

답 ❶ 복수 ❷ 형식

Tip

the injured 부상자들
= injured people 이 많은 사람들

the learned ❷ [ ] 이 많은 사람들

개념확인

다음 문장의 네모 안에서 어법상 알맞은 것은?

1 The learned is / are apt to despise the ignorant.

2 The young in spirit enjoy / enjoys life.

답 1 are 2 enjoy

18 수동태 분사구문 (1)

대표 예문

(Being) Offered a job I had no interest in, I could not refuse it.

= Though I was offered a job I had no interest in, (생략된 주어가 '제안을 받은' 것이므로 ❶)

관심도 없는 일을 제안 받았지만 나는 그것을 거절할 수 없었다.

핵심 개념

과거분사로 시작하는 분사구문은 분사절의 수동태 동사를 분사로 바꾼 형태에서 being이나 having ❷ 을 생략한 것이다.

Tip 수동태 분사구문은 이렇게 만들어요!
Being + 과거분사 → 과거분사
Having been + 과거분사 → 과거분사

답 ❶ 수동태 ❷ been

개념 확인

다음 문장의 네모 안에서 어법상 알맞은 것은?

1 Surrounding / Surrounded by cheering friends, she enjoyed her victory full of joy. 모평

2 Writing / Written in a clear hand, this report is easy to read.

답 1 Surrounded 2 Written

---

05 주어와 동사의 수 일치 (2-1)

대표 예문

Two thieves who had stolen mailbags full of money **were** caught this morning.

돈이 가득 든 우편 가방을 훔친 절도범 두 명이 오늘 아침 잡혔다.

핵심 개념

주어가 수식어구와 함께 쓰여 길어질 때 ❶ 와의 수 일치에 유의한다.

Tip 수식어구(형용사구, 전치사구, 형용사절 등)를 가려내면 ❷ 가 잘 보여요!

답 ❶ 동사 ❷ 주어

개념 확인

다음 문장의 네모 안에서 어법상 알맞은 것은?

1 An individual neuron sending a signal in the brain use / uses as much energy as a leg muscle cell running a marathon. 학평

2 The Gunnison Tunnel, constructed between 1905 and 1909, was / were designed to supply water to parts of western Colorado. 학평

답 1 uses 2 was

06 주어와 동사의 수 일치 (2-2)

대표 예문

One of the girls **was** left behind.
그 소녀들 중 한 명이 뒤에 남겨졌다.

핵심 개념

「one of+복수 명사」는 '~들 중 ❶_____'라는 의미로 ❷_____ 취급한다.

one of 뒤에 오는 복수 명사에 따라 he나 she로 받으면 안 돼요!

답 ❶ 하나 ❷ 단수

개념 확인

다음 문장의 네모 안에서 어법상 알맞은 것은?

1 One of the unique animals living in the area is / are the Kermode bear.

2 One of the various physical changes caused by domestication is / are a reduction in the size of the brain.

답 1 is 2 is

---

17 완료 분사구문

대표 예문

1 Some people came prepared **having heard that the waiting line would be very long.**
몇몇 사람들은 대기 줄이 매우 길 것이라는 말을 듣고 준비하여 왔다.

2 **Having modified my password,** I can't access my account.
나는 비밀번호를 수정해서 계정에 접속할 수 없다.

핵심 개념

부사절의 시제가 주절보다 앞서면 「having + ❶_____」의 완료 분사구문으로 쓴다.

답 ❶ 과거분사

개념 확인

다음 문장의 네모 안에서 어법상 알맞은 것은?

1 Receiving / Having received their final medical check, the astronauts boarded their spacecraft.

2 Furthermore, they arrive as already productive adults have / having never been dependent on the host country. 학평

답 1 Having received 2 having

16 분사구문 (2)

대표 예문

Though knowing the answer, he didn't say it to the teacher.

= **①** [ ] he knew the answer,

그는 답을 알면서도 선생님에게 말하지 않았다.

핵심 개념

분사구문이 나타내는 뜻을 분명히 하기 위해 **②** [ ] 를 생략하지 않기도 한다.

답 ① Though ② 접속사

개념 확인

다음 문장의 네모 안에서 어법상 알맞은 것은?

1 After [seeing / seen] the frightened looks on the children's faces, she drives
to the movies. 학평

답 1 seeing 2 while ignoring

2 People pay attention to information that supports their viewpoints,
[though ignoring / while ignoring] evidence to the contrary. 학평

---

07 주어와 동사의 수 일치 (2-3)

대표 예문

1 **A number of applicants have** already been interviewed.
이미 많은 지원자들이 면접을 보았다.

2 **The number of applicants** in 2015 is 5.7 % less than in 2013.
2015년의 지원자 수는 2013년보다 5.7%가 더 적다.

핵심 개념

「a number of ~」는 **①** [ ] 취급하고, 「the number of」는 **②** [ ] 취급 한다.

답 ① 복수 ② 단수

a number of 명사
+ 복수 동사

the number of
명사 + 단수 동사

Tip

개념 확인

다음 문장의 네모 안에서 어법상 알맞은 것은?

1 A number of 'youth friendly' mental health websites [has / have] been
developed. 모평

2 The number of sources of information from which we are to make the
decisions [has / have] exploded. 학평

답 1 have 2 has

15 분사구문 (1)

대표 예문

Hearing someone shouting, I ran to the window and looked outside.
= When I heard someone shouting,
나는 누군가 외치는 소리를 듣고 창가로 달려가 밖을 내다봤다.

핵심 개념

분사구문은 부사절의 접속사와 ❶ [ ]를 생략하고 ❷ [ ]를 현재분사 형태로 바꿔 부사구로 만든 것이다.

답 ❶ 주어 ❷ 동사

Tip
분사구문은 부사구로서 때, 원인, 이유, 부대상황, 조건, 양보 등의 의미를 나타내요!

개념 확인

다음 문장의 네모 안에서 어법상 알맞은 것은?

1 Feeling / Felt frustrated, she began to think about giving up on the race. 모평

2 Not knowing / known what to do, she came to ask for my advice.

답 1 Feeling 2 knowing

---

08 주어와 동사의 수 일치 (2-4)

대표 예문

1 **Two-thirds of the forest lies** in Brazil.
숲의 3분의 2가 브라질에 있다.

2 **Some of the houses are abandoned.**
그 집들 중 일부는 버려졌다.

핵심 개념

「all, some, most, the rest, 분수, 퍼센트+of」 다음에 단수 명사가 오면 ❶ [ ], 복수 명사가 오면 ❷ [ ] 취급한다.

답 ❶ 단수 ❷ 복수

개념 확인

다음 문장의 네모 안에서 어법상 알맞은 것은?

1 Even though all of our brains contain / contains the same basic structures, our neural networks are as unique as our fingerprints. 수능

2 Nearly 40 percent of them was / were sure the other students would remember what the shirt said, but only 10 percent actually did. 수능

답 1 contain 2 were

09 주어와 동사의 수 일치 (3)

대표 예문

1 Driving along this beach is one of my favorite pastimes.

단수동사

이 해변을 따라 운전하는 것은 내가 가장 좋아하는 취미 중 하나이다.

2 What I like to do in my spare time

관계대명사절

is practicing Spanish.

단수동사

내가 여가 시간에 하기 좋아하는 것은 스페인어 연습이다.

핵심 개념

동사구와 to부정사구, 명사절 등은 ❷⬚ 동사와 함께 쓴다.

图 ① 동명사구 ② 단수

개념 확인

다음 문장의 네모 안에서 어법상 알맞은 것은?

1 Expanding your mind is / are vital to being creative. 수능

2 How he manages to keep going is / are beyond me.

图 1 is 2 is

12 수능에 꼭 나오는 필수 유형 ZIP 1

---

14 감정을 나타내는 분사

대표 예문

1 The movie was boring. I was bored.

영화가 지루했다. 나는 지루함을 느꼈다.

2 Those words made the boy frustrated.

이런 말들이 그 소년을 좌절시켰다.

3 It's frustrating to offer solutions and have them ignored.

해결책을 제시하고 그것들을 무시당하는 것은 좌절스러운 일이다.

핵심 개념

감정을 나타내는 분사는 다음과 같이 현재분사와 과거분사를 구별해서 사용한다.

대체로 사물이 감정을 일으키는 대상이면 ❶⬚ 를, 사람이 감정의 대상이면

❷⬚ 를 쓴다.

图 ① 현재분사 ② 과거분사

개념 확인

다음 문장의 네모 안에서 어법상 알맞은 것은?

1 Pets are important in the treatment of depressing / depressed or chronically ill patients. 수능

2 You'll feel much more satisfying / satisfied after eating 100 calories' worth of grapes than you would after eating 100 calories' worth of raisins. 학평

图 1 depressed 2 satisfied

13 분사의 쓰임 (2-2)

대표 예문

1 I saw the flowers **swinging** in the wind.
나는 꽃들이 바람에 흔들리는 것을 보았다.

2 I decided to have the curtains **replaced**.
나는 커튼을 바꾸기로 결정했다.

핵심 개념

현재분사와 과거분사는 목적격 보어 역할을 할 수 있다. 목적어와의 관계가 능동이면 ❶ _____를 쓰고, 수동이면 ❷ _____를 쓴다.

답 ❶ 현재분사 ❷ 과거분사

사역동사 have의 목적어와 목적격 보어와의 관계가 능동일 때에는 동사원형을 쓰며, 현재분사는 쓰지는 않아요!

Tip

개념 확인

다음 문장의 네모 안에서 어법상 알맞은 것은?

1 Because they use these neural circuits in novel ways, we find them especially interested / interesting . 학평

2 You will smile and feel your spirit lifting / lifted . 학평

답 1 interesting 2 lifted

10 주어와 동사의 수 일치 (4)

대표 예문

1 We provide free educational resources for **those** who want to learn more.
우리는 더 배우기를 원하는 사람들을 위해 무료 교육 자료를 제공한다. 선행사(복수)

2 **The person** that wins the game will get a medal.
경기에서 이기는 사람이 메달을 가져갈 것이다. 선행사(단수)

핵심 개념

주격 관계대명사절의 동사는 ❶ _____에 수를 일치시킨다.

답 ❶ 단수 ❷ 선행사

개념 확인

다음 문장의 네모 안에서 어법상 알맞은 것은?

1 It is not more truthful; it is just a filter that reduce / reduces the incorrectness of a theory. 학평

2 Those who made to-do lists before bed was / were able to fall asleep nine minutes faster than those who wrote about past events. 학평

답 1 reduces 2 were

11 문장의 주어와 동사

대표 예문

1 Some people **need** money more than we do.
to need(X) / needing(X)
어떤 사람들은 우리보다 돈이 더 필요하다.

2 The contest **was** open to middle and high school students.
이 대회는 중고등 학생들이 참여할 수 있었다.

contest

핵심 개념

❶ 문장에는 ❶ [　　] 와 동사가 반드시 필요하다. 문장의 구조를 살필 때, 문장의 주어와 동사를 우선 파악한다.

❷ to부정사, 동사ing, 분사와 같은 ❷ [　　] 는 문장의 본동사 역할을 할 수 없다.

답 ❶ 주어 ❷ 준동사

개념 확인

다음 문장의 네모 안에서 어법상 알맞은 것은?

1 The first underwater photographs were taken by an Englishman name / named William Thompson. 학평

2 I became a medical curiosity, attracted / attracting some of the area's top specialists to look in on me and review my case. 수능

답 1 named 2 attracting

---

12 분사의 쓰임 (2-1)

대표 예문

1 The news about the school was **surprising**.
❶ [　　] (주어와 능동 관계)
학교에 대한 그 소식은 놀라웠다.

2 The old house remained **unchanged**.
❷ [　　] (주어와 수동 관계)
그 오래된 집은 변함이 없었다.

핵심 개념

현재분사와 과거분사는 주격 보어 역할을 할 수 있다.

Tip
보어는 명사, 형용사, 대명사 등이 오고 분사는 형용사처럼 쓰임! 여기!

답 ❶ 현재분사 ❷ 과거분사

개념 확인

다음 문장의 네모 안에서 어법상 알맞은 것은?

1 It is no accident that fish have bodies which are streamline / streamlined and smooth, with fins and a powerful tail. 모평

2 It is perhaps surprising / surprised how visual input can override taste and smell. 학평

답 1 streamlined 2 surprising

11 분사의 쓰임 (1-2)

대표 예문

1 Catching the **dropping** balls is the point of this game.
떨어지는 공을 잡는 것이 이 게임의 포인트이다.
(현재분사가 단독으로 명사를 꾸밈)

2 I met the koalas **rescued from the wild fire by the fire crews.**
나는 산불 속에서 소방대원들이 구조한 코알라를 만났다.
(과거분사구가 명사를 꾸밈)

핵심 개념

현재분사와 과거분사는 **①**[   ]처럼 쓰이며 명사를 꾸민다. 분사가 한 단어로 쓰이면 명사 앞에서 꾸미고, 분사가 구를 이루고 있으면 명사의 **②**[   ]에서 꾸민다.

정답 ① 형용사 **②** 뒤

개념확인

다음 문장의 네모 안에서 어법상 알맞은 것은?

1 An old man holding / held a puppy can relive a childhood moment with complete accuracy. 수능

2 Without the context providing / provided by cells, organisms, social groups, and culture, DNA is inert. 수능

정답 1 holding **2** provided

---

12 현재완료의 쓰임 (1)

대표 예문

1 He **has** just **finished** picking the bag.
그는 가방을 고르는 것을 막 끝냈다.

2 Most recommendations made to correct the problems **have been ignored.** (현재완료 수동태: have(has) been + 과거분사)
문제를 해결하기 위해 제안된 대부분의 권고사항은 무시되었다.

핵심 개념

① 현재완료의 기본 형태는 「have(**①**[   ])+과거분사」이다.

② 현재완료 **②**[   ]는 「have(has) been+과거분사」이다.

정답 ① has **②** 수동태

개념확인

다음 문장의 네모 안에서 어법상 알맞은 것은?

1 A similar process occurred for humans, who seem to have domesticated / have been domesticated by wolves. 학평

2 In many countries, amongst younger people, the habit of reading newspapers was / has been on the decline and some of the dollars previously spent on newspaper advertising have migrated to the Internet. 수능

정답 1 have been domesticated **2** has been

13 현재완료의 쓰임 (2)

대표 예문

1 **I have lost** my wallet. (과거에 지갑을 잃어버려서 현재 갖고 있지 않은 상태)
cf. I lost my wallet.
나는 내 지갑을 잃어버렸다. 에 지갑을 잃어버렸고, 현재 상태는 알 수 없음

2 How many times **have** you **been** to China? (과거부터 현재까지의 경험)
당신은 중국에 몇 번 갔다 오셨나요?

3 Since 2020, the number of foreigners visiting Korea **has decreased.** (과거 시점부터 현재까지 지속되는 일)
2020년 이후, 한국을 방문하는 외국인의 수가 감소했다.

핵심 개념

현재완료는 과거의 일이 ② 까지 영향을 줄 때 사용한다.

답 ❶ 과거 ❷ 현재

개념 확인

다음 문장의 네모 안에서 어법상 알맞은 것은?

1 Much has been writing / written and said about positive self-talk — for example, repeating to ourselves "I am wonderful" when we feel down. 수능

2 In recent history, countries with the highest net inward migration has / have also had the highest growth rates. 학평

답 1 written 2 have

---

10 분사의 쓰임 (1-1)

대표 예문

boiled water 끓인 물
boiling water 끓고 있는 물

fallen leaves 떨어진 잎(낙엽)
falling leaves ❶ 잎

핵심 개념

분사에는 현재분사와 과거분사가 있다. 현재분사는 능동, 진행의 의미로, 과거분사는 . 원문의 의미로 쓰인다.

답 ❶ 떨어지는 ❷ 수동

개념 확인

다음 문장의 네모 안에서 어법상 알맞은 것은?

1 He warmed his hands before the burning / burnt fire.

2 Around 3/4 of that energy is expended on neurons, the specializing / specialized brain cells that communicate in vast networks to generate our thoughts and behaviors. 학평

답 1 burning 2 specialized

09 목적격 보어로 쓰이는 부정사 (2)

대표 예문

I asked her to **let** me **get** out of the room.
나는 그녀에게 방에서 나가게 해달라고 부탁했다.

ask+목적어+to부정사 └ let+①[　]+목적어+동사원형

핵심 개념

지각동사와 사역동사는 목적격 보어로 ②[　]를 쓴다.

Tip
지각동사 see, feel, hear, watch, notice 등
사역동사 make, have, let

답 ① 사역동사 ② 원형부정사

개념 확인

다음 문장의 네모 안에서 어법상 알맞은 것은?

1 Inserting seeds and watching them grow / to grow is easy. 학평

2 In a survey published earlier this year, seven out of ten parents said they would never let their children play / to play with toy guns. 모평

답 1 grow 2 play

14 현재완료 vs. 과거

대표 예문

1 In 1951, Crick **met** James Watson, a young American biologist. (과거)
1951년 Crick은 젊은 미국인 생물학자인 James Watson을 만났다.

2 Since 1951, Crick **has known** James Watson, a young American biologist. (①[　])
1951년부터 Crick은 젊은 미국인 생물학자인 James Watson을 알게 되었다.

핵심 개념

현재완료는 명확한 과거 시점을 나타내는 ②[　]와 함께 쓰지 않는다.

현재완료와 자주 쓰이는 부사	「since+과거 시점」, 「for+기간」, so far, just, already, yet, ever, before 등
과거 시제와 자주 쓰이는 부사	yesterday, last ... , ... ago, just now, when, 「in+과거 연월」 등

답 ① 현재완료 ② 부사

개념 확인

다음 문장의 네모 안에서 어법상 알맞은 것은?

1 Schreiber suffered / has suffered from addictive exercise tendencies a year ago. 학평

2 Schreiber suffered / has suffered from addictive exercise tendencies so far. 학평

답 1 suffered 2 has suffered

15 과거완료의 쓰임

대표 예문

1 I **had never visited** that website until then.
나는 그때까지 그 웹사이트를 방문한 적이 없었다. 과거 시점

2 They **had stayed** at the hotel for days before the police found them.
그들은 경찰이 그들을 발견하기 전에 호텔에 며칠 동안 머물렀다. 과거 시점

핵심 개념

과거완료의 기본 형태는 「had + ❶ 」로, 과거의 어느 때보다 더 ❷ 에 일어난 일을 나타낼 때 사용한다.

답 ❶ 과거분사 ❷ 이전

개념 확인

다음 문장의 네모 안에서 어법상 알맞은 것은?

1 Hannah was seated in the fifth row, hallway side, even though she wanted / had wanted a window seat. 수능

2 He initially took on the difficult task of treating chronic-pain patients, many of whom didn't respond / had not responded well to traditional pain-management therapy. 학평

답 1 had wanted 2 had not responded

---

08 목적격 보어로 쓰이는 부정사 (1)

대표 예문

We consider him **to be** honest.
우리는 그가 정직하다고 생각한다. 목적격 보어

핵심 개념

「주어+동사+목적어+목적격 보어」 구조의 ❶ 형식 문장에서 to부정사를 쓰는 동사들이 있다.

답 ❶ 5 ❷ 목적격 보어

Tip
목적격 보어로 to부정사를 쓰는 동사: advise, allow, ask, cause, enable, encourage, expect, force, order, persuade, tell, want 등

개념 확인

다음 문장의 네모 안에서 어법상 알맞은 것은?

1 The Internet allows information flow / to flow more freely than ever before. 학평

2 The response profile of each species will enable it locate / to locate sources of smell that are relevant to it and to respond accordingly. 학평

답 1 to flow 2 to locate

07 기주어와 to부정사

대표 예문

It is a good idea **to donate** the toys to charity.
　가주어　　　　　진주어
장난감을 자선단체에 기부하는 것은 좋은 생각이다.

핵심 개념

to부정사구가 주어로 쓰이면 대개 it을 주어 자리에 쓰고 to부정사구는 ❶ [　　] 에 쓴다. 이때 it을 가주어, to부정사구를 ❷ [　　] 라고 한다.

주어 자리에 it이 있고 뒤에 to부정사가 나오면 to부정사가 진주어 구문일 확률이 높아요!

답 ❶ 뒤 ❷ 진주어

개념확인

다음 문장의 네모 안에서 어법상 알맞은 것은?

1 It is a strategic and tactical mistake [to give / giving] an offensive position away to those who will use it to attack, criticize, and blame. 모평

2 It will take several years for the collection [to be / being] large enough and rich enough to be considered an important research tool. 모평

답 1 to give 2 to be

---

16 현재완료 진행

대표 예문

They **have been talking** about her hair style.
그들은 그녀의 머리 스타일에 대해 말하고 있는 중이다.

핵심 개념

❶ [　　] 은 과거에 시작된 일이 ❷ [　　] 까지 진행되고 있을 때, 「have(has) been + 현재분사」로 쓴다.

과거부터 현재까지 계속되고 있다는 걸 말하는구나!

답 ❶ 진행형 ❷ 현재

개념확인

다음 문장의 네모 안에서 어법상 알맞은 것은?

1 Mr. James [was / has been] waiting to see you since two o'clock.

2 Somebody [has / has been] sleeping in this bed.

답 1 has been 2 has been

Week 1
17 과거완료 진행

대표 예문

When Emma came into the room, they **had been talking** about her hair style.

Emma가 방에 들어왔을 때, 그들은 그녀의 머리 스타일에 대해 이야기하고 있던 중이었다.

핵심 개념

과거완료 진행형은 과거 시점 ❶[　] 에 시작된 일이 그 시점까지 진행되고 있었음을 나타낼 때, 'had been + ❷[　]'로 쓴다.

답 ❶ 이전 ❷ 현재분사

과거 시점 이전부터 과거 그 시점까지 계속되고 있다는 걸 말하는구나!

개념 확인

다음 문장의 네모 안에서 어법상 알맞은 것은?

1 My brother was / had been living only on water when the search party found him.

2 Lieutenant Sweet had talked / had been talking with his men for a half hour before the patrol car came.

답 1 had been 2 had been talking

Week 2
06 동사와 to부정사를 모두 목적어로 받는 동사 (2)

대표 예문

1 I forgot **to call** him back.

나는 그에게 다시 전화해야 하는 것을 잊었었다. (전화하지 않음)

2 I forgot **calling** him back.

나는 그에게 다시 전화한 것을 잊었었다. (전화함)

핵심 개념

동사와 to부정사를 모두 ❶[　] 로 쓸 수 있으며, 의미 ❷[　] 가 나는 동사가 있다.

forget + to부정사	~할 것을 잊다
forget + 동명사	~한 것을 잊다
remember + to부정사	~할 것을 기억하다
remember + 동명사	~한 것을 기억하다
regret + to부정사	~하게 되어 유감이다
regret + 동명사	~한 것을 후회하다
try + to부정사	~하려고 노력하다
try + 동명사	시험 삼아 ~해 보다

cf. stop+동명사: ~하는 것을 ❸[　]
stop+to부정사: ~하기 위해 멈추다
(to부정사는 stop의 목적어가 아닌 부사적 용법으로 쓰임)

답 ❶ 목적어 ❷ 차이 ❸ 멈추다

개념 확인

다음 문장의 네모 안에서 어법상 알맞은 것은?

1 I regret to say / saying the machine is no longer working. 수능

2 I regret tell / telling you that he did not pass the examination.

답 1 to say 2 telling

05 동명사와 to부정사를 모두 목적어로 쓰는 동사 (1)

대표 예문

The farmer began **to make** the ground even.

핵심 개념

동명사와 to부정사를 모두 목적어로 쓸 수 있으며,
의미 차이가 거의 ❷ □□□ 동사가 있다.

Tip
동명사와 to부정사구 모두
목적어로 쓰는 동사: attempt,
hate, begin, continue, intend,
like, love, prefer, start 등

답 ❶ making ❷ 없는

개념 확인

다음 문장의 네모 안에서 어법상 알맞은 것은?

1 All of a sudden, I heard the loud sound of engines, and the buses started
| to moving / moving |. 수능

2 The negative impact on local wildlife inhabiting areas close to the fish farms
continues | to be / being | an ongoing public relations problem for the
industry. 수능

답 1 moving 2 to be 또는 being

---

18 능동태의 쓰임

대표 예문

1 The workers **moved** some piles of bricks.

동사의 행위를 하는 ❶ □□□
그 동작자들은 벽돌 더미를 옮겼다.

2 The movie **excited** the audience.
동사의 행위를 하는 ❶ □□□
그 영화는 관객들을 흥분시켰다.

핵심 개념

능동태는 ❷ □□□ 가 동사의 행위를 하는 주체일 때 쓴다.

답 ❶ 주체 ❷ 주어

개념 확인

다음 문장의 네모 안에서 어법상 알맞은 것은?

1 The product warranty | says / is said | that you provide spare parts and
materials for free, but charge for the engineer's labor. 수능

2 These thieving bees | sneak / is sneaked | into the nest of an unsuspecting
"normal" bee, and lay an egg near the pollen. 모평

답 1 says 2 sneak

04 동명사나 to부정사를 목적어로 만드는 동사 (2)

대표 예문

They offered **to upgrade** to a larger room.
그들은 더 큰 방으로 업그레이드해 주겠다고 제안했다. (❶ [역할])

핵심 개념

❷ [ ] 만 목적어로 쓰는 동사가 있다.

Tip

to부정사구만 목적어로 쓰는 동사:
agree, afford, ask, choose, decide, hope,
need, offer, promise, want, wish 등

답 ❶ 목적어 ❷ to부정사

개념 확인

다음 문장의 네모 안에서 어법상 알맞은 것은?

1 The material they choose to publish / publishing must not only have commercial value, but be very competently written and free of editing and factual errors. 학평

2 As he made better and better spyglasses, which were later named telescopes, Galileo decided to point / pointing one at the Moon. 모평

답 1 to publish 2 to point

---

19 수동태의 쓰임 (1)

대표 예문

1 Some piles of bricks **were moved** by the workers.
행위를 [❶] 대상이 주어
일부 벽돌 더미는 노동자들에 의해 옮겨졌다.

2 The audience **were excited** by the movie.
행위를 당하는 대상이 주어
관객들은 그 영화에 열광했다.

핵심 개념

수동태는 주어가 동사의 행위를 당하는 대상일 때 쓰며, 형태는 「be동사+ ❷ 」이다.

답 ❶ 당하는 ❷ 과거분사

개념 확인

다음 문장의 네모 안에서 어법상 알맞은 것은?

1 The 'Merton Rule' devised / was devised in 2003 by Adrian Hewitt, a local planning officer in Merton, southwest London. 학평

2 Before the washing machine invented / was invented , people used washboards to scrub, or they carried their laundry to riverbanks and streams, where they beat and rubbed it against rocks. 학평

답 1 was devised 2 was invented

Week 2

03 동명사나 to부정사를 목적어로 하는 동사 (1)

대표 예문

Stop **judging** yourself, and stop **judging** others also.
너 자신을 그만 판단하고 다른 사람들도 그만 판단해.
(목적어로 쓰인 ❶   )

Tip

동명사만 목적어로 쓰는 동사:
avoid, admit, deny, discuss, enjoy, finish, imagine, keep, mind, quit, stop, suggest, give up 등

핵심 개념

동명사만 ❷   로 쓰는 동사가 있다.

답 ❶ 동명사 ❷ 목적어

개념 확인

다음 문장의 네모 안에서 알맞은 것은?

1 I have just finished to clean / cleaning the room.

2 I have enjoyed to live / living here and hope to continue doing so. 학평

답 1 cleaning 2 living

Week 1

20 수동태의 쓰임 (2)

대표 예문

The novel **is read** by many teens. 현재

The novel **was read** by many teens. 과거

The novel **will be** read by many teens. 미래

The novel **is being** read by many teens. 현재진행

The novel **was being** read by many teens. 과거진행

The novel **has been** read by many teens. ❶

The novel **had been** read by many teens. 과거완료

The novel **will have been** read by many teens. 미래완료

모든 그 소설은 많은 십대들에 의해 읽힌다/읽혔다/읽힐 것이다/읽히고 있다/읽히고 있었다/읽혀 왔다/읽혔었다/읽혀 있을 것이다.

핵심 개념

수동태의 시제는 ❷   동사로 나타낸다.

답 ❶ 현재완료 ❷ be

개념 확인

다음 문장의 네모 안에서 알맞은 것은?

1 The stones may even have used / been used to predict eclipses. 모평

2 A pet's continuing affection becomes important for those enduring hardship because it reassures them that their core essence has not damaged / been damaged. 수능

답 1 been used 2 been damaged

01 동명사와 to부정사 (1)

대표 예문

1 The best thing to do now is **to work** together. (보어 역할)
지금 해야 할 최선의 일은 함께 일하는 것이다.

2 **Discovering** a new species could be the highlight of a biologist's career. (주어 역할)
새로운 종을 발견하는 것은 생물학자의 경력의 하이라이트가 될 수 있다.

핵심 개념

동명사와 to부정사는 ❶ [　]로 쓰여 주어, 목적어, ❷ [　] 역할을 할 수 있다.

Tip: 동명사구 주어 + 단수동사

정답 ❶ 명사 ❷ 보어

개념 확인

다음 문장의 네모 안에서 어법상 알맞은 것은?

1 Investing regularly in learning opportunities [is / are] one of the greatest gifts you can give yourself. 모평

2 To be unable to distinguish a brother-in-law as the brother of one's wife or the husband of one's sister [seem / seems] confusing within the structure of personal relationships. 학평

정답 1 is 2 seems

---

02 동명사와 to부정사 (2)

대표 예문

You need to develop the necessary skills for **producing** music. (전치사 for의 ❶ [　] 역할)
너는 음악을 만들기 위해 필요한 기술들을 개발할 필요가 있다.

핵심 개념

전치사의 목적어로는 ❷ [　] 만 쓰인다.

Tip: 전치사 + { 명사 / 동명사 / 명사절 }

정답 ❶ 목적어 ❷ 동명사

개념 확인

다음 문장의 네모 안에서 어법상 알맞은 것은?

1 The focus of her excitement shifts from [to enjoy / enjoying] learning itself to pleasing you. 모평

2 Hans Lippershey gets credit for [to put / putting] two lenses on either end of a tube in 1608 and creating a "spyglass." 모평

정답 1 enjoying 2 putting

수능전략

영·어·영·역

어법

BOOK 1

BOOK 1
1주, 2주

BOOK 2
1주, 2주

BOOK 3
정답과 해설

본책인 BOOK 1과 BOOK 2의 구성은 아래와 같습니다.

주 도입

본격적인 학습에 앞서, 재미있는 만화를
살펴보며 이번 주에 학습할 내용을 확인해
봅니다.

1일

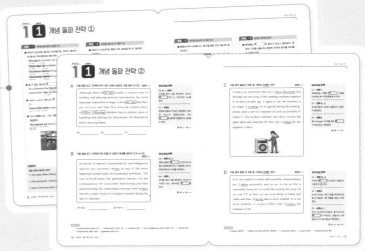

개념 돌파 전략
수능 영어 영역을 대비하기 위해 꼭 알아야 할
어법 개념을 익힌 뒤, 간단한 문제를 풀며 유형 개념을
잘 이해했는지 확인해 봅니다.

2일, 3일

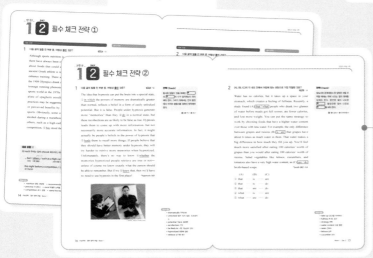

필수 체크 전략
기출 문제에서 선별한 대표 유형 문제와 추가 문제를
풀며 문제에 접근하는 과정과 해결 전략을 체계적으로
익혀 봅니다.

부록 수능에 꼭 나오는
필수 유형 ZIP

본 책에서 다룬 대표 유형과 그 해결 전략을 집중적으로
연습할 수 있도록 권두 부록을 구성했습니다.
부록을 뜯으면 미니북으로 활용할 수 있습니다.

주 마무리 코너

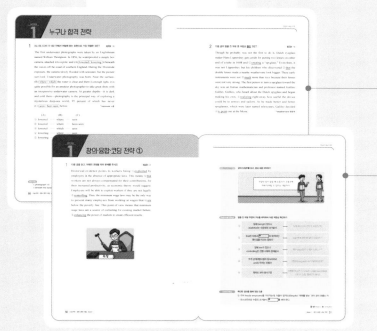

누구나 합격 전략
난이도가 낮은 기출 문제를 풀며
학습 자신감을 높일 수 있습니다.

창의·융합·코딩 전략
수능에서 요구하는 융복합적 사고력과
문제 해결력을 기를 수 있는 재미있는
문제를 풀어 봅니다.

권 마무리 코너

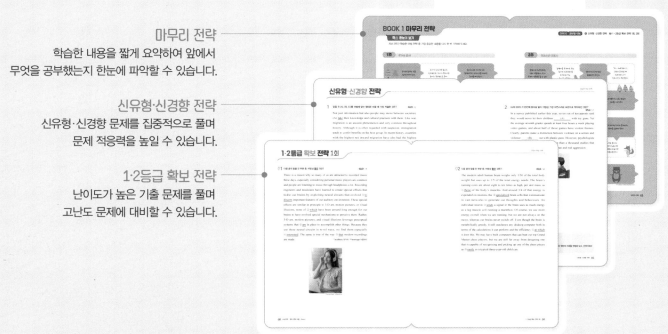

마무리 전략
학습한 내용을 짧게 요약하여 앞에서
무엇을 공부했는지 한눈에 파악할 수 있습니다.

신유형·신경향 전략
신유형·신경향 문제를 집중적으로 풀며
문제 적응력을 높일 수 있습니다.

1·2등급 확보 전략
난이도가 높은 기출 문제를 풀며
고난도 문제에 대비할 수 있습니다.

이 책의 **차례**

BOOK 1

파이팅!!

1 주어와 동사

개념 돌파 전략 ①

개념 **01** 주어와 동사의 수 일치 (1)

❶ 주어가 단수이면 동사도 단수형으로, 주어가 복수이면 동사도 복수형으로 써야 한다.

- **This app is** currently not available.
  단수 주어 ㅤ+단수 동사
- **These apps are** available now.
  복수 주어 ㅤ+복수 동사
- **The lawyer blames** the government.
  단수 주어 ㅤㅤ+단수 동사
- **The lawyers blame** the government.
  복수 주어 ㅤㅤ+복수 동사

❷ 셀 수 없는 명사는 [❶] 동사와 함께 쓴다.

He confirmed that **the information** about the
ㅤㅤㅤㅤㅤㅤㅤㅤㅤ단수 주어
organization **was** classified.
ㅤㅤㅤㅤㅤ+단수 동사

❸ 「each, every+명사」는 [❷] 동사와 함께 쓴다.

Every child needs a teacher.
every + 단수 명사 ㅤ+ 단수 동사

❹ 「the+형용사」는 '~한 사람들'이라는 의미로 [❸] 취급한다.

The injured are being taken to the hospital
the injured = injured people
by us.

답 ❶ 단수 ❷ 단수 ❸ 복수

개념 **02** 주어와 동사의 수 일치 (2)

❶ 주어가 수식어구와 함께 쓰여 길어질 때 수 일치에 유의한다.

Two thieves who had stolen mailbags full of
복수 주어
money **were** caught this morning.
ㅤㅤㅤ+복수 동사

❷ 「one of+복수 명사」는 '~들 중 [❶]'라는 의미로 단수 취급한다.

One of the girls **was** left behind.
단수 주어 ㅤㅤㅤㅤㅤ+단수 동사

❸ 「a number of ~」는 복수 취급하고, 「the number of」는 [❷] 취급한다.

- **A number of applicants have** already been
  복수 주어 ㅤㅤㅤㅤㅤ+복수 동사
  interviewed.
- **The number of applicants** in 2015 **is** 5.7 %
  단수 주어 ㅤㅤㅤㅤㅤㅤㅤㅤㅤㅤ+단수 동사
  less than in 2013.

❹ 「all, some, most, the rest, 분수, 퍼센트+of」 다음에 단수 명사가 오면 단수 취급, 복수 명사가 오면 복수 취급한다.

- **Two-thirds of the forest lies** in Brazil.
  단수 주어 ㅤㅤㅤㅤㅤ+단수 동사
- **Some of the houses are** abandoned.
  복수 주어 ㅤㅤㅤㅤㅤ+복수 동사

답 ❶ 하나 ❷ 단수

개념 03 주어와 동사의 수 일치 (3)

❶ 동명사구와 to부정사구, 명사절 등은 단수 동사와 함께 쓴다.

- Driving along this beach is one of my favorite pastimes. ❶[   ]구+단수 동사

- What I like to do in my spare time is practicing Spanish. ❷[   ]절+단수 동사

图 ❶ 동명사 ❷ 명사

CHECK

괄호 안에서 알맞은 것은?

6. Judging whether something is important to us (is / are) based on our cultural differences. 기출

개념 04 주어와 동사의 수 일치 (4)

❶ 주격 관계대명사절의 동사는 선행사에 수를 일치시킨다.

- We provide free educational resources for those who want to learn more.
  복수 선행사   +복수 동사
- The person that wins the game will get a medal.
  단수 선행사   +단수 동사

CHECK

괄호 안에서 알맞은 것은?

7. They adjust themselves to any social signal that (indicates / indicate) appropriate or inappropriate behavior. 기출

개념 05 문장의 주어와 동사

❶ 문장에는 ❶[   ]와 동사가 반드시 필요하다. 문장의 구조를 살필 때, 문장의 주어와 동사를 파악할 수 있어야 한다.

❷ to부정사, 동명사, 분사와 같은 준동사는 문장의 본동사 역할을 할 수 없다. ▶p. 35 전략 1 동명사와 to부정사 참조

- Some people to need money more than we do. (×) ⤷ need

- When you find a cartoon in the newspaper, cutting it out carefully. (×)
  ⤷ ❷[   ]

- The contest been open to middle and high school students. (×) ⤷ is/was/has(had) been

图 ❶ 주어 ❷ cut

CHECK

괄호 안에서 알맞은 것은?

8. My friend, Amy, (ate / eating) too slowly.

9. They (went / gone) back to their office at 4 in the afternoon.

10. With this form of agency comes the belief that individual successes (depend / depending) primarily on one's own abilities and actions. 기출

개념 06 현재완료의 쓰임

❶ 현재완료의 기본 형태는 「have(❶[   ])+과거분사」이다.

• He **has** just **finished** picking the bag.
　　　　주어가 3인칭 단수일 때 has

• Most recommendations made to correct the problems **have been ignored**.
　　　　현재완료 수동태: have(has) been + 과거분사

❷ 현재완료는 과거의 일이 현재까지 영향을 줄 때 사용한다.

• I **have lost** my wallet.
　　과거에 지갑을 잃어버려서 현재 갖고 있지 않은 상태

cf. I lost my wallet.
　　❷[   ]에 지갑을 잃어버렸고, 현재 상태는 알 수 없음

• How many times **have** you **been** to China?
　　　　과거부터 현재까지의 경험

• Since 2020, the number of foreigners visiting the country **has decreased**.
　　　　과거 시점부터 현재까지 지속되는 일

답 ❶ has ❷ 과거

CHECK

괄호 안에서 알맞은 것은?

11. Many parents who have (experience / experienced) personal hardship desire a better life for their children. 기출

12. Since the 1970s there (is / has been) a trend towards a freer flow of capital across borders. 기출

13. Smartwatches and fitness trackers have (inspired / been inspired) lots of people to take up exercise. 기출

개념 07 현재완료 vs. 과거

❶ 현재완료는 명확한 ❶[   ] 시점을 나타내는 부사와 함께 쓰지 않는다.

❷[ ] 시제와 자주 쓰이는 부사	「since+과거 시점」, 「for+기간」, so far, just, already, yet, ever, before 등
과거 시제와 자주 쓰이는 부사	yesterday, last, ago, just now, when, 「in+과거, 연/월」 등

• **In 1951**, Crick **met** James Watson, a young American biologist.

• **Since 1951**, Crick **has known** James Watson, a young American biologist.

답 ❶ 과거 ❷ 현재완료

CHECK

괄호 안에서 알맞은 것은?

14. Don't you remember we (promised / have promised) to help her last month? 기출

개념 08 과거완료의 쓰임

❶ 과거완료의 기본 형태는 「had+과거분사」로, 과거의 어느 때보다 더 ❶[   ]에 일어난 일을 나타낼 때 사용한다.

• I **had** never **visited** that website **until then**.
　　　　　　　　　　　과거 시점

• They **had stayed** at the hotel for days **before** the police found them.
　　　　　　　　　　　　과거 시점

답 ❶ 이전

CHECK

괄호 안에서 알맞은 것은?

15. She listened to me quietly about what (has / had) happened.

개념 09 완료 진행

❶ 현재완료 진행형은 과거에 시작된 일이 ❶ [   ] 까지 진행되고 있을 때, 「have(has) been+현재분사」로 쓴다.

They **have been talking** about her hair style.
과거부터 현재까지 계속되고 있는 일

❷ 과거완료 진행형은 과거 시점 이전에 시작된 일이 그 시점까지 ❷ [   ] 되고 있을 때, 「had been +현재분사」로 쓴다.

→ 과거 시점
When Emma came into the room, they **had been talking** about her hair style.
과거 시점 이전부터 그 시점까지 계속되고 있는 일

답 ❶ 현재 ❷ 진행

CHECK

괄호 안에서 알맞은 것은?

16. The baby (have / had) been sleeping until the bell rang.

개념 10 능동태의 쓰임

❶ 능동태는 주어가 동사의 행위를 하는 주체일 때 쓴다.

• The workers **moved** some piles of bricks.
moved라는 동사의 행위를 하는 주체

• The movie **excited** the audience.
excited라는 동사의 행위를 하는 주체

CHECK

다음 문장에서 동사의 행위를 하는 주체에 동그라미 하시오.

17. Many companies confuse activities and results. 기출

18. Meeting this challenge requires a commitment to equal treatment. 기출

개념 11 수동태의 쓰임

❶ 수동태는 주어가 동사의 행위를 당하는 ❶ [   ] 일 때 쓰며, 형태는 「be동사+과거분사」이다. ▶전략 10 참조

• Some piles of bricks **were moved** by the workers.
→ 행위를 ❷ [   ] 대상이 주어

• The audience **were excited** by the movie.
행위를 당하는 대상이 주어

❷ 수동태의 시제는 be동사로 나타낸다.

• The novel **is read** by many teens.
현재

• The novel **was read** by many teens.
과거

• The novel **will be read** by many teens.
미래

• The novel **is being** read by many teens.
현재진행

• The novel **was being** read by many teens.
과거진행

• The novel **has been** read by many teens.
현재완료

• The novel **had been** read by many teens.
과거완료

• The novel **will have been** read by many teens.
미래완료

답 ❶ 대상 ❷ 당하는

CHECK

다음 문장에서 동사의 행위를 하는 주체에 동그라미 하시오.

19. Those children were separated into two groups by the teacher.

20. The building was designed by Gaudi.

개념 돌파 전략 ②

A 다음 글을 읽고, 전략에 따라 네모 안에서 알맞은 것을 골라 쓰시오. (학평) 응용

Although there (a) is / are usually a correct way of holding and playing musical instruments, the most important instruction to begin with (b) is / are that they are not toys and that they must be looked after. (c) Allow / Allowing children time to explore ways of handling and playing the instruments for themselves before showing them.

(a) _____ (b) _____ (c) _____

문제 해결 전략

(a), (b) → **전략 1**
주어를 찾아 수를 확인한다. 주어가 ❶[   ]이면 is, 복수이면 are를 쓴다.

(c) → **전략 5**
문장에 본동사가 있는지 확인한다. 없다면 Allow가 본동사이므로 주어 ❷[   ]를 생략한 명령문으로 생각할 수 있다.

[답] ❶ 단수 ❷ You

B 다음 글을 읽고, 전략에 따라 밑줄 친 낱말의 형태를 알맞게 고쳐 쓰시오. (수능) 응용

Invasions of natural communities by non-indigenous species are currently (a)rate as one of the most important global-scale environmental problems. The loss of biodiversity has generated concern over the consequences for ecosystem functioning and thus understanding the relationship between both (b)have become a major focus in ecological research during the last two decades.

(a) rate → _____   (b) have → _____

문제 해결 전략

(a) → **전략 10, 11**
앞에 be동사 ❶[   ]가 있으므로 능동의 현재진행이거나, 수동태일 것이다. 주어와 동사의 관계를 파악한다.

(b) → **전략 1**
주어를 찾아 수를 확인한다. 주어가 단수이면 has, 복수이면 ❷[   ]를 쓴다.

[답] ❶ are ❷ have

Words
- musical instrument 악기 • instruction 가르침, 지도 • invasion 침입 • non-indigenous 외래의, 토종이 아닌 • rate 평가하다
- biodiversity 생물 다양성 • generate 발생시키다

C 다음 글의 밑줄 친 부분 중, 어법상 어색한 것은? 응용

I hope you remember that we ①have discussed last Monday the servicing of the washing machine supplied to us three months ago. I regret to say the machine is no longer ②working. As we agreed during the meeting, please send a service engineer as soon as possible to repair it. The product warranty says that you provide spare parts and materials for free, but ③charge for the engineer's labor.

문제 해결 전략

① → **전략7**
현재완료는 명백한 [❶   ] 시점을 나타내는 부사구와 함께 쓸 수 없다.

② → **전략10, 11**
주어와 동사의 관계가 능동인지 수동인지 판단한다.

③ → **전략5**
동사 charge의 주어를 찾아 [❷   ]가 일치하는지 확인한다.

답 ❶ 과거 ❷ 수

D 다음 글의 밑줄 친 부분 중, 어법상 어색한 것은? 응용

It is very useful to ensure that scientific measurements are ①taken accurately and so on. As far as life is concerned, however, it is a bit like turning the color off on your TV so that you see everything in black and white and then ②saying that is more truthful. It is not more truthful; it is just a filter that ③reduce the richness of life.

문제 해결 전략

① → **전략10, 11**
주어와 [❶   ]의 관계가 능동인지 수동인지 판단한다.

② → **전략5**
that이 이끄는 절의 구조를 파악하여 밑줄 친 부분이 어떤 역할을 하는지 판단한다.

③ → **전략4, 11**
주격 관계대명사절의 동사이므로 [❷   ]가 주어이다. 선행사의 수와 동사의 수가 일치하는지 확인한다.

답 ❶ 동사 ❷ 선행사

Words
● supply 공급하다 ● regret 유감스럽게 생각하다, 후회하다 ● warranty 보증(서) ● spare 여분의 ● measurement 측정

필수 체크 전략 ①

대표 유형

1 다음 글의 밑줄 친 부분 중, 어법상 틀린 것은? 학평 기출

Although sports nutrition is a fairly new academic discipline, there have always been recommendations ①made to athletes about foods that could enhance athletic performance. One ancient Greek athlete is reported to ②have eaten dried figs to enhance training. There are reports that marathon runners in the 1908 Olympics drank cognac to improve performance. The teenage running phenomenon, Mary Decker, surprised the sports world in the 1970s when she reported ③that she ate a plate of spaghetti noodles the night before a race. Such practices may be suggested to athletes ④because of their real or perceived benefits by individuals who excelled in their sports. Obviously, some of these practices, such as drinking alcohol during a marathon, are no longer recommended, but others, such as a high-carbohydrate meal the night before a competition, ⑤has stood the test of time.

*discipline (학문의) 분야 **phenomenon 천재

풀이 전략

① made 과거분사에는 [**❶**]의 의미가 있으므로 앞에 있는 명사와 능동 관계인지 수동 관계인지 확인한다.

② have eaten to부정사의 완료 시제가 바르게 쓰였는지 시제를 확인한다.

③ that that이 명사절 접속사로 쓰였다면 뒤에 완전한 형태의 절이 나올 것이다.

④ because of 뒤에 [**❷**] 구가 와야 하므로 뒤에 나오는 어구의 형태를 확인한다.

⑤ has 주어가 3인칭 단수여야 하므로, 주어가 무엇인지 파악하여 수를 확인한다.

🔑 ❶ 수동 ❷ 명사

대표 유형 답

⑤ has의 주어는 앞의 others로 복수이다. 따라서 has를 have로 고쳐 써야 한다.

┌→ 주어
... but / others, / such as a high-carbohydrate meal /
그러나 다른 것들은   고탄수화물 식사와 같은

┌→ 주어를 others로 하는 동사. 복수로 써야 함
the night before a competition, / has(→ have) stood the test of time.
경기 전날 밤의   시간의 검증을 견뎌냈다

Words
- nutrition 영양, 영양학 ● recommendation 충고, 추천 ● enhance 향상하다 ● athletic 운동의 ● fig 무화과
- perceive 인식하다 ● excel 탁월한 능력을 보이다 ● obviously 분명히, 명백하게 ● carbohydrate 탄수화물
- competition 경기, 경쟁 ● stand the test 검증을 견뎌내다

2 다음 글의 밑줄 친 부분 중, 어법상 틀린 것은? 〔학평〕기출

In early modern Europe, transport by water was usually much cheaper than transport by land. An Italian printer calculated in 1550 ①that to send a load of books from Rome to Lyons would cost 18 *scudi* by land compared with 4 by sea. Letters were normally carried overland, but a system of transporting letters and newspapers, as well as people, by canal boat ②developed in the Dutch Republic in the seventeenth century. The average speed of the boats was a little over four miles an hour, ③slow compared to a rider on horseback. On the other hand, the service was regular, frequent and cheap, and allowed communication not only between Amsterdam and the smaller towns, but also between one small town and another, thus ④equalizing accessibility to information. It was only in 1837, with the invention of the electric telegraph, that the traditional link between transport and the communication of messages ⑤were broken.

*scudi 이탈리아의 옛 은화 단위(scudo)의 복수형

① that 동사의 목적어로 쓰인 명사절 접속사 역할을 하고 있으므로, 뒤에 완전한 절이 나오는지 확인한다.

② developed 본동사로 쓰였는지, ❶ 로 쓰였는지 파악한다. 주어는 a system of ~ by canal boat이다.

③ slow 형용사의 쓰임이 바른지 확인한다.

④ equalizing 분사구문 형태이다. 생략된 주어는 문장의 주어가 the service이므로 주어와 분사와의 관계가 ❷ 인지, 수동인지 확인한다.

⑤ were 주어가 복수여야 하므로, 주어를 파악하여 수가 일치하는지 확인한다.

답 ❶ 과거분사 ❷ 능동

대표 유형 답

⑤ were는 that절 속의 동사로 that절 안의 주어를 찾아야 수 일치를 확인할 수 있다. 주어는 the traditional link이므로 단수인 was로 고쳐 써야 한다.

┌─→ 강조의 it ~ that 구문
It was only in 1837, / with the invention of the electric telegraph,
불과 1837년이었다　　　　전신의 발명과 함께

　　　┌─→ the traditional link가 주어, between ~ messages가 주어를 꾸밈
/ that [the traditional link between transport and the communication
수송과 메시지 통신 사이의 전통적인 고리가 끊긴 것은

　　　　　┌─→ 주어가 단수인 the traditional link이므로 단수 동사로 써야 함
of messages] were(→ was) broken.

Words
● transport 수송, 운송　● calculate 추산하다　● overland 육로로　● canal 운하, 수로　● equalize 동등하게 하다　● accessibility 접근성

필수 체크 전략 ②

1 다음 글의 밑줄 친 부분 중, 어법상 틀린 것은? 학평.기출

The idea that hypnosis can put the brain into a special state, ① in which the powers of memory are dramatically greater than normal, reflects a belief in a form of easily unlocked potential. But it is false. People under hypnosis generate more "memories" than they ② do in a normal state, but these recollections are as likely to be false as true. Hypnosis leads them to come up with more information, but not necessarily more accurate information. In fact, it might actually be people's beliefs in the power of hypnosis that ③ leads them to recall more things: If people believe that they should have better memory under hypnosis, they will try harder to retrieve more memories when hypnotized. Unfortunately, there's no way to know ④ whether the memories hypnotized people retrieve are true or not— unless of course we know exactly what the person should be able to remember. But if we ⑤ knew that, then we'd have no need to use hypnosis in the first place!

*hypnosis 최면

© Andrey_Popov / shutterstock

전략 Check!

동사에 밑줄이 있을 때에는 ❶[　　　] 와 ❷[　　　]의 수가 일치하는지 유의해야 한다. 그러기 위해서는 먼저 문장에서 주어와 본동사를 정확히 파악해야 한다.

🔑 ❶ 주어 ❷ 동사

Words
- dramatically 극적으로
- unlocked 잠겨 있지 않은, 드러내지는
- potential 가능성, 잠재력
- recollection 기억
- be likely to ~할 가능성이 있다
- hypnotized 최면에 걸린
- retrieve 상기해 내다

2 (A), (B), (C)의 각 네모 안에서 어법에 맞는 표현으로 적절한 것은? 학평 기출

Water has no calories, but it takes up a space in your stomach, which creates a feeling of fullness. Recently, a study found (A) that / what people who drank two glasses of water before meals got full sooner, ate fewer calories, and lost more weight. You can put the same strategy to work by choosing foods that have a higher water content over those with less water. For example, the only difference between grapes and raisins (B) is / are that grapes have about 6 times as much water in them. That water makes a big difference in how much they fill you up. You'll feel much more satisfied after eating 100 calories' worth of grapes than you would after eating 100 calories' worth of raisins. Salad vegetables like lettuce, cucumbers, and tomatoes also have a very high water content, as (C) are / do broth-based soups.

*broth 묽은 수프

	(A)	(B)	(C)
①	that	is	are
②	that	is	do
③	that	are	do
④	what	is	are
⑤	what	are	do

전략Check!

접속사와 관계대명사 중 알맞은 것을 선택할 때에는 뒤에 나오는 절의 형태를 살펴야 한다. 완전한 절이 나오면 ❶⎵⎵⎵⎵, 불완전한 절이 나오면 ❷⎵⎵⎵⎵를 써야 한다.

답 ❶ 접속사 ❷ 관계대명사

Words
- take up (공간을) 차지하다
- fullness 꽉 참, 포만
- strategy 전략
- water content 수분 함량
- raisin 건포도
- lettuce 상추
- cucumber 오이

3 다음 글의 밑줄 친 부분 중, 어법상 틀린 것은? 학평 기출

When I was young, my parents worshipped medical doctors as if they were exceptional beings ① possessing godlike qualities. But I never dreamed of pursuing a career in medicine until I entered the hospital for a rare disease. I became a medical curiosity, attracting some of the area's top specialists to look in on me and ② review my case. As a patient, and a teenager ③ eager to return to college, I asked each doctor who examined me, "What caused my disease?" "How will you make me better?" The typical response was nonverbal. They shook their heads and walked out of my room. I remember ④ thinking to myself, "Well, I could do that." When it became clear to me ⑤ what no doctor could answer my basic questions, I walked out of the hospital against medical advice. Returning to college, I pursued medicine with a great passion.

Words
- worship 우러러보다, 숭배하다
- exceptional 뛰어난, 특별한
- possess (자격, 능력을) 지니다
- godlike 신과 같은
- quality 재능, 속성, 특질
- pursue 추구하다
- medicine 의학
- rare 희귀한
- curiosity 호기심
- specialist 전문가
- look in on ~을 방문하다
- review 관찰하다
- eager 간절히 바라는
- typical 전형적인
- nonverbal 비언어적인, 말을 쓰지 않는

4 다음 글의 밑줄 친 부분 중, 어법상 **틀린** 것은? 기출

Why do we often feel that others are paying more attention to us than they really are? The spotlight effect means seeing ourselves at center stage, thus intuitively overestimating the extent ①to which others' attention is aimed at us. Timothy Lawson explored the spotlight effect by having college students ②change into a sweatshirt with a big popular logo on the front before meeting a group of peers. Nearly 40 percent of them ③were sure the other students would remember what the shirt said, but only 10 percent actually did. Most observers did not even notice ④that the students changed sweatshirts after leaving the room for a few minutes. In another experiment, even noticeable clothes, such as a T-shirt with singer Barry Manilow on it, ⑤provoking only 23 percent of observers to notice—far fewer than the 50 percent estimated by the students sporting the 1970s soft rock singer on their chests.

*sport 자랑해 보이다

전략 Check!

준동사는 문장의 본동사 역할을 할 수 ❶⬚⬚는 것을 기억해야 한다.

🗒 ❶ 없다

Words
- intuitively 직관적으로
- overestimate 과대평가하다
- sweatshirt 운동복 상의
- peer 또래
- noticeable 두드러지는
- provoke (감정 따위를) 일으키다

대표 유형

1 다음 글의 밑줄 친 부분 중, 어법상 틀린 것은? 〔학평〕 기출

Commercial airplanes generally travel airways similar to roads, although they are not physical structures. Airways have fixed widths and defined altitudes, ①which separate traffic moving in opposite directions. Vertical separation of aircraft allows some flights ②to pass over airports while other processes occur below. Air travel usually covers long distances, with short periods of intense pilot activity at takeoff and landing and long periods of lower pilot activity while in the air, the portion of the flight ③known as the "long haul." During the long-haul portion of a flight, pilots spend more time assessing aircraft status than ④searching out nearby planes. This is because collisions between aircraft usually occur in the surrounding area of airports, while crashes due to aircraft malfunction ⑤tends to occur during long-haul flight.

*altitude 고도 **long haul 장거리 비행

풀이 전략

① which ❶ [　　] 용법의 관계대명사의 역할에 유의하며, 선행사가 무엇인지 확인한다.

② to pass 앞에 있는 동사 ❷ [　　] 와의 관계를 고려하여 쓰임이 적절한지 확인한다.

③ known 바로 앞의 명사 the flight 와의 관계를 생각하여 과거분사의 쓰임이 적절한지 확인한다.

④ searching 앞에 than이 있으므로 무엇과 비교되고 있는지 파악하여 형태가 적절한지 확인한다.

⑤ tends 주어를 찾아 동사의 수와 일치하는지 확인한다.

답 ❶ 계속적 ❷ allows

대표 유형 답

⑤ tends의 주어는 crashes이며, due to aircraft malfunction이 crashes를 꾸미고 있다. 따라서 tends는 복수 동사인 tend로 고쳐 써야 한다.

┌→ 앞 문장 내용을 가리킴 ⌐ collisions를 꾸밈 ┌→ 주어는 collisions
This is / because **collisions** [between aircraft] usually **occur** in
이것은 ~이다 / 항공기 간의 충돌이 보통 공항 주변 지역에서 일어나기 때문

⌐ crashes를 꾸밈
the surrounding area of airports, / while **crashes** [due to aircraft
반면 항공기 고장이 원인인 충돌은 장거리 비행 동안

┌→ 주어는 crashes
malfunction] tends(→ **tend**) to occur during long-haul flight.
일어나는 경향이 있다

Words

● airway 항로 ● structure 구조(물) ● defined 규정된 ● vertical 상하의, 수직의 ● intense 강렬한, 집중의 ● takeoff 이륙
● landing 착륙 ● assess 평가하다 ● collision 충돌 ● crash (비행기 등의) 추락 ● malfunction 고장, 오작동

2 다음 글의 밑줄 친 부분 중, 어법상 틀린 것은? 학평 기출

The process of job advancement in the field of sports ①is often said to be shaped like a pyramid. That is, at the wide base are many jobs with high school athletic teams, while at the narrow tip are the few, highly desired jobs with professional organizations. Thus there are many sports jobs altogether, but the competition becomes ②increasingly tough as one works their way up. The salaries of various positions reflect this pyramid model. For example, high school football coaches are typically teachers who ③paid a little extra for their afterclass work. But coaches of the same sport at big universities can earn more than $1 million a year, causing the salaries of college presidents ④to look small in comparison. One degree higher up is the National Football League, ⑤where head coaches can earn many times more than their best-paid campus counterparts.

① is be동사의 주어를 찾아서 수가 일치하는지 확인한다.

② increasingly 부사가 쓰였으므로 무엇을 꾸미는지 확인한다.

③ paid 능동태 동사가 쓰였으므로 ❶⬜⬜ 와의 관계를 확인하여 능동태를 쓸지 수동태를 쓸지 판단한다.

④ to look 문장 구조로 보아 to부정사가 목적격 보어 역할을 하고 있음을 파악해야 한다.

⑤ where 관계부사의 ❷⬜⬜ 용법이 바른지 확인한다.

답 ❶ 주어 ❷ 계속적

대표 유형 답

③ 주격 관계대명사절의 동사의 주어는 선행사이다. 선행사 teachers는 문맥상 급여를 '지급받는' 대상이므로, 능동태 paid를 수동태 are paid로 고쳐 써야 한다.

For example, / high school football coaches are typically **teachers** ➤ 선행사
예를 들어   고등학교 축구 코치들은 일반적으로 교사들이다

➤ 주격 관계대명사절의 동사 (주어는 선행사)
/ who paid(→ are paid) a little extra / for their afterclass work.
약간의 추가 수당을 지급받는   그들의 방과 후 업무에 대해

Words
● advancement 전진, 진출 ● salary 봉급, 급여 ● reflect 반영하다 ● college president 대학 학장 ● in comparison 비교 시에
● counterpart 상대, 대응 관계에 있는 사람

1 다음 글의 밑줄 친 부분 중, 어법상 틀린 것은? 모평 기출

If an animal is innately programmed for some type of behaviour, then there ①are likely to be biological clues. It is no accident that fish have bodies which are streamlined and ②smooth, with fins and a powerful tail. Their bodies are structurally adapted for moving fast through the water. Similarly, if you found a dead bird or mosquito, you could guess by looking at ③its wings that flying was its normal mode of transport. However, we must not be over-optimistic. Biological clues are not essential. The extent to which they are ④finding varies from animal to animal and from activity to activity. For example, it is impossible to guess from their bodies that birds make nests, and, sometimes, animals behave in a way quite contrary to ⑤what might be expected from their physical form: ghost spiders have tremendously long legs, yet they weave webs out of very short threads. To a human observer, their legs seem a great hindrance as they spin and move about the web.

전략 Check!

현재분사는 능동, 진행의 의미이고 과거분사는 ❶⬚⬚⬚, 완료의 의미를 갖는다. be동사 뒤에 현재분사가 오면 진행 시제이고, 과거분사가 오면 ❷⬚⬚⬚가 된다는 것도 기억해야 한다.

달 ❶ 수동 ❷ 수동태

Words
- innately 선천적으로
- streamlined 유선형의
- fin 지느러미
- adapt 적합하다
- mode 방식, 유형
- transport 이동
- over-optimistic 지나치게 낙관적인
- tremendously 엄청나게
- weave (옷감·카펫 등을) 짜다, 엮다
- thread 가닥, 실
- hindrance 방해

2 다음 글의 밑줄 친 부분 중, 어법상 틀린 것은? (학평) 기출

We all want to believe that our brains sort through information in the most rational way ①possible. On the contrary, countless studies show that there are many weaknesses of human reasoning. Common weaknesses in reasoning ②exist across people of all ages and educational backgrounds. For example, confirmation bias is ubiquitous. People pay attention to information that supports their viewpoints, while ③ignoring evidence to the contrary. Confirmation bias is not the same as being stubborn, and is not constrained to issues ④about which people have strong opinions. Instead, it acts at a subconscious level to control the way we gather and filter information. Most of us are not aware of these types of flaws in our reasoning processes, but professionals who work to convince us of certain viewpoints ⑤to study the research on human decision making to determine how to exploit our weaknesses to make us more susceptible to their messages.

*ubiquitous 아주 흔한

전략 Check!

동명사, to부정사 등의 준동사에 밑줄이 있을 때에는 문장의 ❶ 가 있는지 확인해야 한다. 준동사는 문장에서 ❷ 역할을 할 수 없다는 점을 기억해야 한다.

답 ❶ 본동사 ❷ 본동사

© jiris / shutterstock

Words
- rational 이성적인
- countless 셀 수 없이 많은
- confirmation bias 확증 편향
- constrain 국한하다
- subconscious 잠재의식의
- flaw 단점
- exploit 이용하다
- susceptible 취약한

3 (A), (B), (C)의 각 네모 안에서 어법에 맞는 표현으로 적절한 것은? 수능 기출

In many countries, amongst younger people, the habit of reading newspapers has been on the decline and some of the dollars previously (A) spent / were spent on newspaper advertising have migrated to the Internet. Of course some of this decline in newspaper reading has been due to the fact that we are doing more of our newspaper reading online. We can read the news of the day, or the latest on business, entertainment or (B) however / whatever news on the websites of the *New York Times*, the *Guardian* or almost any other major newspaper in the world. Increasingly, we can access these stories wirelessly by mobile devices as well as our computers. Advertising dollars have simply been (C) followed / following the migration trail across to these new technologies.

	(A)	(B)	(C)
①	spent	⋯⋯ however	⋯⋯ followed
②	spent	⋯⋯ whatever	⋯⋯ following
③	were spent	⋯⋯ however	⋯⋯ following
④	were spent	⋯⋯ whatever	⋯⋯ followed
⑤	were spent	⋯⋯ whatever	⋯⋯ following

전략 Check!

have been 뒤에 현재분사가 오면 완료 ❶ 의 의미이고, 과거분사가 오면, 완료 ❷ 가 되므로 문장 내에서의 쓰임을 확인한다.

답 ❶ 진행 ❷ 수동태

Words
- decline 감소, 쇠퇴
- migrate 이동하다
- access 이용하다, 접근하다
- migration 이동
- wirelessly 무선으로
- trail 자취, 경로

4 다음 글의 밑줄 친 부분 중, 어법상 틀린 것은? 기출

What could be wrong with the compliment "I'm so proud of you"? Plenty. Just as it is misguided ①to offer your child false praise, it is also a mistake to reward all of his accomplishments. Although rewards sound so ②positive, they can often lead to negative consequences. It is because they can take away from the love of learning. If you consistently reward a child for her accomplishments, she starts to focus more on getting the reward than on ③what she did to earn it. The focus of her excitement shifts from enjoying learning itself to ④pleasing you. If you applaud every time your child identifies a letter, she may become a praise lover who eventually ⑤become less interested in learning the alphabet for its own sake than for hearing you applaud.

© Zoteva / shutterstock

전략 Check!

동사에 밑줄이 있다면 우선 주어를 확인해야 한다. 주격 관계대명사절 동사의 주어는 앞의 ❶[   ]이므로, 선행사의 수와 관계대명사절의 동사의 ❷[   ]를 일치시켜야 한다.

답 ❶ 선행사 ❷ 수

Words
- compliment 칭찬
- plenty 충분한
- misguide 잘못 판단하다
- reward 보상하다
- accomplishment 성취
- consequence 결과
- consistently 끊임없이
- shift from A to B A에서 B로 바뀌다
- applaud 박수를 치다
- identify 확인하다, 인지하다
- for one's own sake ~을 위해

1 (A), (B), (C)의 각 네모 안에서 어법에 맞는 표현으로 적절한 것은? 학평 기출

The first underwater photographs were taken by an Englishman named William Thompson. In 1856, he waterproofed a simple box camera, attached it to a pole, and (A) lowered / lowering it beneath the waves off the coast of southern England. During the 10-minute exposure, the camera slowly flooded with seawater, but the picture survived. Underwater photography was born. Near the surface, (B) where / which the water is clear and there is enough light, it is quite possible for an amateur photographer to take great shots with an inexpensive underwater camera. At greater depths—it is dark and cold there—photography is the principal way of exploring a mysterious deep-sea world, 95 percent of which has never (C) seen / been seen before.   *exposure 노출

	(A)	(B)	(C)
①	lowered	where	seen
②	lowered	where	been seen
③	lowered	which	seen
④	lowering	where	seen
⑤	lowering	which	been seen

Words
● photograph 사진 ● waterproof 방수 처리하다 ● attach 붙이다, 달다 ● lower 내리다, 낮추다
● beneath the waves 바닷속으로, 해저에 ● exposure 노출 ● photography 사진술 ● inexpensive 저렴한 ● principal 주요한

2 다음 글의 밑줄 친 부분 중, 어법상 틀린 것은? 학평 기출

Though he probably was not the first to do it, Dutch eyeglass maker Hans Lippershey gets credit for putting two lenses on either end of a tube in 1608 and ① creating a "spyglass." Even then, it was not Lippershey but his children who discovered ② that the double lenses made a nearby weathervane look bigger. These early instruments were not ③ much more than toys because their lenses were not very strong. The first person to turn a spyglass toward the sky was an Italian mathematician and professor named Galileo Galilei. Galileo, who heard about the Dutch spyglass and began making his own, ④ realizing right away how useful the device could be to armies and sailors. As he made better and better spyglasses, which were later named telescopes, Galileo decided ⑤ to point one at the Moon.

*weathervane 풍향계

3 (A), (B), (C)의 각 네모 안에서 어법에 맞는 표현으로 적절한 것은?

Leonardo da Vinci was one of the most learned and well-rounded persons ever to live. The entire universe from the wing of a dragonfly to the birth of the earth (A) was / were the playground of his curious intelligence. But did Leonardo have some mystical or innate gift of insight and invention, or was his brilliance learned and earned? Certainly he had an unusual mind and an uncanny ability to see (B) that / what others didn't see. But the six thousand pages of detailed notes and drawings present clear evidence of a diligent, curious student — a perpetual learner in laborious pursuit of wisdom who was constantly exploring, questioning, and testing. Expanding your mind is vital to being creative. Therefore, (C) invest / investing regularly in learning opportunities is one of the greatest gifts you can give yourself.

	(A)	(B)	(C)
①	was	what	investing
②	was	that	invest
③	was	what	invest
④	were	what	invest
⑤	were	that	investing

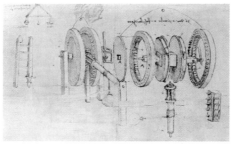

© Everett Historical / shutterstock

Words

● well-rounded 다재다능한 ● intelligence 지성 ● mystical 신비의, 신비한 ● innate 타고난 ● insight 통찰력 ● brilliance 탁월함
● uncanny 예리한 ● perpetual 끊임없이 계속되는 ● laborious 힘든, 어려운, 근면한

4 (A), (B), (C)의 각 네모 안에서 어법에 맞는 표현으로 적절한 것은? 기출

No matter what we are shopping for, it is not primarily a brand we are choosing, but a culture, or rather the people associated with that culture. (A) Whatever / Whether you wear torn jeans or like to recite poetry, by doing so you make a statement of belonging to a group of people. Who we believe we are (B) is / are a result of the choices we make about who we want to be like, and we subsequently demonstrate this desired likeness to others in various and often subtle ways. Artificial as this process is, this is what becomes our 'identity,' an identity (C) grounded / grounding on all the superficial differences we distinguish between ourselves and others. This, after all, is what we are shopping for: self-identity, knowledge of who we are.

	(A)	(B)	(C)
①	Whatever	is	grounded
②	Whatever	are	grounding
③	Whether	is	grounded
④	Whether	is	grounding
⑤	Whether	are	grounded

Words
● primarily 근본적으로 ● associated 연관된 ● recite 암송하다 ● make a statement 말하다, 선언하다 ● subsequently 결과로서
● demonstrate (감정 등을) 드러내다, 증명하다 ● subtle 미묘한 ● artificial 인위적인 ● identity 동일함, 정체성
● ground on ~에 기초를 두다 ● superficial 표면적인, 피상적인

창의·융합·코딩 전략 ①

1 다음 글을 읽고, 아래의 과정을 따라 문제를 푸시오.   학평 응용

Historical evidence points to workers being ①exploited by employers in the absence of appropriate laws. This means ②that workers are not always compensated for their contributions, for their increased productivity, as economic theory would suggest. Employers will be able to exploit workers if they are not legally ③controlling. Thus, the minimum wage laws may be the only way to prevent many employees from working at wages that ④are below the poverty line. This point of view means that minimum wage laws are a source of correcting for existing market failure, ⑤enhancing the power of markets to create efficient results.

First Step 글의 도입부를 읽고, 중심 내용 파악하기

적절한 법이 없을 때 노동자가 고용주에
의해 착취될 수 있다는 내용이다.

Second Step 밑줄 친 부분 주변의 구조를 파악하며 어법 적합성 확인하기

① 앞에 being이 있으니
exploited는 수동태의 과거분사 ─ 앞의 명사와의 관계가 수동인가?

② that은 타동사 ❶ _____ 의 목적어인
명사절을 이끄는 접속사 ─ that 뒤에 완전한 절이 나오는가?

③ 앞에 are가 있으니
controlling은 진행 시제의 현재분사 ─ 주어 they와의 관계가 능동인가?

④ 주격 관계대명사절의 동사이므로
are의 주어는 선행사 ─ 선행사 wages와 수가 일치하는가?

⑤ 형태로 보아 분사구문 ─ 생략된 주어가 minimum wage laws이므로
의미상 능동 관계인지 확인!

Last Step 확인한 결과를 통해 정답 도출

③ 주어 they는 employers를 가리키는데, 이들이 법적으로(legally) '제재를 받는' 것이 글의 흐름상 자
연스러우므로 수동의 과거분사 ❷ _____ 를 써야 한다.

답 ❶ means ❷ controlled

창의·융합·코딩 전략 ②

2 다음 글을 읽고, 아래의 과정을 따라 문제를 푸시오. 학평 응용

Much has been written and (A) ⟨says / said⟩ about positive self-talk—for example, repeating to ourselves "I am wonderful" when we feel down, or "I am getting better every day in every way" each morning in front of the mirror. The evidence that this sort of pep talk works (B) ⟨is /are⟩ weak, and there are psychologists who suggest that it can actually hurt more than it can help. Little, unfortunately, has been written about *real self-talk*, acknowledging honestly what we are feeling at a given point. When feeling down, saying "I am really sad" or "I feel so torn"—to ourselves or to someone we trust—(C) ⟨is / to be⟩ much more helpful than declaring "I am tough" or "I am happy."

*pep talk 격려의 말

    (A)   (B)   (C)
① says ······ is ······ is
② says ······ are ······ to be
③ said ······ is ······ is
④ said ······ are ······ to be
⑤ said ······ is ······ to be

First Step   글의 도입부를 읽고, 핵심 소재 파악하기

자신에게 하는 ❶ [   ] 적인 '격려'의 말에 관한 글이다.

Second Step   각 네모가 있는 문장의 구조를 파악하며 어법 적합성 확인하기

(A) 의미상 문장의 동사가 하나 더 필요한지, 앞의 현재완료 수동태와 연관이 있는지?   —   주어와의 관계가 능동인가, 수동인가?

(B) 동사를 단수 형태로 쓸 것인가, 복수 형태로 쓸 것인가?   —   주어는 무엇인가?

(C) 본동사가 필요한가, 준동사가 필요한가?   —   문장에 다른 동사가 있는가? 주어는 무엇인가?

Last Step   확인한 결과를 통해 정답 도출

(A) 주어가 Much이고, 앞에서 동사가 이미 수동태로 쓰였으며 의미상으로도 수동이 되는 것이 자연스럽다.

(B) that이 이끄는 관계대명사절(that ~ works)가 주어 The evidence를 꾸미고 있는 구조이다. 주어가 ❷ [   ] 이므로 is가 알맞다.

(C) 문장의 주어는 saying ~ torn이고 본동사가 없으므로 is가 그 역할을 해야 한다. to be는 준동사로 문장의 본동사가 될 수 없다.

📑 ❶ 긍정 ❷ 단수

2 준동사와 조동사

2 1 개념 돌파 전략 ①

개념 01 동명사와 to부정사

❶ 동명사와 to부정사는 명사로 쓰여 주어, 목적어, [❶   ] 역할을 할 수 있다.

• The best thing to do is **to work** together. → 보어 역할

• **Discovering** a new species could be the highlight of a biologist's career. → [❷   ] 역할

❷ 전치사의 목적어로는 동명사만 쓰인다.

You need to develop the necessary skills for **producing** music.

답 ❶ 보어 ❷ 주어

CHECK

괄호 안에서 알맞은 것은?

1. Stress mainly comes from (spending / to spend) your energy on negative things.

개념 02 동명사나 to부정사를 목적어로 하는 동사

❶ 동명사만 목적어로 쓰는 동사가 있다.

> avoid, admit, deny, discuss, enjoy, finish, imagine, keep, mind, quit, stop, suggest, give up 등

Stop **judging** yourself, and stop **judging** others also. → [❶   ]로 쓰인 동명사

❷ to부정사만 목적어로 쓰는 동사가 있다.

> agree, afford, ask, choose, decide, hope, need, offer, promise, want, wish 등

They offered **to upgrade** to a larger room. offer는 [❷   ]만 목적어로 씀

답 ❶ 목적어 ❷ to부정사

CHECK

괄호 안에서 알맞은 것은?

2. I suggest (contacting / to contact) the police directly to obtain the information.

개념 03 동명사와 to부정사를 모두 목적어로 하는 동사

❶ 동명사와 to부정사를 모두 목적어로 쓸 수 있으며, 의미 차이가 거의 없는 동사가 있다.

> attempt, begin, continue, hate, intend, like, love, prefer, start 등

The farmer began **to make** the ground even. (= [❶   ])

❷ 동명사와 to부정사를 모두 목적어로 쓸 수 있으며, 의미 차이가 나는 동사가 있다.

forget + to부정사	~할 것을 잊다
forget + 동명사	~한 것을 잊다
remember + to부정사	~할 것을 기억하다
remember + 동명사	~한 것을 기억하다
regret + to부정사	~하게 되어 유감이다
regret + 동명사	~한 것을 후회하다
try + to부정사	~하려고 노력하다
try + 동명사	시험 삼아 ~해 보다

cf. stop+동명사: ~하는 [❷   ] 멈추다
stop+to부정사: ~하기 위해 멈추다
이때 to부정사는 stop의 목적어가 아닌 부사적 용법으로 쓰임

• I forgot **to call** him back.
나는 그에게 다시 전화해야 하는 것을 잊었다. (전화하지 않음)

• I forgot **calling** him back.
나는 그에게 다시 전화한 것을 잊었다. (전화함)

답 ❶ making ❷ 것을

CHECK

의미상 괄호 안에서 알맞은 것은?

3. The online banking system has suddenly stopped (working / to work). 기출

4. Do you remember (posting / to post) a review of my recent novel on the web last month?

개념 **04** 가주어와 to부정사

❶ to부정사구가 주어로 쓰이면 대개 it을 주어 자리에 쓰고 to부정사구는 **❶** ☐ 에 쓴다. 이때 it을 가주어, to부정사구를 진주어라고 한다.

• It is a good idea to donate the toys to
  가주어
  charity.
  └─▶ **❷** ☐

Tip
주어 자리에 it이 있고 뒤에 to부정사가 나오면
to부정사가 진주어인 구문일 확률이 높아요!!

답 ❶ 뒤 ❷ 진주어

CHECK

괄호 안에서 알맞은 것은?

5. (It / This) is difficult to appreciate what a temperature of 20,000,000℃ means. 기출

개념 **05** 목적격 보어로 쓰이는 부정사

❶ 「주어+동사+목적어+목적격 보어」 구조의 문장에서 목적격 보어로 to부정사를 쓰는 동사들이 있다.

목적격 보어로 to부정사를 쓰는 동사
advise, allow, ask, cause, enable,
encourage, expect, force, order,
persuade, tell, want 등

❷ 지각동사와 사역동사는 목적격 보어로 동사원형을 쓴다.

지각동사: see, feel, hear, watch, notice 등
사역동사: make, have, let

I asked her to let me get out of the room.
ask+목적어+to부정사 └─▶ let+목적어+목적격 보어(동사원형)

CHECK

괄호 안에서 알맞은 것은?

6. She forced me (mow / to mow) the lawn, and then she watched me (do / to do) it.

개념 **06** 분사의 쓰임 (1)

❶ 분사에는 현재분사와 과거분사가 있다. 현재분사는 능동, 진행의 의미로, 과거분사는 **❶** ☐ , 완료의 의미로 쓰인다.

• boiled water 끓인 물 vs. boiling water 끓고 있는 물

• fallen leaves vs. falling leaves
  떨어진 잎(낙엽)   **❷** ☐ 잎

❷ 현재분사와 과거분사는 형용사처럼 쓰이며 명사를 꾸밀 수 있다. 분사가 단독으로 쓰이면 명사 앞에서, 분사가 구를 이루고 있으면 명사의 **❸** ☐ 에서 꾸민다.

• I met the rescued koalas today.
  └─▶ 과거분사가 단독으로 명사를 꾸밈

• I met the koalas rescued from the wild fire
  └─▶ 과거분사구가 명사를 꾸밈
  by the fire crews.

• Catch the balls dropping from top.
  └─▶ 현재분사구가 명사를 꾸밈

• Catching the dropping balls is the point of
  └─▶ 현재분사가 단독으로 명사를 꾸밈
  this game.

답 ❶ 수동 ❷ 떨어지는 ❸ 뒤

CHECK

괄호 안에서 알맞은 것은?

7. Office workers are regularly interrupted by (ringing / rung) phones. 기출

8. I read the weekly newsletter about (upcoming / upcome) events.

9. The client provided the information (requiring / required) for the lawyer to prepare the defense. 기출

개념 07 분사의 쓰임 (2)

❶ 현재분사와 과거분사는 주격 보어 역할을 할 수 있다.

- The news about the school was **surprising**.
  The news about the school → surprising
- The old house remained **unchanged**.
  The old house → unchanged

❷ 현재분사와 과거분사는 목적격 보어 역할을 할 수 있다. 목적어와의 관계가 능동이면 현재분사를, [❶]이면 과거분사를 쓴다.

- I saw the flowers **swinging** in the wind.
  꽃이 흔들리는 것이므로 능동

- He heard something like glass **crashed**.
  유리 같은 것이 깨지는 것이므로 [❷]
- Don't keep the visitors **waiting** for long.
  방문객이 기다리는 것이므로 능동
- I decided to have the curtains **replaced**.
  커튼이 교체되는 것이므로 수동

* 다만 사역동사 have의 목적어와 목적격 보어와의 관계가 능동일 때에는 동사원형을 쓰며, 현재분사를 쓰지는 않음

cf. 지각동사의 목적어와 목적격 보어의 관계가 능동일 때, 일시적이고 진행의 의미가 강하면 현재분사를, 그렇지 않을 때에는 동사원형을 쓴다. ▶전략 5 참조

답 ❶ 수동 ❷ 수동

CHECK

괄호 안에서 알맞은 것은?

10. The importance of public consultation becomes increasingly (recognizing / recognized). 기출

11. Suddenly, I felt my hair (pulling / pulled) backwards.

12. Did you have your room (cleaning / cleaned)?

개념 08 감정을 나타내는 분사

❶ 감정을 나타내는 분사는 다음과 같이 현재분사와 과거분사를 구별해서 사용한다.

→ 영화가 지루한 감정을 느끼게 하므로 능동의 현재분사
- The movie was **boring**. I was **bored**.
  영화에 의해 지루함을 느끼게 되므로 수동의 [❶]
- Those words made the boy **frustrated**.
  소년이 좌절감을 느끼게 되는 대상이므로 과거분사
- It's **frustrating** to offer solutions and have them ignored.
  진주어의 내용이 좌절감을 느끼게 하는 주체이므로 [❷]

답 ❶ 과거분사 ❷ 현재분사

CHECK

괄호 안에서 알맞은 것은?

13. Her travel plans made me (embarrassing / embarrassed).

개념 09 분사구문

❶ 분사구문은 부사절의 접속사와 주어를 생략하고 동사를 현재분사 형태로 바꿔 부사구로 만든 것이다.

Hearing someone shouting, I ran to the
분사구문 → (부사절) When I heard someone shouting,
window and looked outside.

❷ 분사구문이 나타내는 뜻을 분명히 하기 위해 [❶]를 생략하지 않기도 한다.

Though knowing the answer, he didn't say it
to the teacher.
→ 분사구문 → (부사절) [❷] he knew the answer,

답 ❶ 접속사 ❷ Though

CHECK

괄호 안에서 알맞은 것은?

14. (Put / Putting) the books on the shelves, he murmured something.

개념 10 완료 분사구문

❶ 분사구문의 시제가 주절보다 앞서면 「having+과거분사」의 완료 분사구문으로 쓴다.

- Some people came prepared **having heard** 분사구문
that the waiting line would be very long.
→ (부사절) as they had heard that the waiting line would be very long

- **Having modified my password**, I can't 분사구문. → (부사절) After I modified my password
access my account.

CHECK
괄호 안에서 알맞은 것은?

15. (Had / Having) watched the movie about whales, I was determined to learn more about them.

개념 11 수동태 분사구문

❶ 과거분사로 시작하는 분사구문은 부사절의 수동태 동사를 분사로 바꾼 형태에서 being이나 having ❶☐☐☐☐을 생략한 것이다.

❷ 분사구문에서 ❷☐☐☐된 주어를 알아야 수동태의 쓰임이 바른지 확인할 수 있다.

- (Being) Offered a job I had no interest in, I could not refuse it.
→ (부사절) Though I was offered a job I had no interest in,
생략된 주어 I가 '제안을 받은' 것이므로 수동태

- (Having been) Told about the dangers of chemical pesticides, the farmer turned to the bio-pesticides.
→ (부사절) As he/she had been told about the dangers of chemical pesticides.
생략된 주어가 he/she가 '들은' 것이므로 수동태

🔲 ❶ been ❷ 생략

CHECK
괄호 안에서 알맞은 것은?

16. (Sticking / Stuck) in the mud, the car could not move even a little.

개념 12 조동사 should의 쓰임

❶ 요구, 주장, 제안, 명령, 필요 등을 나타내는 표현에 이어지는 that절의 동사를 「should+동사원형」으로 쓴다. should는 생략할 수 있다.

> 동사 advise, demand, insist, order, propose, recommend, require, suggest, request 등
> 형용사 essential, necessary, important 등
> 명사 demand, order, suggestion 등

He <u>suggests</u> that she **(should) buy** her camera at the department store.

CHECK
괄호 안에서 알맞은 것은?

17. There is scientific demand that observations (be / are) subject to public verification. 기출

개념 13 조동사+have+과거분사

❶ 「추측, 가능의 조동사+have+과거분사」는 과거에 대한 추측이나 후회의 의미를 나타낸다.

could + have + 과거분사	~했을 수도 있다
must + have + 과거분사	~했음이 틀림없다
may(might) + have + 과거분사	~했을지도 모른다
cannot + have + 과거분사	~했을 리가 없다
should + have + 과거분사	~했어야 했다
shouldn't + have + 과거분사	~하지 말았어야 했다

- You **should have spent** more time with your 과거에 대한 아쉬움
children.

- I **must have left** my phone on the bus.
과거에 대한 강한 추측

CHECK
괄호 안에서 알맞은 것은?

18. You should have followed her out and said sorry. 기출
→ "You" (apologized / didn't apologize).

개념 돌파 전략 ②

[A~D] 다음 글의 밑줄 친 부분 중 어법상 틀린 것은?

A
학평 응용

I have lived in this apartment for ten years. I have enjoyed ①living here and hope to continue doing so. When I first moved here, I was told that the apartment had been recently ②painted. Since that time, I have never touched the walls or the ceiling. Looking around over the past month has made me ③to realize how old and dull the paint has become.

문제 해결 전략

① → **전략 2**
enjoy가 ❶[　　　]를 목적어로 하는 동사인지 확인한다.

② → **전략 6**
과거분사의 쓰임이 맞으면 과거완료 수동태가 되므로, ❷[　　　]와 동사의 관계를 확인한다.

③ → **전략 5**
「사역동사(make)+목적어(me)+목적격 보어(to realize)」 구조이므로, 동사 make의 목적격 보어로 to부정사를 쓸 수 있는지 확인한다.

답 ❶ 동명사 ❷ 주어

B
학평 응용

Black ice refers ①to a thin coating of glazed ice on a surface. While not truly black, it is virtually transparent, ②allowing black asphalt roadways or the surface below to be seen through it—hence the term "black ice." Black ice is often practically invisible to drivers or persons ③stepped on it. There is, thus, a risk of sudden sliding and subsequent accidents.

문제 해결 전략

①
전치사 to의 쓰임이 동사와 어울리는지 확인한다.

② → **전략 9**
앞에 완전한 형태의 절이 있으므로 분사구문임을 알 수 있다. 분사구문에서 생략된 ❶[　　　]와 분사 allowing의 관계가 능동인지 수동인지 확인한다.

③ → **전략 6**
명사 drivers or persons 뒤에 과거분사구가 있으므로 ❷[　　　]를 꾸미는 역할을 한다는 것을 알 수 있다. 앞의 명사와의 관계가 능동인지 수동인지 확인한다.

답 ❶ 주어 ❷ 명사

Words
● recently 최근에 ● ceiling 천장 ● dull 흐릿한 ● refer to ~을 지칭하다, 가리키다 ● coating 막, 코팅 ● glazed 광을 낸, 반짝이는
● virtually 사실상 ● transparent 투명한 ● hence 이런 이유로 ● term 용어 ● practically 사실상, 실제로
● invisible 보이지 않는 ● subsequent 뒤따르는

C

학평 응용

Many students could probably benefit if they spent less time on rote repetition and more on actually paying attention to and ①analyzing the meaning of their reading assignments. In particular, it is useful ②to make material *personally* meaningful. When a student reads her textbooks, it is necessary that she ③relates information to her own experience.

© Africa Studio / shutterstock

문제 해결 전략

① → 전략 1
analyzing의 문장 안에서의 역할을 파악하여 현재분사인지 ❶_____인지 확인한다.

② → 전략 4
to부정사의 쓰임을 파악한다. 앞에 있는 주어 it이 지시대명사인지 ❷_____인지 확인해야 한다.

③ → 전략 12
relates가 종속절의 동사이므로, 종속절 안의 구조에 이상이 없다면 주절의 구조와 관련이 있는지 확인해야 한다.

답 ❶ 동명사 ❷ 가주어

D

학평 응용

The Gunnison Tunnel, ①constructing between 1905 and 1909, was designed to supply water to parts of western Colorado, ②diverting water from the Gunnison River to the Uncompahgre Valley. Workers encountered a number of difficulties during the construction period, including soft ground and pockets of gas. They made good progress, though, ③achieving a record by cutting through 449 feet of granite in one month.

문제 해결 전략

① → 전략 6
앞에 있는 명사 The Gunnison Tunnel을 설명하는 분사로, 명사와 능동 관계가 맞는지 파악해야 한다.

② → 전략 9
앞에 완전한 절이 있으므로 분사구문으로 보는 것이 적절하다. 분사구문에서 생략된 ❶_____와 분사 diverting의 관계가 능동인지 수동인지 확인한다.

③ → 전략 9
앞에 완전한 절이 있으므로 분사구문이므로 생략된 ❷_____와 분사 achieving의 관계가 능동인지 수동인지 확인한다.

답 ❶ 주어 ❷ 주어

Words
● benefit 이득을 얻다 ● rote (반복에 의한 기계적) 암기 ● repetition 반복 ● analyze 분석하다 ● assignment 과제
● material 자료 ● construct 건설하다 ● supply 공급하다 ● divert 방향을 바꾸게 하다 ● encounter 직면하다 ● progress 진척
● cut through ~의 사이로 길을 내다 ● granite 화강암

필수 체크 전략 ①

1 다음 글의 밑줄 친 부분 중, 어법상 **틀린** 것은? 학평 기출

All social interactions require some common ground upon which the involved parties can coordinate their behavior. In the interdependent groups ①in which humans and other primates live, individuals must have even greater common ground to establish and maintain social relationships. This common ground is morality. This is why morality often is defined as a shared set of standards for ②judging right and wrong in the conduct of social relationships. No matter how it is conceptualized—whether as trustworthiness, cooperation, justice, or caring—morality ③to be always about the treatment of people in social relationships. This is likely why there is surprising agreement across a wide range of perspectives ④that a shared sense of morality is necessary to social relations. Evolutionary biologists, sociologists, and philosophers all seem to agree with social psychologists that the interdependent relationships within groups that humans depend on ⑤are not possible without a shared morality.

① in which 「전치사+관계대명사」는 관계사절에서 부사구 역할을 하므로, 관계대명사절의 구조가 완전한지 확인해야 한다.

② judging 동명사가 [❶   ]의 목적어로 쓰인 구조인지 확인한다.

③ to be to부정사가 문장에서 하는 역할을 파악한다. 준동사에 밑줄이 있을 때에는 문장에 본동사가 있는지 확인해야 한다.

④ that 뒤에 완전한 절이 나오므로 명사절 [❷   ]이고, 그 앞의 agreement와 동격을 이루는지 확인한다.

⑤ are 주어를 찾아서 수가 일치하는지 확인한다.

目 ❶ 전치사 ❷ 접속사

대표 유형 답

③ 주어가 morality이므로 to be는 본동사인 is로 쓰는 것이 적절하다.

┌→ 부사절 (no matter how = however)   ┌→ as: ~로
No matter how it is conceptualized / —whether as trustworthiness,
아무리 그것이 개념화되어도   신뢰성, 협력, 정의, 또는 복지로든

                        ┌→ 주절의 주어   ┌→ 주절의 본동사가 되어야 함
cooperation, justice, or caring / —morality to be(→ is) always about the
                        도덕성은 언제나 사람을 대하는 것에 관한 것이다

treatment of people / in social relationships.
                   사회적 관계 내에서

Words
• interaction 상호작용 • common ground 공통의 기반 • coordinate 조정하다 • interdependent 상호의존적인 • primate 영장류
• morality 도덕성 • conceptualize 개념화하다 • trustworthiness 신뢰성 • perspective 관점 • evolutionary 진화의

2 다음 글의 밑줄 친 부분 중, 어법상 틀린 것은?

학평 기출

Some researchers assumed early human beings ate mainly the muscle flesh of animals, as we ① do today. By "meat," they meant the muscle of the animal. Yet focusing on the muscle appears to be a ② relatively recent phenomenon. In every history on the subject, the evidence suggests that early human populations ③ preferred the fat and organ meat of the animal over its muscle meat. Vihjalmur Stefansson, an arctic explorer, found that the Inuit were careful to save fatty meat and organs for human consumption ④ while giving muscle meat to the dogs. In this way, humans ate as other large, meat-eating mammals eat. Lions and tigers, for instance, first eat the blood, hearts, livers, and brains of the animals they kill, often ⑤ leave the muscle meat for eagles. These organs tend to be much higher in fat.

풀이 전략

① do 문맥상 대동사 do가 무엇을 대신하여 쓰였는지 확인해야 하고, 부사 today로 보아 ❶ [ ] 시제로 쓰는 것이 적절한지도 확인한다.

② relatively 품사가 부사이므로, 무엇을 꾸미는지 확인해야 한다.

③ preferred 주어를 찾아 하나의 절을 이루고 있는지 확인한다. 또한 주어와의 관계를 생각해 능동태가 맞는지 확인한다.

④ while 접속사 while은 대조의 의미를 나타낸다. 분사구문 앞에 의미를 분명히 하는 ❷ [ ] 가 쓰일 수 있다는 점에 유의한다.

⑤ leave 주어를 찾아 하나의 절을 이루고 있는지 확인한다. 문장의 주어는 Lions and tigers로, 이 주어에 연결되는 동사는 앞에 나온 eat이다.

답 ❶ 현재 ❷ 접속사

대표 유형 답

⑤ 밑줄 친 leave의 주어는 의미상 Lions and tigers인데, 이미 동사 eat이 앞에 쓰였으므로 and 등의 등위접속사가 leave 앞에 오거나, 현재분사로 고쳐 분사구문(leaving ~)을 만들어야 한다.

> S → Lions and tigers, / for instance, / first eat the blood, hearts, livers, and
> 사자와 호랑이는   예를 들어   먼저 피, 심장, 간, 그리고 뇌를 먹는다
> ① 현재분사로 고치면 분사구문
> ② 앞에 and를 쓰면 (and often leave ~) 본동사 역할
> brains / of the animals / they kill, / often leave(→ leaving) the muscle
> 동물의   그들이 죽이는   흔히 독수리에게 살코기를 남기고
> meat for eagles.

필수 체크 전략 ②

1 다음 글의 밑줄 친 부분 중, 어법상 <u>틀린</u> 것은?   학평 기출

Humans usually experience sound as the result of vibrations in air or water. Although sound that humans can sense ① <u>is</u> usually carried through these media, vibrations can also travel through soil, including rocks. Thus, sound can travel through a variety of substances with different densities, and the physical characteristics of the medium through which the sound travels have a major influence on ② <u>how</u> the sound can be used. For instance, it requires more energy to make water vibrate than to vibrate air, and it requires a great deal of energy to make soil vibrate. Thus, the use of vibrations in communication ③ <u>depending</u> on the ability of the sender to make a substance vibrate. Because of this, large animals such as elephants are more likely than small animals ④ <u>to use</u> vibrations in the soil for communication. In addition, the speed ⑤ <u>at which</u> sound travels depends on the density of the medium which it is traveling through.

전략 Check!

동명사나 to부정사 등의 준동사에 밑줄이 있을 때에는 그것이 있는 절의 ❶　　　와 동사를 파악해야 한다. 만약 주어만 있고 본동사가 없다면 준동사의 형태를 고쳐 「주어+❷　　　 ~」 구조가 되도록 해야 한다.

답 ❶ 주어 ❷ 동사

Words
- **vibration** 진동
- **media** 매질, 매개체, 미디어 (medium의 복수형)
- **thus** 이와 같이, 따라서
- **substance** 물질
- **density** 밀도
- **sender** 발송자, 보내는 이

2 (A), (B), (C)의 각 네모 안에서 어법에 맞는 표현으로 가장 적절한 것은?

모평 기출

Like life in traditional society, but unlike other team sports, baseball is not governed by the clock. A football game is comprised of exactly sixty minutes of play, a basketball game forty or forty-eight minutes, but baseball has no set length of time within which the game must be completed. The pace of the game is therefore leisurely and (A) unhurried / unhurriedly , like the world before the discipline of measured time, deadlines, schedules, and wages paid by the hour. Baseball belongs to the kind of world (B) which / in which people did not say, "I haven't got all day." Baseball games *do* have all day to be played. But that does not mean that they can go on forever. Baseball, like traditional life, proceeds according to the rhythm of nature, specifically the rotation of the Earth. During its first half century, games were not played at night, which meant that baseball games, like the traditional work day, (C) ending / ended when the sun set.

	(A)		(B)		(C)
①	unhurried	⋯⋯	in which	⋯⋯	ended
②	unhurried	⋯⋯	which	⋯⋯	ending
③	unhurriedly	⋯⋯	which	⋯⋯	ended
④	unhurriedly	⋯⋯	which	⋯⋯	ending
⑤	unhurriedly	⋯⋯	in which	⋯⋯	ended

전략 Check!

(A) 형용사와 **❶** 의 역할 차이에 유의해야 한다.

(B) 관계대명사와 「전치사+관계대명사」의 쓰임은 뒤에 나오는 관계사절의 형태로 구별해야 한다.

(C) 준동사와 동사 중 선택할 때에는 그것을 포함하는 절의 **❷** 와 동사를 파악해야 한다.

답 ❶ 부사 ❷ 주어

Words

- govern 좌우하다, 지배하다
- be comprised of ~으로 구성되다
- leisurely 여유로운, 한가한
- unhurried 느긋한, 서두르지 않는
- discipline 규율
- measured 측정된, 정확히 잰
- proceed 진행하다(되다)
- rotation 자전, 회전

3 다음 글의 밑줄 친 부분 중, 어법상 <u>틀린</u> 것은? 수능 응용

Speculations about the meaning and purpose of prehistoric art rely heavily on analogies ①<u>drawn</u> with modern-day hunter-gatherer societies. Such primitive societies, ②<u>as</u> Steven Mithen emphasizes in *The Prehistory of the Modern Mind*, tend to view man and beast, animal and plant, organic and inorganic spheres, as participants in an integrated, animated totality. The dual expressions of this tendency are *anthropomorphism* (the practice of regarding animals as humans) and *totemism* (the practice of regarding humans as animals), both of ③<u>which</u> spread through the visual art and the mythology of primitive cultures. Thus the natural world is conceptualized in terms of human social relations. When considered in this light, the visual preoccupation of early humans with the nonhuman creatures ④<u>inhabited</u> their world becomes profoundly meaningful. Among hunter-gatherers, animals are not only good to eat, they are also *good to think about*, as Claude Lévi-Strauss has observed. In the practice of totemism, he has suggested, an unlettered humanity "broods upon ⑤<u>itself</u> and its place in nature."

*speculation 고찰 **analogy 유사점 ***brood 곰곰이 생각하다

전략 Check!

현재분사나 과거분사가 명사를 꾸밀 때, 뒤에 목적어나 수식어구가 따라오면 명사의 ❶[　]에서 꾸민다. 또한 앞의 명사와의 관계를 생각해야 능동의 의미가 있는 현재분사가 적절한지 ❷[　]의 의미가 있는 과거분사가 적절한지 알 수 있다.

答 ❶ 뒤 ❷ 수동

Words

- prehistoric 선사시대의
- draw an analogy with ~와의 유사성을 끌어내다
- hunter-gatherer society 수렵 채집 사회
- primitive 원시의, 원시시대
- beast 짐승, 동물
- organic 생물의(↔ inorganic 무생물의)
- sphere 영역
- integrated 통합된
- animated 살아 있는, 생기 있는
- dual 둘의, 이중의
- mythology 신화
- preoccupation 집착, 열중
- inhabit ~에 거주하다
- profoundly 깊이, 간절히
- observe (의견, 소견 등을) 말하다, 관찰하다, 준수하다
- unlettered 문맹의, 무지의

4 다음 글의 밑줄 친 부분 중, 어법상 틀린 것은? （모평）기출

Though most bees fill their days visiting flowers and collecting pollen, some bees take advantage of the hard work of others. These thieving bees sneak into the nest of an ① unsuspecting "normal" bee (known as the host), lay an egg near the pollen mass being gathered by the host bee for her own offspring, and then sneak back out. When the egg of the thief hatches, it kills the host's offspring and then eats the pollen meant for ② its victim. Sometimes ③ called brood parasites, these bees are also referred to as cuckoo bees, because they are similar to cuckoo birds, which lay an egg in the nest of another bird and ④ leaves it for that bird to raise. They are more technically called *cleptoparasites*. *Clepto* means "thief" in Greek, and the term cleptoparasite refers specifically to an organism ⑤ that lives off another by stealing its food. In this case the cleptoparasite feeds on the host's hard-earned pollen stores.

*brood parasite (알을 대신 기르도록 하는) 탁란동물

전략 Check!

현재분사나 과거분사가 명사를 꾸밀 때, ❶ ⬜️ 와의 관계를 생각해야 능동의 의미가 있는 현재분사가 적절한지 수동의 의미가 있는 과거분사가 적절한지 알 수 있다. 분사구문에서 분사의 쓰임도 생략된 ❷ ⬜️ 와의 관계를 생각하여 현재분사와 과거분사 중 적절한 것을 파악해야 한다.

답 ❶ 주어 ❷ 주어

Words

- fill (특정한 시간을) 보내다
- pollen 꽃가루
- sneak into ~으로 숨어 들어가다
- unsuspecting 의심하지 않는, 이상한 낌새를 채지 못한
- host 숙주
- offspring 후손, 새끼
- hatch 부화하다
- mean for ~을 위해 계획하다, 꾀하다
- cleptoparasite 절취기생생물 (= kleptoparasite)
- live off ~에 의지해서 살다
- store 비축량, 저장량

1 다음 글의 밑줄 친 부분 중, 어법상 틀린 것은? 학평 기출

One of the keys to insects' successful survival in the open air ① lies in their outer covering—a hard waxy layer that helps prevent their tiny bodies from dehydrating. To take oxygen from the air, they use narrow breathing holes in the body-segments, which take in air ② passively and can be opened and closed as needed. Instead of blood ③ containing in vessels, they have free-flowing hemolymph, which helps keep their bodies rigid, aids movement, and assists the transportation of nutrients and waste materials to the appropriate parts of the body. The nervous system is modular—in a sense, each of the body segments has ④ its own individual and autonomous brain — and some other body systems show a similar modularization. These are just a few of the many ways ⑤ in which insect bodies are structured and function completely differently from our own.

*hemolymph 헬림프 **modular 모듈식의(여러 개의 개별 단위로 되어 있는)

대표 유형 답

③ 현재분사구 containing in vessels가 앞의 명사 blood를 꾸미는 구조로, 혈액이 혈관 내에 '담겨져' 있는 것이 자연스러우므로 현재분사 containing 대신 수동의 과거분사 contained로 써야 한다.

과거분사구가 뒤에서 명사를 꾸밈   (= insects)
Instead of blood / containing(→ contained) in vessels, / they have
혈액 대신   혈관 내에 담겨져 있는

which의 선행사   계속적 용법의 관계대명사
free-flowing hemolymph, / which helps keep their bodies rigid,
그들에게는 자유롭게 흐르는 헬림프가 있고   그것은 그들의 몸이 단단하게 유지되게 해 준다

① lies 주어가 3인칭 단수인지 확인하고, 주어와의 관계로 보아 능동태로 쓰는 것이 적절한지도 파악해야 한다. 핵심 주어는 **❶** ☐ of the keys이다.

② passively 부사가 쓰일 수 있는지 확인한다. 부사가 하는 역할은 형용사, 부사, 동사, 문장 전체를 꾸미는 것이다.

③ containing 명사 blood를 뒤에서 꾸미고 있으므로 형용사처럼 쓰인 현재분사이다. 명사와의 관계로 보아 능동 관계인 **❷** ☐의 쓰임이 맞는지 확인한다.

④ its 인칭대명사가 가리키는 대상을 찾아 its가 적절한지 확인한다.

⑤ in which 「**❸** ☐ +관계대명사」 뒤에는 완전한 형태의 절이 온다는 점에 유의해야 한다.

답 ❶ One ❷ 현재분사 ❸ 전치사

● covering 외피, 덮는 막 ● waxy 밀랍 같은, 밀랍의 ● layer 층 ● dehydrate 건조시키다, 탈수 상태가 되다 ● segment 조각, 마디 ● vessel 혈관 ● rigid 단단한, 굳은 ● autonomous 자율적인, 자주적인 ● modularization 모듈 방식으로 조립함, 모듈화

2 다음 글의 밑줄 친 부분 중, 어법상 틀린 것은?   기출

The Internet allows information to flow more ① freely than ever before. We can communicate and share ideas in unprecedented ways. These developments are revolutionizing our self-expression and enhancing our freedom. But there's a problem. We're heading toward a world ② where an extensive trail of information fragments about us will be forever preserved on the Internet, displayed instantly in a search result. We will be forced to live with a detailed record ③ beginning with childhood that will stay with us for life wherever we go, searchable and accessible from anywhere in the world. This data can often be of dubious reliability; it can be false; or it can be true but deeply ④ humiliated. It may be increasingly difficult to have a fresh start or a second chance. We might find ⑤ it harder to engage in self-exploration if every false step and foolish act is preserved forever in a permanent record.

*dubious 의심스러운

① freely 부사가 쓰일 수 있는지 확인한다. 부사가 하는 역할은 형용사, 부사, 동사, 문장 전체를 꾸미는 것이다.

② where 앞의 명사 a world와 어울리는 관계부사인지, 뒤에 완전한 형태의 절이 왔는지 확인해야 한다.

③ beginning 명사구 a detailed record를 뒤에서 꾸미고 있으므로 형용사처럼 쓰인 ❶ [   ]이다. 명사와의 관계로 보아 능동의 현재분사 쓰임이 맞는지 확인한다.

④ humiliated 주격 보어로 쓰인 과거분사로 감정을 나타낸다. 주어가 어떤 감정을 느끼게 하는 주체이면 현재분사를, 감정을 느끼게 되는 대상이면 ❷ [   ]를 쓴다.

⑤ it 「주어+동사+목적어+목적격 보어」 구조에서 목적어로 it이 오고 뒤에 to부정사가 오면 it이 가목적어이고 뒤의 to부정사가 진목적어인지 확인한다.

달 ❶ 현재분사 ❷ 과거분사

대표 유형 답

④ humiliated는 주격 보어로 쓰였으며 주어는 it, 즉 this data이다. '이 정보'는 '창피함을 느끼는' 것이 아니라 우리들에게 '창피함을 느끼게 하는' 주체이므로, 수동의 의미가 있는 과거분사 humiliated가 아닌 현재분사 humiliating을 써야 한다.

┌───→ = this data
This data can often be of dubious reliability; / it can be false; /
이 정보는 종종 확실성이 의심스러울 수 있고   그것은 틀릴 수 있다

┌───→ = this data
or it can be true / but deeply humiliated(→ humiliating).
혹은 그것은 사실일 수 있다   그러나 매우 창피스러울 수 있다

Words

- unprecedented 전례 없는 ● revolutionize 혁신하다 ● enhance 증진하다 ● extensive 광대한 ● trail 흔적 ● fragment 조각, 파편
- accessible 접근 가능한 ● reliability 신뢰성, 신뢰도 ● humiliated 창피한 ● engage in 참여하다, 관여하다

1 다음 글의 밑줄 친 부분 중, 어법상 틀린 것은? 〔학평〕 기출

The most dramatic and significant contacts between civilizations were ①when people from one civilization conquered and eliminated the people of another. These contacts normally were not only violent but brief, and ②they occurred only occasionally. Beginning in the seventh century A.D., relatively ③sustained and at times intense intercivilizational contacts did develop between Islam and the West and Islam and India. Most commercial, cultural, and military interactions, however, were within civilizations. While India and China, for instance, were on occasion invaded and subjected by other peoples (Moguls, Mongols), both civilizations ④having extensive times of "warring states" within their own civilization as well. Similarly, the Greeks fought each other and traded with each other far more often than they ⑤did with Persians or other non-Greeks.

전략 Check!

동명사나 to부정사 등의 준동사에 밑줄이 있을 때에는 그것이 있는 절의 주어와 ❶ 를 파악해야 한다. 부사절이나 종속절 등으로 문장의 구조가 복잡해질 경우에 특히 유의해야 한다. 만약 절에 동사가 없다면 준동사의 형태를 고쳐 「주어+❷ ~」 구조가 되도록 해야 한다.

답 ❶ 동사 ❷ 동사

Words

- civilization 문명
- conquer 정복하다
- eliminate 제거하다
- occasionally 가끔
- sustained 지속된, 일관된
- intercivilizational 문명 간의
- interaction 상호작용
- on occasion 가끔
- invade 침략하다
- subject 지배하다, 종속시키다

2 다음 글의 밑줄 친 부분 중, 어법상 틀린 것은? 모평 기출

The lack of real, direct experience in and with nature has caused many children to regard the natural world as mere abstraction, that fantastic, beautifully filmed place ① filled with endangered rainforests and polar bears in peril. This overstated, often fictionalized version of nature is no more real — and yet no less real — to them than the everyday nature right outside their doors, ② waits to be discovered in a child's way, at a child's pace. Consider the University of Cambridge study which found that a group of eight-year-old children was able to identify ③ substantially more characters from animations than common wildlife species. One wonders whether our children's inherent capacity to recognize, classify, and order information about their environment — abilities once essential to our very survival — is slowly devolving to facilitate life in ④ their increasingly virtualized world. It's all part of ⑤ what Robert Pyle first called "the extinction of experience."

*peril 위험 **devolve 퇴화하다

전략 Check!

동사에 밑줄이 있을 때에는 우선 ❶ [ ] 를 파악해야 한다. 주어와 동사의 관계를 알아야 동사의 형태가 올바른지 판단할 수 있다. 만약 ❷ [ ] 가 없다면 그 절에서 동사로 쓰일 수 없으므로, 동명사나 부정사, 분사 등 문장 구조에 알맞은 다른 형태가 무엇인지 생각해야 한다.

답 ❶ 주어 ❷ 주어

© Roberto Castillo / shutterstock

Words
- lack 부족
- mere 단순한
- abstraction 관념, 추상적 개념
- overstated 과장된
- fictionalized 소설화(영화화)된
- pace 속도
- identify 알아보다
- substantially 상당히
- inherent 내재된
- classify 분류하다
- facilitate 용이하게 하다
- virtualized 가상현실화된
- extinction 소멸, 멸종

3 (A), (B), (C)의 각 네모 안에서 어법에 맞는 표현으로 가장 적절한 것은?

학평 기출

Sometimes perfectionists find that they are troubled because (A) what / whatever they do it never seems good enough. If I ask, "For whom is it not good enough?" they do not always know the answer. After giving it some thought they usually conclude that it is not good enough for them and not good enough for other important people in their lives. This is a key point, because it suggests that the standard you may be struggling to (B) meet / be met may not actually be your own. Instead, the standard you have set for yourself may be the standard of some important person in your life, such as a parent or a boss or a spouse. (C) Live / Living your life in pursuit of someone else's expectations is a difficult way to live. If the standards you set were not yours, it may be time to define your personal expectations for yourself and make self-fulfillment your goal.

	(A)		(B)		(C)
①	what	……	meet	……	Live
②	what	……	be met	……	Living
③	whatever	……	meet	……	Live
④	whatever	……	meet	……	Living
⑤	whatever	……	be met	……	Live

전략 Check!

(A) what이 이끄는 것은 명사절, whatever가 이끄는 것은 ❶⬜절 이라는 점에 유의한다.

(B) to부정사의 의미상의 주어는 보통 문장(절)의 주어이다. 주어와 능동 의미 관계인지 수동 의미 관계인지 판단해야 한다.

(C) 준동사와 동사 중 선택할 때에는 그것을 포함하는 절의 ❷⬜와 동사를 파악해야 한다.

답 ❶ 부사 ❷ 주어

Words
- perfectionist 완벽주의자
- standard 기준
- struggle 투쟁하다, 몸부림치다
- spouse 배우자
- self-fulfillment 자기실현

4 (A), (B), (C)의 각 네모 안에서 어법에 맞는 표현으로 가장 적절한 것은?

학평 기출

English speakers have one of the simplest systems for describing familial relationships. Many African language speakers would consider it absurd to use a single word like "cousin" to describe both male and female relatives, or not to distinguish whether the person (A) described / describing is related by blood to the speaker's father or to his mother. To be unable to distinguish a brother-in-law as the brother of one's wife or the husband of one's sister would seem confusing within the structure of personal relationships existing in many cultures. Similarly, how is it possible to make sense of a situation (B) which / in which a single word "uncle" applies to the brother of one's father and to the brother of one's mother? The Hawaiian language uses the same term to refer to one's father and to the father's brother. People of Northern Burma, who think in the Jinghpaw language, (C) has / have eighteen basic terms for describing their kin. Not one of them can be directly translated into English.

	(A)	(B)	(C)
①	described	which	have
②	described	in which	has
③	described	in which	have
④	describing	which	has
⑤	describing	in which	has

전략 Check!

(A) 현재분사와 과거분사의 쓰임을 구별할 때에는 그것이 꾸미는 **①** 와의 관계를 파악해야 한다.
(B) 관계대명사 뒤에는 불완전한 절이, 「**②** +관계대명사」 뒤에는 형식상 완전한 절이 온다.
(C) 동사의 형태를 결정하기 위해서는 주어가 무엇인지 파악해야 한다.

답 **①** 명사 **②** 전치사

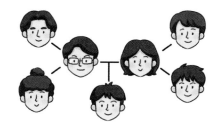

Words
● familial 가족의
● absurd 어처구니없는, 불합리한; (the ~) 부조리, 불합리
● distinguish 구분하다
● confusing 혼란스러운
● make sense of ~을 이해하다
● apply to ~에 적용되다
● refer to ~을 나타내다, 언급하다
● kin 친족
● translate 번역하다

1 다음 글의 밑줄 친 부분 중, 어법상 틀린 것은?

수능 기출

I hope you remember our discussion last Monday about the servicing of the washing machine ① supplied to us three months ago. I regret to say the machine is no longer working. As we agreed during the meeting, please send a service engineer as soon as possible to repair it. The product warranty says ② that you provide spare parts and materials for free, but charge for the engineer's labor. This sounds ③ unfair. I believe the machine's failure is caused by a manufacturing defect. Initially, it made a lot of noise, and later, it stopped ④ to operate entirely. As it is wholly the company's responsibility to correct the defect, I hope you will not make us ⑤ pay for the labor component of its repair.

Words
● discussion 논의 ● servicing 수리, 정비 ● supply 공급하다 ● warranty 보증서 ● spare 여분의 ● material 재료
● charge for ~에 대한 요금을 청구하다 ● failure 고장 ● manufacture 제조하다 ● defect 결함, 결점 ● initially 처음부터
● entirely 완전히, 아주 ● wholly 전적으로, 완전히 ● component 부분, 구성 요소

2 다음 글의 밑줄 친 부분 중, 어법상 틀린 것은? 학평 기출

Baylor University researchers investigated ①whether different types of writing could ease people into sleep. To find out, they had 57 young adults spend five minutes before bed ②writing either a to-do list for the days ahead or a list of tasks they'd finished over the past few days. The results confirm that not all pre-sleep writing is created equally. Those who made to-do lists before bed ③were able to fall asleep nine minutes faster than those who wrote about past events. The quality of the lists mattered, too; the more tasks and the more ④specific the to-do lists were, the faster the writers fell asleep. The study authors figure that writing down future tasks ⑤unloading the thoughts so you can stop turning them over in your mind. You're telling your brain that the tasks will get done — just not right now.

Words
● investigate 조사하다 ● ease 편하게 해 주다 ● ahead 앞으로 ● task 과업, 일 ● confirm 확인해 주다, 확정하다
● equally 동일하게, 동등하게 ● specific 구체적인 ● unload 내리다 ● turn over ~을 곰곰이 생각하다

3 다음 글의 밑줄 친 부분 중, 어법상 <u>틀린</u> 것은? 학평 기출

Take time to read the comics. This is worthwhile not just because they will make you laugh but ①because they contain wisdom about the nature of life. *Charlie Brown* and *Blondie* are part of my morning routine and help me ②to start the day with a smile. When you read the comics section of the newspaper, ③cutting out a cartoon that makes you laugh. Post it wherever you need it most, such as on your refrigerator or at work, so that every time you see it, you will smile and feel your spirit ④lifted. Share your favorites with your friends and family so that everyone can get a good laugh, too. Take your comics with you when you go to visit sick friends ⑤who can really use a good laugh.

Words
- comics (항상 복수형) (신문·잡지 등의) 만화란, 연재만화 ● worthwhile 가치가 있는 ● contain 담다, 포함하다 ● routine 일과
- section 부문, 구획 ● cut out ~을 잘라 내다 ● post 붙이다, 게시하다 ● spirit 기분, 기운 ● lift 고양시키다

4 다음 글의 밑줄 친 부분 중, 어법상 틀린 것은? 학평 기출

Each species of animals can detect a different range of odours. No species can detect all the molecules that are present in the environment ① in which it lives — there are some things that we cannot smell but which some other animals can, and vice versa. There are also differences between individuals, relating to the ability to smell an odour, or how ② pleasantly it seems. For example, some people like the taste of coriander — known as cilantro in the USA — while others find ③ it soapy and unpleasant. This effect has an underlying genetic component due to differences in the genes ④ controlling our sense of smell. Ultimately, the selection of scents detected by a given species, and how that odour is perceived, will depend upon the animal's ecology. The response profile of each species will enable it ⑤ to locate sources of smell that are relevant to it and to respond accordingly. *coriander 고수

Words

● detect 감지하다 ● odour 냄새 (= odor) ● molecule 분자 ● vice versa 거꾸로도, 반대로도 같음 ● cilantro 고수
● soapy 비누 맛이 나는 ● underlying 내재된, 밑에 있는 ● gene 유전자 ● ultimately 궁극적으로 ● selection 선택, (선택 가능한 것들의) 집합
● given 특정한 ● perceive 인지하다 ● ecology 생태 ● locate 위치를 파악하다, 위치시키다 ● relevant 관련 있는, 적절한

Week 2 • 누구나 합격 전략 **57**

1 다음 글을 읽고, 아래의 과정을 따라 문제를 푸시오. 학평 응용

Recent research suggests that evolving humans' relationship with dogs changed the structure of both species' brains. One of the various physical changes (A) causes / caused by domestication is a reduction in the size of the brain: 16 percent for horses, 34 percent for pigs, and 10 to 30 percent for dogs. This is because once humans started to take care of these animals, they no longer needed various brain functions in order to survive. Animals who were fed and protected by humans did not need many of the skills required by their wild ancestors and (B) lost / losing the parts of the brain related to those capacities. A similar process occurred for humans, who seem to (C) have / have been domesticated by wolves. About 10,000 years ago, when the role of dogs was firmly established in most human societies, the human brain also shrank by about 10 percent.

	(A)	(B)	(C)
①	causes	lost	have
②	causes	losing	have been
③	caused	lost	have
④	caused	lost	have been
⑤	caused	losing	have been

First Step 글의 도입부를 읽고, 사례를 들어 설명하는 글의 흐름 파악하기

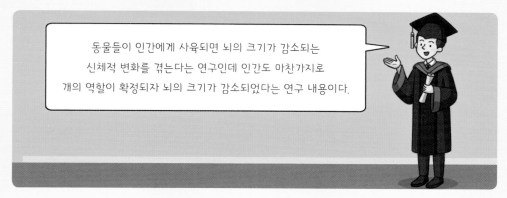

동물들이 인간에게 사육되면 뇌의 크기가 감소되는 신체적 변화를 겪는다는 연구인데 인간도 마찬가지로 개의 역할이 확정되자 뇌의 크기가 감소되었다는 연구 내용이다.

Second Step 네모가 있는 문장의 구조를 파악하며 어법 적합성 확인하기

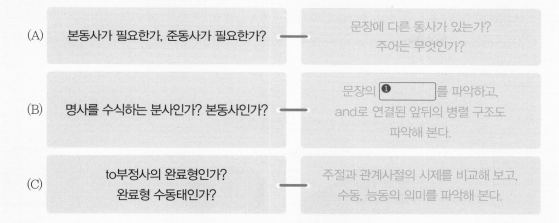

(A) 본동사가 필요한가, 준동사가 필요한가? — 문장에 다른 동사가 있는가? 주어는 무엇인가?

(B) 명사를 수식하는 분사인가? 본동사인가? — 문장의 ❶ _____를 파악하고, and로 연결된 앞뒤의 병렬 구조도 파악해 본다.

(C) to부정사의 완료형인가? 완료형 수동태인가? — 주절과 관계사절의 시제를 비교해 보고, 수동, 능동의 의미를 파악해 본다.

Last Step 확인한 결과를 통해 정답 도출하기

(A) 문맥상 문장의 동사는 ❷ _____이므로 cause는 앞의 명사 changes를 수식하는 것이 자연스럽고, '야기된'이라는 수동의 뜻이므로 caused가 알맞다.

(B) Animals가 주어이고 동사는 2개인데 did not need와 lost로 병렬 구조이므로 과거형을 쓴다.

(C) '인간에게도 같은 과정이 일어났다'와 '늑대에 의해 길들여졌던 것으로 보인다'고 하였으므로 완료와 수동태가 자연스럽다. to부정사의 완료형 수동태는 「to have been+과거분사」로 쓴다.

답 ❶ 주어 ❷ is

2 다음 글을 읽고, 아래의 과정을 따라 문제를 푸시오. 〔학평〕기출

The 'Merton Rule' was devised in 2003 by Adrian Hewitt, a local planning officer in Merton, southwest London. The rule, which Hewitt created with a couple of colleagues and persuaded the borough council to pass, ① was that any development beyond a small scale would have to include the capacity to generate ten percent of that building's energy requirements, or the developers would be denied permission ② to build. The rule sounded sensible and quickly caught on, with over a hundred other local councils ③ followed it within a few years. In London, the mayor at the time, Ken Livingstone, introduced 'Merton Plus,' which raised the bar to twenty percent. The national government then introduced the rule more ④ widely. Adrian Hewitt became a celebrity in the small world of local council planning, and Merton council started winning awards for ⑤ its environmental leadership.

*raise the bar 기준을 높이다

글의 도입부를 읽고, 핵심 소재 파악하기

10%의 자가 발전 능력을 갖추어야 건축 허가를 내주는 'Merton 법안'에 대한 글이다.

Second Step 밑줄 친 부분 주변의 구조를 파악하며 어법 적합성 확인하기

① 주어가 The rule이고 단수이므로 단수동사 was — 주어가 단수인가?

② 명사를 뒤에서 수식하는 to부정사 — 명사 뒤에서 동명사가 수식할 수 있는가?

③ 앞의 명사와 분사의 관계가 ❶ [   ]이면 현재분사, 수동이면 과거분사 — over a hundred other local councils와 followed의 관계가 수동인가?

④ 동사를 수식하는 부사 — widely가 수식하는 것은 introduced인가, the rule인가?

⑤ 환경 리더십의 주체인 Merton council을 가리키는 its — its는 무엇을 가리키는가?

Last Step 확인한 결과를 통해 정답 도출하기

③ 「with+명사구(over a hundred other local councils)+분사」 구문에서 명사구와 분사의 관계가 능동이므로 ❷ [   ] following을 쓰는 것이 자연스럽다.

답 ❶ 능동 ❷ 현재분사

BOOK 1 마무리 전략

핵심 한눈에 보기

지난 2주간 학습한 어법 전략 중 가장 중요한 내용을 다시 한 번 기억해 두세요.

1주   주어와 동사

 주어와 동사는 수를 일치시켜야 한다.

주어가 단수이면 동사도 단수형으로, 주어가 복수이면 동사도 복수형으로 쓴다.

동사의 수는 주어의 수로 결정되므로, 수식어구를 제외한 주어를 파악한다.

문장에 준동사만 있다면 그 문장은 어법상 잘못된 문장이랍니다!

문장에는 반드시 주어와 동사가 존재한다.

준동사(to부정사, 동명사, 분사 등)는 문장의 본동사로 쓰일 수 없다.

현재완료는 과거의 일이 현재까지 영향을 줄 때 사용한다.

과거완료는 과거 특정 시점보다 더 이전의 일을 나타낸다.

따라서 현재완료는 명확한 과거 시점을 나타내는 부사와 쓰지 않는다.

따라서 과거의 특정 시점을 나타내는 부사구(절)과 쓰일 때가 많다.

동사의 형태가 바른지 알기 위해 주어와의 관계를 살펴야 한다.

주어가 동사의 행위를 하는 주체이면 능동태를 쓴다.

주어가 동사의 행위를 당하는 대상이면 수동태를 쓴다.

2주 준동사와 조동사

동명사와 to부정사는 명사 역할(주어, 보어, 목적어 역할)을 할 수 있다.

동명사를 목적어로 쓰는 동사와 to부정사를 목적어로 쓰는 동사를 구분한다.

전치사의 목적어로는 동명사만 쓰인다.

「It ~ to부정사구」 구조의 문장일 때 to부정사구가 진주어인지 확인한다.

분사와 꾸밈을 받는 명사와의 관계가 능동인지 수동인지 파악해야 한다.

현재분사는 능동, 진행의 의미를 나타낸다.

과거분사는 수동, 완료의 의미를 나타낸다.

현재분사나 과거분사로 시작되어 주절을 꾸미는 부사구가 분사구문이다.

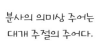

분사의 의미상 주어는 대개 주절의 주어다.

분사의 의미상 주어와 분사와의 관계를 살펴야 한다.

수동태 분사구문은 보통 being이나 having been을 생략하고 과거분사로 시작한다.

주어와 분사의 관계가 능동이면 현재분사, 수동이면 과거분사를 쓴다.

요구나, 주장, 제안 등의 의미를 나타내는 어구 뒤에 that절의 동사는 「(should +) 동사원형」으로 쓴다.

「조동사 + have + 과거분사」는 과거에 대한 추측이나 후회의 의미를 나타낸다.

© Kaliaha Volha/shutterstock

신유형·신경향 전략

1 밑줄 친 (A), (B), (C)를 어법에 맞는 형태로 바꿀 때 가장 적절한 것은? 학평 응용

Not just information but also people may move between societies, (A) <u>take</u> their knowledge and cultural practices with them. Like war, migration is an ancient phenomenon and very common throughout history. Although it is often regarded with suspicion, immigration tends to confer benefits on the host group. In recent history, countries with the highest net inward migration have also had the highest growth rates, the two factors clearly being linked in harmony. The complaint that immigrants take people's jobs (B) <u>be</u>, like similar complaints about technology, based on an erroneously static view of the world. In fact, immigrants increase the size of the market and thus create jobs. Furthermore, they arrive as already productive adults (C) <u>have</u> never been dependent on the host country. They also tend to be motivated and intelligent individuals with a talent for the creation of economic organization.

*net inward migration 순 유입(純 流入)

	(A)	(B)	(C)
①	taking	is	have
②	taking	are	having
③	taking	is	having
④	taken	are	having
⑤	taken	is	have

How to Solve

(A) 분사구문의 분사는 생략된 **❶**⬜와의 관계를 파악하여 결정한다.

(B) 동사의 수를 판단해야 하므로 주어를 찾아 단수인지 복수인지 확인한다.

(C) 문장의 구조를 파악해야 형태를 정할 수 있다. as가 전치사로 쓰였다면 have는 명사를 꾸미는 형용사 역할의 분사로 바꿔 써야 하고, as가 접속사로 쓰였다면 **❷**⬜ 역할을 할 수 있도록 형태를 유지해야 한다.

답 ❶ 주어 ❷ 동사

2 (A)와 (B)의 각 빈칸에 들어갈 말이 어법상 가장 자연스러운 표현으로 짝지어진 것은?

모평 응용

In a survey published earlier this year, seven out of ten parents said they would never let their children ____(A)____ with toy guns. Yet the average seventh grader spends at least four hours a week playing video games, and about half of those games have violent themes. Clearly, parents make a distinction between violence on a screen and violence ____(B)____ out with plastic guns. However, psychologists point to decades of research and more than a thousand studies that demonstrate a link between media violence and real aggression.

	(A)		(B)
①	play	······	acts
②	play	······	acted
③	playing	······	acting
④	to play	······	acts
⑤	to play	······	acted

Words
- survey 조사
- average 평균의
- violent 폭력적인
- theme 주제
- make a distinction 구별하다, 구분 짓다
- violence 폭력
- decade 10년
- aggression 공격, 공격성

How to Solve

1. 빈칸에 들어갈 어휘의 기본 형태가 무엇인지 파악한다.
2. 빈칸에 기본 형태의 어휘를 넣고, 문장 구조를 살펴본다.
3. 빈칸에 어떠한 어법적 형태의 어휘가 와야 하는지 파악해서 기본 형태의 어휘를 변형해 보고, 선택지에서 같은 것을 찾는다.

3 다음 글의 밑줄 친 부분 중, 어법상 틀린 것은? [학평] 응용

Although it is obvious that part of our assessment of food is its visual appearance, it is perhaps ①surprising how visual input can override taste and smell. People find it very ②difficult to correctly identify fruit-flavoured drinks if the colour is wrong, for instance an orange drink that is coloured green. Perhaps even more striking ③is the experience of wine tasters. One study of Bordeaux University students of wine and wine making revealed that they chose tasting notes appropriate for red wines, such as 'prune and chocolate', when they ④gave white wine coloured with a red dye. ⑤Experienced New Zealand wine experts were similarly tricked into thinking that the white wine Chardonnay was in fact a red wine, when it had been coloured with a red dye.

*override ～에 우선하다 **prune 자두

Words
- obvious 명백한
- assessment 평가
- visual 시각의, 시각적인
- appearance 외관, 외형
- identify 확인하다, 알아보다
- striking 놀라운
- reveal 드러내다
- experienced 숙련된, 경험이 있는
- trick ～ into ～을 속여서 …하게 하다

How to Solve

1. 밑줄 친 부분 다섯 개가 속한 문장 구조를 각각 파악해야 한다.
2. 각 문장 구조에서 밑줄 친 부분이 어떤 역할을 하고 있는지 파악한다.
3. 밑줄 친 부분의 형태가 그 역할을 할 수 있는지 확인한다.

4 (A), (B), (C)의 각 네모 안에서 문맥상 적절한 것은? 학평 응용

Katherine Schreiber and Leslie Sim, experts on exercise addiction, recognized that smartwatches and fitness trackers have probably inspired sedentary people to take up exercise, and (A) encouraged / to encourage people who aren't very active to exercise more consistently. But they were convinced the devices were also quite dangerous. Schreiber explained that focusing on numbers separates people (B) to be / from being in tune with their body. Exercising becomes mindless, which is 'the goal' of addiction. This 'goal' that she mentioned is a sort of automatic mindlessness, the outsourcing of decision making to a device. She recently sustained a stress fracture in her foot because she refused to listen to her overworked body, (C) instead / instead of continuing to run toward an unreasonable workout target. Schreiber has suffered from addictive exercise tendencies, and vows not to use wearable tech when she works out.

*sedentary 주로 앉아서 지내는

	(A)	(B)	(C)
①	encouraged	⋯⋯ to be	⋯⋯ instead of
②	encouraged	⋯⋯ from being	⋯⋯ instead of
③	encouraged	⋯⋯ from being	⋯⋯ instead
④	to encourage	⋯⋯ to be	⋯⋯ instead of
⑤	to encourage	⋯⋯ from being	⋯⋯ instead

Words
- addiction 중독
- tracker 추적 장치
- inspire 고무하다
- take up ~을 시작하다
- consistently 일관적으로
- convince 확신시키다
- separate 분리하다
- outsourcing 아웃소싱, 위탁
- sustain 지속시키다
- stress fracture 피로 골절
- unreasonable 터무니없는, 비이성적인
- tendency 경향, 성향
- vow 맹세하다

How to Solve

문맥상 적절한 것을 찾아야 하지만, 네모 안의 표현을 살펴보면 두 표현의 어법상 적절성을 따져 보아야 한다는 것을 알 수 있다.
(A) 동사 ❶ ____ 가 의미상 무엇과 병렬 구조로 연결되는지 파악해야 한다.
(B) that절의 동사 ❷ ____ 와의 관계를 생각해야 한다.
(C) instead가 쓰일 때와 instead of가 쓰일 때의 의미 차이를 생각해야 한다.

🔑 ❶ encourage ❷ separates

01 다음 글의 밑줄 친 부분 중, 어법상 틀린 것은?

학평 기출

There is a reason why so many of us are attracted to recorded music these days, especially considering personal music players are common and people are listening to music through headphones a lot. Recording engineers and musicians have learned to create special effects that tickle our brains by exploiting neural circuits that evolved ①<u>to discern</u> important features of our auditory environment. These special effects are similar in principle to 3-D art, motion pictures, or visual illusions, none of ②<u>which</u> have been around long enough for our brains to have evolved special mechanisms to perceive them. Rather, 3-D art, motion pictures, and visual illusions leverage perceptual systems that ③<u>are</u> in place to accomplish other things. Because they use these neural circuits in novel ways, we find them especially ④<u>interested</u>. The same is true of the way ⑤<u>that</u> modern recordings are made.

*auditory 청각의 **leverage 이용하다

ⓒ George Rudy / shutterstock

02 다음 글의 밑줄 친 부분 중, 어법상 틀린 것은?

The modern adult human brain weighs only 1/50 of the total body weight but uses up to 1/5 of the total energy needs. The brain's running costs are about eight to ten times as high, per unit mass, as ① those of the body's muscles. And around 3/4 of that energy is expended on neurons, the ② specialized brain cells that communicate in vast networks to generate our thoughts and behaviours. An individual neuron ③ sends a signal in the brain uses as much energy as a leg muscle cell running a marathon. Of course, we use more energy overall when we are running, but we are not always on the move, whereas our brains never switch off. Even though the brain is metabolically greedy, it still outclasses any desktop computer both in terms of the calculations it can perform and the efficiency ④ at which it does this. We may have built computers that can beat our top Grand Master chess players, but we are still far away from designing one that is capable of recognizing and picking up one of the chess pieces as ⑤ easily as a typical three-year-old child can.

03 다음 글의 밑줄 친 부분 중, 어법상 틀린 것은? ⬤ 수능 기출

When people face real adversity — disease, unemployment, or the disabilities of age — affection from a pet takes on new meaning. A pet's continuing affection becomes crucially important for ①those enduring hardship because it reassures them that their core essence has not been damaged. Thus pets are important in the treatment of ②depressed or chronically ill patients. In addition, pets are ③used to great advantage with the institutionalized aged. In such institutions it is difficult for the staff to retain optimism when all the patients are declining in health. Children who visit cannot help but remember ④what their parents or grandparents once were and be depressed by their incapacities. Animals, however, have no expectations about mental capacity. They do not worship youth. They have no memories about what the aged once ⑤was and greet them as if they were children. An old man holding a puppy can relive a childhood moment with complete accuracy. His joy and the animal's response are the same.

04 다음 글의 밑줄 친 부분 중, 어법상 틀린 것은?

The formats and frequencies of traditional trade encompass a spectrum. At the simplest level ① are the occasional trips made by individual !Kung and Dani to visit their individual trading partners in other bands or villages. ② Suggestive of our open-air markets and flea markets were the occasional markets at which Sio villagers living on the coast of northeast New Guinea met New Guineans from inland villages. Up to a few dozen people from each side ③ sat down in rows facing each other. An inlander pushed forward a net bag containing between 10 and 35 pounds of taro and sweet potatoes, and the Sio villager sitting opposite responded by offering a number of pots and coconuts ④ judging equivalent in value to the bag of food. Trobriand Island canoe traders conducted similar markets on the islands ⑤ that they visited, exchanging utilitarian goods (food, pots, and bowls) by barter, at the same time as they and their individual trade partners gave each other reciprocated gifts of luxury items (shell necklaces and armbands).

*taro (식물) 타로토란 **reciprocate 답례하다

01 다음 글의 밑줄 친 부분 중, 어법상 **틀린** 것은?   학평 기출

Cutting costs can improve profitability but only up to a point. If the manufacturer cuts costs so deeply ① that doing so harms the product's quality, then the increased profitability will be short-lived. A better approach is to improve productivity. If businesses can get more production from the same number of employees, they're ② basically tapping into free money. They get more product to sell, and the price of each product falls. As long as the machinery or employee training ③ needed for productivity improvements costs less than the value of the productivity gains, it's an easy investment for any business to make. Productivity improvements are as important to the economy as they ④ do to the individual business that's making them. Productivity improvements generally raise the standard of living for everyone and ⑤ are a good indication of a healthy economy.

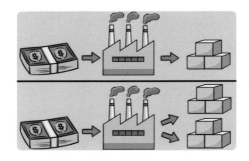

02 다음 글의 밑줄 친 부분 중, 어법상 틀린 것은? 학평 기출

Mathematical practices and discourses should be situated within cultural contexts, student interests, and real-life situations ① where all students develop positive identities as mathematics learners. Instruction in mathematics skills in isolation and devoid of student understandings and identities renders them ② helpless to benefit from explicit instruction. Thus, we agree that explicit instruction benefits students but propose that incorporating culturally relevant pedagogy and consideration of nonacademic factors that ③ promoting learning and mastery must enhance explicit instruction in mathematics instruction. Furthermore, teachers play a critical role in developing environments ④ that encourage student identities, agency, and independence through discourses and practices in the classroom. Students who are actively engaged in a contextualized learning process are in control of the learning process and are able to make connections with past learning experiences ⑤ to foster deeper and more meaningful learning. *render (어떤 상태가 되게) 만들다 **pedagogy 교수법

03 다음 글의 밑줄 친 부분 중, 어법상 틀린 것은? 수능 응용

Human beings do not enter the world as competent moral agents. Nor ① does everyone leave the world in that state. But somewhere in between, most people acquire a bit of decency that qualifies them for membership in the community of moral agents. Genes, development, and learning all contribute to the process of becoming a decent human being. The interaction between nature and nurture is, however, highly complex, and developmental biologists are only just beginning ② to grasp just how complex it is. Without the context ③ provided by cells, organisms, social groups, and culture, DNA is inert. Anyone who says that people are "genetically programmed" to be moral ④ has an oversimplified view of how genes work. Genes and environment interact in ways that make it nonsensical to think that the process of moral development in children, or any other developmental process, can be discussed in terms of nature *versu*s nurture. Developmental biologists now know that it is really both, or nature *through* nurture. A complete scientific explanation of moral evolution and development in the human species ⑤ are a very long way off.

*decency 예의 **inert 비활성의

04 다음 글의 밑줄 친 부분 중, 어법상 틀린 것은? 학평 응용

The skeletons ① found in early farming villages in the Fertile Crescent are usually shorter than those of neighboring foragers, which suggests that their diets were less varied. Though farmers could produce more food, they were also more likely to starve, because, unlike foragers, they relied on a small number of crops, and if those crops failed, they were in serious trouble. The bones of early farmers show evidence of vitamin deficiencies, probably ② caused by regular periods of starvation between harvests. They also show signs of stress, associated, perhaps, with the intensive labor ③ required for plowing, harvesting crops, felling trees, maintaining buildings and fences, and grinding grains. Villages also produced refuse, which attracted vermin, and their populations were large enough to spread diseases that could not have survived in smaller, more nomadic foraging communities. All this evidence of declining health ④ suggest that the first farmers were pushed into the complex and increasingly ⑤ interconnected farming lifeway rather than pulled by its advantages.

*forager 수렵채집인 **refuse 쓰레기 ***vermin 해충

memo

핵심 개념부터 실전까지, 고품격 수능 대비서

고등 수능전략

전과목 시리즈

체계적인 수능 대비	신유형 문제까지 정복	실전 감각 익히기
하루 6쪽, 주 3일 학습으로 핵심 개념과 유형, 실전까지 빠르고 확실하게 준비 완료!	수능에 자주 나오는 유형부터 신유형·신경향 문제까지 다양한 유형의 문제를 마스터!	수능과 모의평가 유형의 구성으로 단기간에 실전 감각을 익혀 실제 수능에 완벽하게 대비!

개념과 유형, 실전을 한 번에!

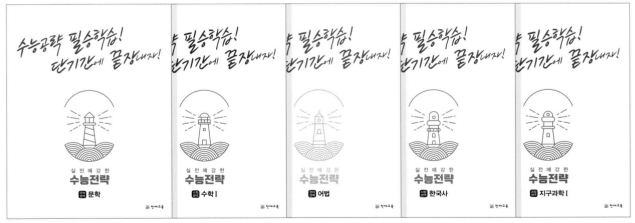

국어: 고2~3(문학/독서/언어와 매체/화법과 작문)

수학: 고2~3(수학Ⅰ/수학Ⅱ/확률과 통계/미적분)

영어: 고2~3(어법/독해 150/독해 300/어휘/듣기)

사회: 고2~3(한국사/사회·문화/생활과 윤리/한국지리)

과학: 고2~3(물리학Ⅰ/화학Ⅰ/생명과학Ⅰ/지구과학Ⅰ)

book.chunjae.co.kr

교재 내용 문의 ··················	교재 홈페이지 ▸ 고등 ▸ 교재상담
교재 내용 외 문의 ··················	교재 홈페이지 ▸ 고객센터 ▸ 1:1문의
발간 후 발견되는 오류 ··············	교재 홈페이지 ▸ 고등 ▸ 학습지원 ▸ 학습자료실

수능공략 필승학습!
단기간에 끝장내자!

실전에 강한
수능전략

BOOK 2

영어영역 어법

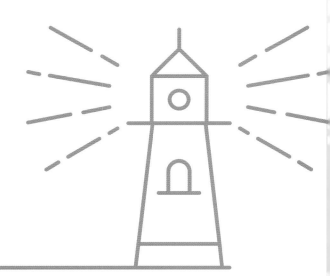

수능전략

영·어·영·역

어법

BOOK 2

BOOK 1	BOOK 2	BOOK 3
1주, 2주	1주, 2주	정답과 해설

본책인 BOOK 1과 BOOK 2의 구성은 아래와 같습니다.

주 도입

본격적인 학습에 앞서, 재미있는 만화를
살펴보며 이번 주에 학습할 내용을 확인해
봅니다.

1일

개념 돌파 전략

수능 영어 영역을 대비하기 위해 꼭 알아야 할
어법 개념을 익힌 뒤, 간단한 문제를 풀며 유형 개념을
잘 이해했는지 확인해 봅니다.

2일, 3일

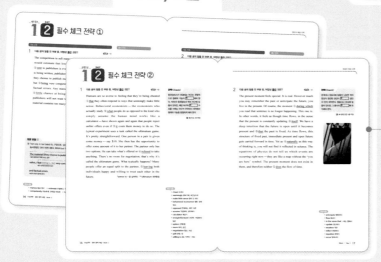

필수 체크 전략

기출 문제에서 선별한 대표 유형 문제와 추가 문제를
풀며 문제에 접근하는 과정과 해결 전략을 체계적으로
익혀 봅니다.

본 책에서 다룬 대표 유형과 그 해결 전략을 집중적으로
연습할 수 있도록 권두 부록을 구성했습니다.
부록을 뜯으면 미니북으로 활용할 수 있습니다.

주 마무리 코너

누구나 합격 전략
난이도가 낮은 기출 문제를 풀며
학습 자신감을 높일 수 있습니다.

창의·융합·코딩 전략
수능에서 요구하는 융복합적 사고력과
문제 해결력을 기를 수 있는 재미있는
문제를 풀어 봅니다.

권 마무리 코너

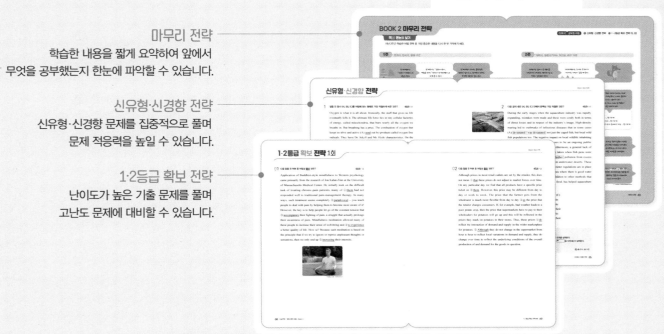

마무리 전략
학습한 내용을 짧게 요약하여 앞에서
무엇을 공부했는지 한눈에 파악할 수 있습니다.

신유형·신경향 전략
신유형·신경향 문제를 집중적으로 풀며
문제 적응력을 높일 수 있습니다.

1·2등급 확보 전략
난이도가 높은 기출 문제를 풀며
고난도 문제에 대비할 수 있습니다.

이 책의 차례

BOOK 2

파이팅!!

관계사, 접속사, 병렬 구조

개념 **01** 관계대명사의 쓰임

❶ 관계대명사는 「접속사+대명사」 역할을 한다. 종류는 다음과 같다.

주격 관계대명사	who, which, that • 선행사가 관계사절에서 주어 역할 • 뒤에 동사가 나옴
목적격 관계대명사	who(m), which, that • 선행사가 관계사절에서 목적어 역할 • 뒤에 「주어+동사」가 옴 • 생략할 수 있음
소유격 관계대명사	whose • 관계사절에서 소유격 역할 • 뒤에 명사가 나옴

• Use containers that are the same size when you store food.
  3인칭 복수 명사 / 주격 관계대명사 / be동사의 3인칭 복수형

* 주격 관계대명사 뒤에 오는 동사의 **❶** [   ]과 수는 선행사에 따른다.

• It was my father's old cell phone which he had lost at the theater.
  목적격 관계대명사 / **❷** [   ] + 동사

• The police found the car whose number was the same as told.
  소유격 관계대명사 + 명사

❷ 관계대명사 앞에 콤마(,)가 있는 계속적 용법일 때, 관계대명사절이 선행사를 보충 설명한다. that은 계속적 용법으로 쓰지 않는다.

She sent me some flowers, which she grew in her garden.

답 ❶ 인칭 ❷ 주어

CHECK

괄호 안에서 알맞은 것은?

1. We are social animals (who / whom) need to discuss our problems with others. 기출

2. He is a historian (whose / which) work centers on the study of Roman history.

개념 **02** 관계대명사 what

❶ 관계대명사 what은 선행사를 포함하므로 **❶** [   ] 없이 쓰고, '~하는 것'이라고 해석한다. 계속적 용법으로는 쓰지 않는다.

Prepare what you want to say to her.
  what = the thing(s) which

❷ 관계대명사 that과 what의 쓰임을 구분해야 할 때, 선행사가 있으면 that을, 선행사가 없으면 **❷** [   ]을 쓴다.

• I don't trust what I can't explain.

• I don't trust the information that is found online.
  선행사

답 ❶ 선행사 ❷ what

CHECK

괄호 안에서 알맞은 것은?

3. (That / What) you and your spouse need is quality time to talk. 기출

개념 **03** 전치사 + 관계대명사

❶ 선행사가 관계대명사절에서 전치사의 목적어일 때, 전치사는 관계대명사 앞에 쓸 수 있다.

• You need to communicate with those with whom you work.
  = who(m) you work **❶** [   ]

• I played a mobile game in which the player explores the jungle.
  = **❷** [   ] the player explores the jungle in

❷ 전치사가 앞에 올 때에는 관계대명사 that을 쓰지 않는다.

답 ❶ with ❷ which

CHECK

괄호 안에서 알맞은 것은?

4. The emotion itself is tied to the situation in (which / that) it originates. 기출

개념 04 관계부사의 쓰임

❶ 관계부사는 선행사가 관계사절에서 부사의 역할을 하며, 「전치사+관계대명사」로 바꿔 쓸 수 있다.

when (시간)	선행사 the time, the day, the year 등
	전치사+관계대명사 → at, in, on+which
where (장소)	선행사 the place, the city, the town 등
	전치사+관계대명사 → at, in, on+which
why (이유)	선행사 the reason
	전치사+관계대명사 → for which
how (방법)	선행사 the way
	전치사+관계대명사 → in which

* 계속적 용법일 때에는 「전치사+관계대명사」로 바꿔 쓰지 않는다.

❷ 선행사와 관계부사 중 하나를 생략할 수 있다. 특히 the way와 how는 둘 중 하나를 반드시 생략한다.

I know the reason why she left.

= the reason she left 또는 [❶] she left

답 ❶ why

CHECK

괄호 안에서 알맞은 것은?

5. Do you remember the exact time (when / where) you heard the news?

개념 05 관계대명사 vs. 관계부사

❶ 관계대명사 뒤에는 불완전한 형태의 절이 오고, 관계부사 뒤에는 완전한 형태의 절이 온다.

• She visited the hall where her concert
  <u>완전한 형태의 절</u>
  would take place the next day.

• I want to visit the hall that the famous
  architect designed.
  <u>목적어가 없는 불완전한 형태의 절</u>

CHECK

괄호 안에서 알맞은 것은?

6. This is a hiking program (which / where) we guide participants through local trails.

개념 06 복합 관계대명사

❶ 복합 관계대명사는 「관계대명사+-ever」의 형태로, 강조의 명사절이나 양보의 부사절을 이끈다.

who(m)ever	명사절	~하는 사람은 누구나
	부사절	누가 ~할지라도
whichever	명사절	~하는 것은 어느 쪽이나
	부사절	어느 쪽이(을) ~할지라도
whatever	명사절	~하는 것은 무엇이든
	부사절	무엇이(을) ~할지라도

❷ 관계대명사와 마찬가지로 뒤에 [❶] 형태의 절이 온다.

• As soon as harmony is disrupted, we do whatever we can to restore it.

[❷]가 없는 불완전한 형태의 절

답 ❶ 불완전한 ❷ 목적어

CHECK

괄호 안에서 알맞은 것은?

7. (Whichever / Whoever) wants to meet me, they are free to come and see me.

개념 07 복합 관계부사

❶ 복합 관계부사는 「관계부사+-ever」의 형태로, 부사절을 이끈다.

whenever	언제 ~할지라도, ~하는 언제든지
wherever	어디에 ~할지라도, ~하는 어디든지
however	아무리 ~할지라도

❷ 관계부사와 마찬가지로 뒤에 완전한 형태의 절이 온다.

• They will find you wherever you hide.
  <u>완전한 형태의 절</u>

• She trains the dogs to lie down whenever she says, "Lie down."
  <u>완전한 형태의 절</u>

개념 08 명사절을 이끄는 접속사 that

❶ 접속사 that은 명사절을 이끈다.

- We hope **that** you have a pleasant time with us. <small>that이 이끄는 명사절이 ❶ ☐ 역할</small>
- The problem is **that** even doctors do not know the source of the pain. <small>that이 이끄는 명사절이 보어 역할</small>

❷ 접속사 that이 이끄는 명사절이 주어일 때 대개 that절을 뒤로 보내고 주어 자리에 가주어 it을 쓴다.

- **It** is likely **that** the economy is going to recover to its pre-crisis levels. <small>가주어 / that이 이끄는 진주어 명사절</small>

ⓒ maga / shutterstock

→ ❷ ☐

- **It** was expected **that** hundreds of thousands of the workers would protest. <small>that이 이끄는 진주어 명사절</small>

cf. **It** was exactly a year ago **that** I opened my own store here on this street. <small>it ~ that 강조 구문과 혼동하지 않도록 주의</small> ▶4주 전략 12 참조

<small>답 ❶ 목적어 ❷ 가주어</small>

CHECK

괄호 안에서 알맞은 것은?

8. It is expected (so / that) the actor will play a major role in the movie.

9. We thought (what / that) we could continue our project.

10. The main problem is (that / which) the memory space is inadequate.

개념 09 동격의 that절

❶ 사실이나 의견을 나타내는 명사 뒤에 that절이 오면 that절의 내용이 명사를 설명한다. (명사 = that절의 내용)

> **뒤에 that절이 오는 명사**
>
> fact, truth, idea, notion, news, opinion, reply, result, conclusion 등

You have to face **the fact** that you have the disease. <small>(the fact = that you have the disease) ← that절에는 완전한 형태의 절이 옴</small>

CHECK

괄호 안에서 알맞은 것은?

11. I received her reply (that / which) she left the company.

개념 10 접속사 that과 whether, 관계대명사 what의 쓰임 구분

❶ 접속사 that과 whether, 관계대명사 what은 모두 명사절을 이끌지만 쓰임이 다르다.

접속사 that	해석: ~라는 것
	완전한 형태의 절이 옴
접속사 whether	해석: ~인지 (아닌지), 의문을 나타냄
	완전한 형태의 절이 옴
관계대명사 what	해석: ~ 것
	주어나 목적어 없는 불완전한 절이 옴

- The theater did not confirm **whether** it would ban customers without masks. <small>완전한 절</small>
- **What** the author says in this book may be true for most people. <small>불완전한 절</small>

CHECK

괄호 안에서 알맞은 것은?

12. Is there a way to know (what / whether) the museum is open today?

개념 11 so ～ that vs. so that

❶ 「so+형용사/부사+that+주어+동사」는 '매우 ～해서 …하다'라는 의미로 결과를 나타낸다.

I was **so** exhausted after all the classes **that** I
so 뒤에 형용사나 부사가 옴
needed to take a break. *that절의 내용이* ❶ *를 나타냄*

❷ so that은 '～하기 위해서, ～하도록'이라는 의미로 목적을 나타내며 대체로 뒤에 can, may, will 등의 조동사가 쓰인다.

Cut the pizza into eight pieces **so that**
everyone can get one. *that절의 내용이* ❷ *을 나타냄*

답 ❶ 결과 ❷ 목적

CHECK

괄호 안에서 알맞은 것은?

13. The carpenter carved tiny wooden animals (that / so that) his two-year-old son could play with them.

개념 12 접속사와 전치사

❶ 접속사 뒤에는 「주어+동사」로 이루어진 절이 오고, 전치사 뒤에는 명사구가 온다.

접속사 (+ 주어 + 동사)	전치사 (+ 명사구)
although, though (～에도 불구하고)	despite / in spite of (～에도 불구하고)
because, since (～ 때문에)	because of / due to (～ 때문에)
while (～ 동안)	during / for (～ 동안)

Some people are skipping medications
because of high costs.
명사구

CHECK

괄호 안에서 알맞은 것은?

14. I don't answer phone calls (during / while) a conversation.

개념 13 병렬 구조

❶ 등위접속사 and, but, or가 연결하는 어구는 문법적으로 형태와 기능이 동일해야 한다.

• I know you were there **and** saw something.
❶ *를 주어로 하는 동사구가 연결됨*

• My eyes were slowly **but** surely acquainted with the darkness.
부사 두 개가 연결됨

❷ 상관접속사가 연결하는 어구는 문법적으로 형태와 기능이 동일해야 한다.

상관접속사
both A and B: A와 B 모두
either A or B: A 또는 B
neither A nor B: A도 B도 아닌
not only A but (also) B: A뿐만 아니라 B도
not A but B: A가 아니라 B
* A와 B가 문법적으로 같은 형태와 기능이어야 함

• This space can be transformed into **either** a yoga studio **or** a gallery.
명사구 두 개가 연결됨

• The owl has excellent vision **both** in the dark **and** at a distance.
부사구 두 개가 연결됨

❸ 접속사로 연결되는 진행이나 완료 시제의 be동사와 have, 반복되는 조동사, to부정사의 to 등은 생략되는 경우가 많다.

The old ladies continued to walk **and** (to) talk to each other. *to부정사의* ❷ *생략 가능*

답 ❶ you ❷ to

CHECK

괄호 안에서 알맞은 것은?

15. I rushed to catch a taxi and (headed / heading) back to the bus stop. 기출

16. Plumb felt sorry because he neither recognized the sailor nor (remember / remembered) his name. 기출

17. Unfortunately, they aren't (hired / hiring) or accepting applications now. 기출

개념 돌파 전략 ②

A 다음 글을 읽고, 전략에 따라 네모 안에서 알맞은 것을 골라 쓰시오. 수능 응용

It is well known (a) that / so that some baseball parks are better for hitting home runs than others. It is not just the size of the park that matters. Other park conditions such as wind and humidity also affect (b) what / whether a ball sails over the fences. So what happens when a player is moved to a team (c) which / whose baseball park has better conditions for home runs than his current one — say, 28 percent better? One analysis found that the player hit 60 percent more home runs.

(a) _____ (b) _____ (c) _____

문제 해결 전략

(a) → 전략 8, 11
주어가 it이고 뒤에 that절이 나오면 가주어와 진주어 구문인지 확인해야 한다. so that은 목적을 나타낸다.

(b) → 전략 2, 10
뒤에 오는 절이 완전한지 불완전한지 확인한다. 관계대명사 what 뒤에는 불완전한 절이, 접속사 whether 뒤에는 완전한 절이 온다.

(c) → 전략 1
which는 주격이나 목적격 관계대명사로 뒤에 주어나 목적어가 빠진 절이 온다. whose는 소유격으로 쓰여 뒤에 명사가 온다.

B 다음 글을 읽고, 전략에 따라 네모 안에서 알맞은 것을 골라 쓰시오. 수능 응용

In business and life, just as in baseball, our perceptions can affect whether we swing for the fences or not. The baseball research shows us that (a) what / whether matters is not the actual distance to the fence but what our brains recognize that distance to be. Consider your work and your current life. Do the fences seem too far away to hit a home run? Simply adjust the fences (b) that / so that it seems easier.

(a) _____ (b) _____

문제 해결 전략

(a) → 전략 2, 10
that절 안에서 「빈칸+동사 matters」로 이루어진 절이 동사 is의 주어로 쓰였다. 그러므로 빈칸에 들어갈 말은 matters와 함께 명사절을 만들 수 있어야 한다.

(b) → 전략 8, 11
접속사를 사이에 두고 앞뒤 절의 의미상 관계를 살핀다. 뒤에 나오는 절이 앞에 나오는 절의 목적을 의미하고 있다.

Words
● humidity 습도 ● sail 항해하다, 나아가다 ● current 현재의 ● analysis 분석 ● perception 인지 ● adjust 적응하다

C

다음 글을 읽고, 전략에 따라 밑줄 친 부분의 쓰임이 어법상 바르면 T에, 틀리면 F에 표시하시오.　　(모평) 응용

The doctor concluded (a)that Jim might never regain the full use of his right arm. (b)Because his injury, Jim wasn't able to play on the basketball team (c)during the rest of that year, but the coach did make him equipment manager so that he could come and (d)practicing. All summer long in 1997, each and every night, he practiced making left-handed baskets.

(a) (T / F)　　　　　　(b) (T / F)
(c) (T / F)　　　　　　(d) (T / F)

문제 해결 전략

(a) → **전략 8**
접속사 that 뒤에 완전한 형태의 절이 나온다는 점에 유의한다.

(b), (c) → **전략 12**
접속사 뒤에는 절이, 전치사 뒤에는 명사구가 온다.

(d) → **전략 13**
등위접속사가 연결하는 어구는 문법적으로 형태와 기능이 동일해야 한다.

D

다음 글을 읽고, 전략에 따라 밑줄 친 부분의 쓰임이 어법상 바르면 T에, 틀리면 F에 표시하시오.　　(모평) 응용

(a)Despite fig trees produce fruits continuously, fruit-eating vertebrates of the tropical rainforests do not feed mainly on figs. During the time of year (b)when other fruits are less plentiful, however, fig trees become important in sustaining fruit-eating vertebrates. If the fig trees should disappear, most of those animals would be eliminated. That's (c)why protecting fig trees in such rainforests is our important conservation goal.

*fig 무화과 **vertebrate 척추동물

(a) (T / F)　　　　(b) (T / F)　　　　(c) (T / F)

문제 해결 전략

(a) → **전략 12**
접속사 뒤에는 절이, 전치사 뒤에는 명사구가 온다.

(b), (c) → **전략 4, 5**
관계부사는 「접속사+부사」역할을 하며 뒤에 완전한 형태의 절이 온다. 선행사와 관계부사 중 하나를 생략할 수 있다는 점에 유의한다.

Words
● regain 되찾다, 되돌아오다　● injury 부상　● equipment manager 장비 관리자　● make a basket (농구에서) 골을 넣다
● continuously 지속적으로　● plentiful 풍부한　● sustain 유지하다　● eliminate 제거하다　● conservation 보호, 보존

대표 유형

1 다음 글의 밑줄 친 부분 중, 어법상 틀린 것은? 　학평 기출

The competition to sell manuscripts to publishers ① is fierce. I would estimate that less than one percent of the material ② sent to publishers is ever published. Since so much material is being written, publishers can be very selective. The material they choose to publish must not only have commercial value, but ③ being very competently written and free of editing and factual errors. Any manuscript that contains errors stands ④ little chance at being accepted for publication. Most publishers will not want to waste time with writers ⑤ whose material contains too many mistakes.

풀이 전략

① is ❶ [   ]를 찾아 동사의 수가 일치하는지 확인한다.

② sent the material을 꾸미는 과거분사이므로, the material과의 관계가 수동인지 확인해야 한다.

③ being 접속사 but이 있으므로 being이 무엇과 연결되어 있는지 확인해야 한다. 앞에 not ❷ [   ]가 있으므로 상관접속사 「not only ~ but (also)」로 연결되었음을 짐작할 수 있다.

④ little little은 셀 수 없는 명사를 꾸민다는 점에 유의한다.

⑤ whose 관계대명사 whose 뒤에는 명사가 나오며, 관계사절 안에서 ❸ [   ] 역할을 한다. 선행사와 뒤에 나오는 명사와의 관계도 살핀다.

답 ❶ 주어 ❷ only ❸ 소유격

대표 유형 답

③ 「not only A but (also) B」 구문으로, 상관접속사가 연결하는 어구는 조동사 must 뒤의 동사원형인 것이 자연스럽다. 따라서 but 뒤의 being을 be로 고쳐야 한다.

┌→ 주어　┌→ that(which)이 생략된 목적격 관계대명사절
The material [they choose to publish] / must **not only** have commercial
그들이 출판하기 위해 고르는 글은　　　　　　　　상업적 가치를 갖고 있어야 할 뿐 아니라

┌→ 상관접속사 「not only ~ but (also) ...」로 must에 이어지는 동사원형이 연결되어야 함
value, / **but** being (→ be) very competently written / and free of editing
매우 만족할 만하게 쓰여서　　　　　　　　　　그리고 편집과

and factual errors.
사실적 오류가 없어야 한다

2 다음 글의 밑줄 친 부분 중, 어법상 틀린 것은? 학평 기출

When it comes to medical treatment, patients see choice as both a blessing and a burden. And the burden falls primarily on women, who are ① typically the guardians not only of their own health, but that of their husbands and children. "It is an overwhelming task for women, and consumers in general, ② to be able to sort through the information they find and make decisions," says Amy Allina, program director of the National Women's Health Network. And what makes it overwhelming is not only that the decision is ours, but that the number of sources of information ③ which we are to make the decisions has exploded. It's not just a matter of listening to your doctor lay out the options and ④ making a choice. We now have encyclopedic lay-people's guides to health, "better health" magazines, and the Internet. So now the prospect of medical decisions ⑤ has become everyone's worst nightmare of a term paper assignment, with stakes infinitely higher than a grade in a course.

*lay-people 비전문가

풀이 전략

① typically 부사가 꾸미는 것이 무엇인지 파악하여 부사의 쓰임이 바른지 확인한다.

② to be to부정사의 용법을 파악한다. 문장의 주어로 it이 왔으므로, 가주어와 ❶ [ ] 구문을 염두에 둔다.

③ which 관계사절에서 관계대명사가 하는 역할을 파악한다.

④ making 접속사 ❷ [ ] 가 앞에 있으므로 making이 무엇과 병렬 연결되어 있는지 확인해야 한다.

⑤ has 주어가 ❸ [ ] 인칭 단수여야 하므로, 주어가 무엇인지 파악하여 수를 확인한다.

답 ❶ 진주어 ❷ and ❸ 3

대표 유형 답

③ 뒤에 완전한 형태의 절이 오므로, 관계대명사 which 앞에 전치사 from이 와서 부사구 (from information) 역할을 하는 것이 자연스럽다.

→ 문장의 주어인 관계대명사절 → 상관접속사 「not only ~ but (also) ...」로 that절 연결

And what makes it overwhelming / is **not only** that the decision is ours,
그리고 그것을 매우 어렵게 만드는 것은 그 결정이 우리의 것일 뿐만 아니라

/ **but** that the number of sources of information / which(→ from which)
정보의 원천의 수가 우리가 그것으로부터 결정을 할 수 있는

→ = we are to make the decisions from information

we are to make the decisions / has exploded.
폭발적으로 증가해 왔다.

Words

● blessing 축복 ● burden 부담, 짐 ● guardian 수호자 ● overwhelming 압도적인, 견디기 어려운 ● sort through 자세히 살펴보다
● explode 폭발하다, 폭발적으로 증가하다 ● lay out 펼치다, 설계하다 ● prospect 전망, 가능성 ● stake 말뚝, 건 돈, 이해관계
● infinitely 무한정으로, 대단히

1 다음 글의 밑줄 친 부분 중, 어법상 틀린 것은? (모평) 기출

Humans are so averse to feeling that they're being cheated ①that they often respond in ways that seemingly make little sense. Behavioral economists — the economists who actually study ②what people do as opposed to the kind who simply assume the human mind works like a calculator — have shown again and again that people reject unfair offers even if ③it costs them money to do so. The typical experiment uses a task called the ultimatum game. It's pretty straightforward. One person in a pair is given some money — say $10. She then has the opportunity to offer some amount of it to her partner. The partner only has two options. He can take what's offered or ④refused to take anything. There's no room for negotiation; that's why it's called the ultimatum game. What typically happens? Many people offer an equal split to the partner, ⑤leaving both individuals happy and willing to trust each other in the future.

*averse to ~을 싫어하는 **ultimatum 최후통첩

전략 Check!

등위접속사가 연결하는 어구는 문법적으로 형태와 기능이 ❶[   ]해야 한다. 따라서 등위접속사 뒤의 어구에 밑줄이 있다면, 해당 어구와 ❷[   ] 구조를 이루는 어구가 무엇인지 파악해서 형태와 기능을 동일하게 해야 한다.

답 ❶ 동일 ❷ 병렬

Words
- cheat 속이다
- seemingly 겉보기에, 외견상으로
- make little sense 말이 안 되다
- behavioral economist 행동 경제학자
- opposed 반대하는, 매우 다른
- assume 가정하다, 생각하다
- calculator 계산기
- straightforward 간단한, 복잡하지 않은
- option 선택(권)
- room 여지, 공간
- negotiation 협상, 교섭
- split 분할, 몫
- willing to do 기꺼이 ~하는

2 다음 글의 밑줄 친 부분 중, 어법상 틀린 것은?   학평 기출

The present moment feels special. It is real. However much you may remember the past or anticipate the future, you live in the present. Of course, the moment ①during which you read that sentence is no longer happening. This one is. In other words, it feels as though time flows, in the sense that the present is constantly updating ②itself. We have a deep intuition that the future is open until it becomes present and ③that the past is fixed. As time flows, this structure of fixed past, immediate present and open future gets carried forward in time. Yet as ④naturally as this way of thinking is, you will not find it reflected in science. The equations of physics do not tell us which events are occurring right now — they are like a map without the "you are here" symbol. The present moment does not exist in them, and therefore neither ⑤does the flow of time.

전략 Check!

관계사나 접속사에 밑줄이 나오면 뒤의 문장이 완전한 절인지 ❶   절인지 먼저 파악한다. 형용사나 부사에 밑줄이 있다면, 그 품사의 ❷   에 유의해야 한다.

답 ❶ 불완전한 ❷ 역할

Words
- anticipate 예측하다
- flow 흐르다
- in the sense that ~라는 점에서
- update 갱신하다
- intuition 직관
- reflect 반영하다
- equation 방정식
- occur 일어나다

3 (A), (B), (C)의 각 네모 안에서 어법에 맞는 표현으로 적절한 것은? 학평 기출

The old maxim "I'll sleep when I'm dead" is unfortunate. (A) Adopt / Adopting this mind-set, and you will be dead sooner and the quality of that life will be worse. The elastic band of sleep deprivation can stretch only so far before it snaps. Sadly, human beings are in fact the only species that will deliberately deprive (B) them / themselves of sleep without legitimate gain. Every component of wellness, and countless seams of societal fabric, are being eroded by our costly state of sleep neglect: human and financial alike. So much so that the World Health Organization (WHO) has now declared a sleep loss epidemic throughout industrialized nations. It is no coincidence that countries (C) where / which sleep time has declined most dramatically over the past century, such as the US, the UK, Japan, and South Korea, and several in Western Europe, are also those suffering the greatest increase in rates of physical disease and mental disorders.

	(A)		(B)		(C)
①	Adopt	⋯⋯	them	⋯⋯	where
②	Adopt	⋯⋯	themselves	⋯⋯	where
③	Adopt	⋯⋯	themselves	⋯⋯	which
④	Adopting	⋯⋯	themselves	⋯⋯	which
⑤	Adopting	⋯⋯	them	⋯⋯	which

전략 Check!

(A) 문장에 본동사가 있는지 확인해야 한다. (B) 재귀대명사 목적어는 주어의 행동이 **❶**   에게 돌아갈 때 쓴다는 점에 유의한다. (C) 뒤에 완전한 절이 오는지, **❷**   한 절이 오는지 확인해야 한다.

답 ❶ 스스로 ❷ 불완전

ⓒ tchara / shutterstock

Words
- maxim 격언
- unfortunate 유감스러운, 불운한
- mind-set 사고방식
- elastic 고무로 된, 탄성이 있는
- deprivation (필수적인 것의) 부족, 박탈
- stretch 늘어나다
- snap 툭하고 끊어지다
- deliberately 의도적으로
- deprive oneself of ~을 자제하다
- legitimate 정당한, 합당한
- component 구성 요소
- wellness 건강
- seam 경계선, 이음매, 접합선
- societal 사회의, 사회 관습의
- fabric (사회의) 구조, 직물
- erode 침식하다, 손상시키다
- costly 비용이 많이 드는, 희생(손실)이 큰
- neglect 소홀, 무시, 방치
- so much so that 너무 그러해서 ~하다
- declare 선포하다
- epidemic 유행병, 급속한 유행
- coincidence 우연의 일치
- mental disorder 정신 질환

4 다음 글의 밑줄 친 부분 중, 어법상 틀린 것은? 수능 기출

Regulations covering scientific experiments on human subjects are strict. Subjects must give their informed, written consent, and experimenters must submit their proposed experiments to thorough examination by overseeing bodies. Scientists who experiment on themselves can, functionally if not legally, avoid the restrictions ① associated with experimenting on other people. They can also sidestep most of the ethical issues involved: nobody, presumably, is more aware of an experiment's potential hazards than the scientist who devised ② it. Nonetheless, experimenting on oneself remains ③ deeply problematic. One obvious drawback is the danger involved; knowing that it exists ④ does nothing to reduce it. A less obvious drawback is the limited range of data that the experiment can generate. Human anatomy and physiology vary, in small but significant ways, according to gender, age, lifestyle, and other factors. Experimental results derived from a single subject are, therefore, of limited value; there is no way to know ⑤ what the subject's responses are typical or atypical of the response of humans as a group.

*consent 동의 **anatomy (해부학적) 구조 ***physiology 생리적 현상

전략 Check!

what은 선행사를 [❶   ]하는 관계대명사로 what이 이끄는 절은 명사 역할을 하며, what 뒤에는 주어나 목적어가 빠진 [❷   ]한 절이 온다는 점을 기억해야 한다.

답 ❶ 포함 ❷ 불완전

Words
- regulation 규정, 규제
- subject 대상, 피험자
- thorough 철저한
- oversee 감독하다
- body 단체, 조직
- functionally 직무상으로
- if not ~까지는 아니더라도
- restriction 규제, 제한
- associated 관련된
- sidestep 피하다
- presumably 아마, 짐작건대
- potential 잠재적인
- hazard 위험
- devise 고안하다, 생각해 내다
- drawback 문제점, 결점
- gender 성별, 성
- factor 요인, 요소
- derive from ~로 부터 끌어내다
- atypical 이례적인

필수 체크 전략 ①

1 다음 글의 밑줄 친 부분 중, 어법상 **틀린** 것은? 〔학평〕 기출

If there's one thing koalas are good at, it's sleeping. For a long time many scientists suspected that koalas were so lethargic ① because the compounds in eucalyptus leaves kept the cute little animals in a drugged-out state. But more recent research has shown that the leaves are simply so low in nutrients ② that koalas have almost no energy. Therefore they tend to move as little as possible—and when they ③ do move, they often look as though they're in slow motion. They rest sixteen to eighteen hours a day and spend most of that unconscious. In fact, koalas spend little time thinking; their brains actually appear to ④ have shrunk over the last few centuries. The koala is the only known animal ⑤ its brain only fills half of its skull.

*lethargic 무기력한 **drugged-out 몽롱한, 취한

① **because** 접속사 because 뒤에는 주어와 **❶**[　　] 가 있는 절이 와야 한다.

② **that** 앞에 so가 있으므로 '너무 ~해서 …하다'라는 의미의 「**❷**[　　] ~ that …」 구문을 염두에 두고 문장 구조를 확인한다.

③ **do** do는 동사를 강조할 때 쓸 수 있다. 단, 이때 본동사는 동사원형으로 써야 한다.

④ **have shrunk** to부정사의 완료형은 본동사보다 앞선 시점을 나타내므로, 문맥상 to부정사의 시점이 보다 **❸**[　　] 확인해야 한다.

⑤ **its** 앞뒤로 접속사 없이 두 개의 절이 이어지고 있다.

🔲 ❶ 동사 ❷ so ❸ 앞서는지

ⓒ Dualororua / shutterstock

⑤ 앞뒤로 접속사 없이 두 개의 절이 이어지므로, its를 소유격 관계대명사 whose로 바꿔 접속사 역할과 소유격 역할을 동시에 하게 해야 한다.

┌→ whose의 선행사 　　　┌→ 소유격 관계대명사: 접속사 + 관계대명사절의 소유격

The koala is the only known animal / its(→ whose) brain only fills half of
코알라는 알려진 유일한 동물이다 　　　　　뇌가 두개골의 겨우 절반만을 채운

its skull.

Words

• suspect 의심하다 　• compound 화합물 　• nutrient 영양분 　• unconscious 의식이 없는 　• shrink 줄어들다, 작아지다
• skull 두개골

대표 유형

2 다음 글의 밑줄 친 부분 중, 어법상 틀린 것은?

학평 기출

Every farmer knows that the hard part is getting the field ① prepared. Inserting seeds and watching ② them grow is easy. In the case of science and industry, the community prepares the field, yet society tends to give all the credit to the individual who happens to plant a successful seed. Planting a seed does not necessarily require overwhelming intelligence; creating an environment that allows seeds to prosper ③ does. We need to give more credit to the community in science, politics, business, and daily life. Martin Luther King Jr. was a great man. Perhaps his greatest strength was his ability ④ to inspire people to work together to achieve, against all odds, revolutionary changes in society's perception of race and in the fairness of the law. But to really understand ⑤ that he accomplished requires looking beyond the man. Instead of treating him as the manifestation of everything great, we should appreciate his role in allowing America to show that it can be great.

*manifestation 표명

풀이 전략

① prepared 목적격 보어로 쓰인 과거분사로, the field와의 관계가 ❶ ______ 인지 확인해야 한다.

② them 목적격 인칭대명사 them이 가리키는 것을 찾아 수가 일치하는지 확인한다.

③ does does가 대신하는 동사가 일반동사인지 확인하고, 주어의 수가 ❷ ______ 인지도 확인해야 한다.

④ to inspire 문장에 본동사가 있는지 확인해야 한다.

⑤ that 명사절 접속사 that 뒤에는 완전한 형태의 절이 오므로 뒤에 오는 절의 구조를 파악한다.

답 ❶ 수동 ❷ 단수

대표 유형 답

⑤ 접속사 that 뒤에 불완전한 절인 he accomplished가 왔다. that을 선행사를 포함하는 관계대명사 what으로 고쳐 what he accomplished를 동사 understand의 목적어로 쓰는 것이 자연스럽다.

(→ 주어로 쓰인 to부정사) (→ 관계대명사 what이 관계사절의 동사 accomplished의 목적어)

But / to really understand / that(→ what) he accomplished /

그러나 / 정말로 이해하는 것은 / 그가 성취한 것을

(→ 문장의 동사)

requires / looking beyond the man.

요구한다 / 그 사람을 넘어서 보는 것을

Words

- insert 끼워 넣다, 삽입하다
- credit 공로
- overwhelming 압도적인, 엄청난
- prosper 번성하다
- odds 역경, 고난
- revolutionary 혁명적인

1 다음 글의 밑줄 친 부분 중, 어법상 **틀린** 것은? 모평 기출

Most historians of science point to the need for a reliable calendar to regulate agricultural activity as the motivation for learning about what we now call astronomy, the study of stars and planets. Early astronomy provided information about when to plant crops and gave humans ①their first formal method of recording the passage of time. Stonehenge, the 4,000-year-old ring of stones in southern Britain, ②is perhaps the best-known monument to the discovery of regularity and predictability in the world we inhabit. The great markers of Stonehenge point to the spots on the horizon ③where the sun rises at the solstices and equinoxes — the dates we still use to mark the beginnings of the seasons. The stones may even have ④been used to predict eclipses. The existence of Stonehenge, built by people without writing, bears silent testimony both to the regularity of nature and to the ability of the human mind to see behind immediate appearances and ⑤discovers deeper meanings in events.

*monument 기념비 **eclipse (해 · 달의) 식(蝕) **testimony 증언

전략 Check!

동사에 밑줄이 있을 때, 문장에서 본동사 역할을 하는지 확인해야 한다. 그리고 등위접속사로 연결되는 어구는 문법적 형태와 ❶ [   ]이 동일하다는 점에 유의한다.

답 ❶ 기능

ⓒTimo Kohlbacher/shutterstcok

Words
- reliable 신뢰할 만한
- regulate 규제하다, 조절하다
- agricultural 농업의
- motivation 동기
- astronomy 천문학
- formal 공식적인
- passage 흐름
- regularity 규칙성
- predictability 예측 가능성
- inhabit 살다, 거주하다
- solstice (하지, 동지 등) 지점
- equinox (춘분, 추분 등) 분점
- bear testimony to ~에 대해 증명(입증)하다

2 다음 글의 밑줄 친 부분 중, 어법상 틀린 것은? 모평 기출

Competitive activities can be more than just performance showcases ①which the best is recognized and the rest are overlooked. The provision of timely, constructive feedback to participants on performance ②is an asset that some competitions and contests offer. In a sense, all competitions give feedback. For many, this is restricted to information about whether the participant is an award- or prizewinner. The provision of that type of feedback can be interpreted as shifting the emphasis to demonstrating superior performance but not ③necessarily excellence. The best competitions promote excellence, not just winning or "beating" others. The emphasis on superiority is what we typically see as ④fostering a detrimental effect of competition. Performance feedback requires that the program go beyond the "win, place, or show" level of feedback. Information about performance can be very helpful, not only to the participant who does not win or place but also to those who ⑤do.

*foster 조장하다 **detrimental 유해한

전략 Check!

관계대명사에 밑줄이 있을 때에는 뒤에 ❶ 절이 나온다는 점에 유의한다. 단, 「전치사＋관계대명사」 뒤에는 완전한 형태의 절이 올 수 있다.

답 ❶ 불완전한

Words
- showcase (사람의 재능·사물의 장점 등을 알리는) 공개 행사, 진열장
- overlook 무시하다, 간과하다
- provision 제공, 공급
- constructive 건설적인
- asset 자산, 재산
- restrict 제한하다, 금지하다
- demonstrate 보여주다, 논증하다, 입증하다
- promote 장려하다, 활성화시키다
- beat 패배시키다, 이기다
- place 입상하다, 입상시키다

3 다음 글의 밑줄 친 부분 중, 어법상 틀린 것은?

학평 기출

While reflecting on the needs of organizations, leaders, and families today, we realize that one of the unique characteristics ①is inclusivity. Why? Because inclusivity supports ②what everyone ultimately wants from their relationships: collaboration. Yet the majority of leaders, organizations, and families are still using the language of the old paradigm in which one person—typically the oldest, most educated, and/or wealthiest—makes all the decisions, and their decisions rule with little discussion or inclusion of others, ③resulting in exclusivity. Today, this person could be a director, CEO, or other senior leader of an organization. There is no need for others to present their ideas because they are considered ④inadequate. Yet research shows that exclusivity in problem solving, even with a genius, is not as effective as inclusivity, ⑤which everyone's ideas are heard and a solution is developed through collaboration.

전략 Check!

관계대명사는 앞에 **❶** 가 있고, 뒤에 불완전한 절이 이어지지만, 관계부사는 뒤에 **❷** 절이 온다.

目 ❶ 선행사 ❷ 완전한

Words
- reflect on ～에 관해 곰곰이 생각하다
- characteristic 특징, 특성
- inclusivity 포용성
- support 지지하다, 뒷받침하다
- ultimately 궁극적으로
- collaboration 협력
- majority 다수
- paradigm 패러다임, 전형적인 예(양식)
- typically 보통, 일반적으로
- educated 많이 배운, 학식 있는
- rule 지배하다
- inclusion 포함
- exclusivity 배타성
- senior 상급의
- inadequate 부적절한

4 (A), (B), (C)의 각 네모 안에서 어법에 맞는 표현으로 적절한 것은? 학평 기출

Getting in the habit of asking questions (A) transform / transforms you into an active listener. This practice forces you to have a different inner life experience, since you will, in fact, be listening more effectively. You know that sometimes when you are supposed to be listening to someone, your mind starts to wander. All teachers know that this happens frequently with students in classes. It's what goes on inside your head that makes all the difference in how well you will convert (B) what / that you hear into something you learn. Listening is not enough. If you are constantly engaged in asking yourself questions about things you are hearing, you will find that even boring lecturers become a bit more (C) interesting / interested, because much of the interest will be coming from what you are generating rather than what the lecturer is offering. When someone else speaks, you need to be thought provoking!

*thought provoking 생각을 불러일으키는

	(A)		(B)		(C)
①	transform	……	what	……	interesting
②	transform	……	that	……	interested
③	transforms	……	what	……	interesting
④	transforms	……	that	……	interesting
⑤	transforms	……	what	……	interested

전략 Check!

(A) 동사의 수를 파악하려면 의 수를 알아야 한다.

(B) 관계대명사 뒤에는 불완전한 절이 오고, 접속사 뒤에는 ❷ 절이 온다.

(C) 감정을 나타내는 분사의 쓰임에 유의한다.

답 ❶ 주어 ❷ 완전한

© Rawpixel.com / shutterstock

Words

- inner 내면의, 내부의
- wander 방황하다, 헤매다
- frequently 빈번하게
- convert 전환하다
- engage (관심을) 끌다, 사로잡다

Week 1 · Day 3 **25**

누구나 합격 전략

1 다음 글의 밑줄 친 부분 중, 어법상 틀린 것은? 학평 기출

Your parents may be afraid that you will not spend your allowance wisely. You may make some foolish spending choices, but if you ①do, the decision to do so is your own and hopefully you will learn from your mistakes. Much of learning ②occurs through trial and error. Explain to your parents that money is something you will have to deal with for the rest of your life. It is better ③what you make your mistakes early on rather than later in life. Explain that you will have a family someday and you need to know how ④to manage your money. Not everything ⑤is taught at school!

Words
● allowance 용돈 ● trial and error 시행착오 ● deal with ~을 처리하다 ● early on 이른 시기에, 초기에 ● manage 관리하다

2 다음 글의 밑줄 친 부분 중, 어법상 틀린 것은? 학평 기출

Architecture is generally conceived, designed, and realized in response to an existing set of conditions. These conditions may be ① purely functional in nature, or they may also reflect in varying degrees the social, political, and economic climate. In any case, it is assumed that the existing set of conditions is ② much less satisfactory and that a new set of conditions would be desirable. The initial phase of any design process is the recognition of a problematic condition and the decision ③ to find a solution to it. Design is above all a purposeful endeavor. A designer must first document the existing conditions of a problem and ④ collecting relevant data to be analyzed. This is the critical phase of the design process since the nature of a solution is related to how a problem ⑤ is defined.

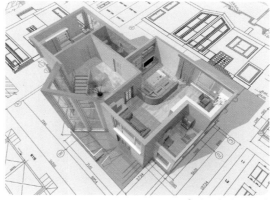

ⓒ Nikonaft / shutterstock

Words
● conceive (생각 등을) 마음속으로 하다, 상상하다 ● functional 기능 위주의, 기능적인 ● in nature 사실상, 현실적으로
● vary 다양하게 하다 ● climate 분위기, 풍조 ● initial 초기의 ● phase 단계 ● recognition 인식, 인정 ● problematic 문제가 있는
● purposeful 의도적인 ● endeavor 노력 ● relevant 적절한, 관련 있는

3 다음 글의 밑줄 친 부분 중, 어법상 틀린 것은? 학평 기출

Before the washing machine was invented, people used washboards to scrub, or they carried their laundry to riverbanks and streams, ①where they beat and rubbed it against rocks. Such backbreaking labor is still commonplace in parts of the world, but for most homeowners the work is now done by a machine that ②automatically regulates water temperature, measures out the detergent, washes, rinses, and spin-dries. With ③its electrical and mechanical system, the washing machine is one of the most technologically advanced examples of a large household appliance. It not only cleans clothes, but it ④is so with far less water, detergent, and energy than washing by hand requires. ⑤Compared with the old washers that squeezed out excess water by feeding clothes through rollers, modern washers are indeed an electrical-mechanical phenomenon.

© Oleksandr_Delyk / shutterstcok

4 다음 글의 밑줄 친 부분 중, 어법상 틀린 것은? 학평 기출

What comes to mind when we think about time? Let us go back to 4,000 B.C. in ancient China where some early clocks were invented. ① To demonstrate the idea of time to temple students, Chinese priests used to dangle a rope from the temple ceiling with knots representing the hours. They would light it with a flame from the bottom so that it burnt evenly, ② indicating the passage of time. Many temples burnt down in those days. The priests were obviously not too happy about that until someone invented a clock ③ was made of water buckets. It worked by punching holes in a large bucket ④ full of water, with markings representing the hours, to allow water to flow out at a constant rate. The temple students would then measure time by how fast the bucket drained. It was much better than burning ropes for sure, but more importantly, it taught the students ⑤ that once time was gone, it could never be recovered.

Words
- temple 사원 ● priest 사제 ● dangle 매달다 ● knot 매듭 ● represent 나타내다 ● flame 불꽃, 화염 ● evenly 균등하게, 고르게
- indicate 나타내다, 보여주다 ● passage 흐름, 경과 ● burn down 전소하다 ● constant 끊임없는, 변함없는 ● rate 속도
- drain 물이 빠지다

1 다음 글을 읽고, 아래의 과정을 따라 문제를 푸시오. **모평** 응용

Some people have defined wildlife damage management ① as the science and management of overabundant species, but this definition is too narrow. All wildlife species act in ways ② how harm human interests. Thus, all species cause wildlife damage, not just overabundant ones. One interesting example of this involves endangered peregrine falcons in California, ③ which prey on another endangered species, the California least tern. Certainly, we would not consider peregrine falcons as being overabundant, but we wish ④ that they would not feed on an endangered species. In this case, one of the negative values associated with a peregrine falcon population is that its predation reduces the population of another endangered species. The goal of wildlife damage management in this case would be to stop the falcons from eating the terns without ⑤ harming the falcons.

*peregrine falcon 송골매 **least tern 작은 제비갈매기

글의 도입부를 읽고, 사례를 들어 설명하는 글의 흐름 파악하기

> 야생동물 피해 관리를 과잉 종들에 대한 관리로만
> 정의했으나 송골매와 작은 제비갈매기의 사례를 들어
> 모든 종이 야생동물 피해를 일으키므로 모든 종을
> 관리해야 한다는 내용의 글이다.

Second Step 밑줄 친 부분 주변의 구조를 파악하며 어법 적합성 확인하기

① define A as B는 '~로 정의하다'의 뜻 — as가 "❶⬚⬚⬚"의 뜻의 전치사가 맞는가?

② how는 선행사와 함께 쓰이지 않는 관계부사 — 뒤의 문장이 주어가 없는 불완전한 문장인데 관계부사가 올 수 있는가?

③ 선행사는 peregrine falcons — 동물을 선행사로 하는 주격 관계대명사인가?

④ wish의 목적어절 — that은 명사절(목적어절)을 이끄는 접속사인가?

⑤ 전치사 without의 목적어 — 목적어로 쓸 수 있는 명사어구(명사, 동명사)인가?

Last Step 확인한 결과를 통해 정답 도출하기

② how 뒤의 문장이 불완전한 문장이므로 ❷⬚⬚⬚ 를 선행사로 하는 관계대명사 that을 쓰는 것이 자연스럽다.

📋 ❶ ~로서 ❷ ways

2 다음 글을 읽고, 아래의 과정을 따라 문제를 푸시오.

Along the coast of British Columbia lies a land of forest green and sparkling blue. This land is the Great Bear Rainforest, ①which measures 6.4 million hectares—about the size of Ireland or Nova Scotia. It is home to a wide variety of wildlife. One of the unique animals living in the area is the Kermode bear. It is a rare kind of bear ②known to be the official mammal of British Columbia. Salmon are also found here. They play a vital role in this area's ecosystem ③as a wide range of animals, as well as humans, consume them. The Great Bear Rainforest is also home to the Western Red Cedar, a tree ④that can live for several hundred years. The tree's wood is lightweight and rot-resistant, ⑤but it is used for making buildings and furniture.

▼ⓒ Red Cedar Tree / shutterstock

▼ⓒ Kermode bear / shutterstock

ⓒ Salmon / shutterstock

First Step 글의 도입부를 읽고, 핵심 소재 파악하기

> Great Bear Rainforest라는 지대에 서식하는
> 동식물에 관한 글이다.

Second Step 밑줄 친 부분 주변의 구조를 파악하며 어법 적합성 확인하기

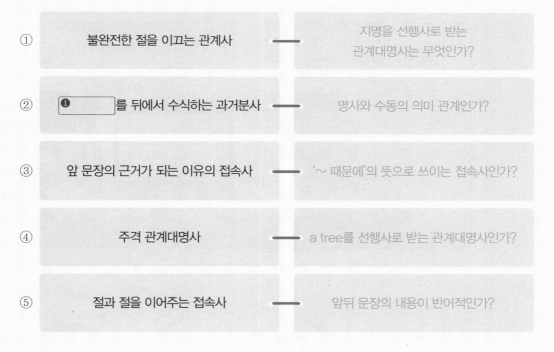

① 불완전한 절을 이끄는 관계사 —— 지명을 선행사로 받는 관계대명사는 무엇인가?

② ❶[　　　]를 뒤에서 수식하는 과거분사 —— 명사와 수동의 의미 관계인가?

③ 앞 문장의 근거가 되는 이유의 접속사 —— '~ 때문에'의 뜻으로 쓰이는 접속사인가?

④ 주격 관계대명사 —— a tree를 선행사로 받는 관계대명사인가?

⑤ 절과 절을 이어주는 접속사 —— 앞뒤 문장의 내용이 반어적인가?

Last Step 확인한 결과를 통해 정답 도출하기

⑤ 앞뒤 문장의 문맥을 이어주고 인과 관계를 나타내는 접속사로 '그래서'의 뜻으로 쓰인 ❷[　　　]를
쓰는 것이 자연스럽다.

답 ❶ 명사 ❷ so

대명사, 형용사/부사, 가정법, 특수구문

개념 01 대명사의 수, 격, 인칭

❶ 대명사는 앞에 나온 명사를 대신하며, 대신하는 명사와 성, ❶[　　], 인칭이 일치해야 한다.

❷ 문맥을 파악하여 대명사가 가리키는 대상을 정확히 파악해야 한다.

• I shook **the man's hand** and thanked **him**.
　　　　　　3인칭 단수 남성 the man을 가리키는 대명사 ◀┘

• If **children** want to go inside the building, **they** must be accompanied by an adult.
　└→ 3인칭 복수 ❷[　　]을 가리키는 대명사

• What do **your plans** look like, and what are you doing to achieve **them**?
　　　3인칭 복수 your plans를 가리키는 대명사 ◀┘

답 ❶ 수 ❷ children

CHECK

괄호 안에서 알맞은 것은?

1. She decided to ask her brother Samuel for help since (he's / she's) a great driver. 기출

개념 02 재귀대명사의 재귀 용법

❶ 동작의 주체와 동작의 대상이 같을 때 목적어로 재귀대명사를 쓴다.

• **You** don't have to bother **yourself** with these concerns.
　　　　　　bother라는 동작의 주체와 ◀┘
　　　　　　대상이 모두 you일 때

• **He** threw **himself** on the bed and closed his eyes.
　　└→ threw라는 동작의 주체와 대상이 모두 he일 때

CHECK

우리말을 참고할 때, 괄호 안에서 알맞은 것은?

2. She found (her / herself) crossing the finish line with a big smile on her face. 그녀는 자신이 만면에 미소를 띤 채 결승선을 통과하는 것을 발견했다. 기출

개념 03 형용사의 쓰임

❶ 형용사는 명사를 꾸민다.

• They are enhancing ties through **cultural** exchanges.
　　　　　　　　명사 exchanges를 꾸미는 형용사 ◀┘

© Monkey Business Images / shutterstock

• Do not waste **precious** time on things you do not enjoy.
　　　　　└→ 명사 ❶[　　]을 꾸미는 형용사

❷ 형용사는 주어나 목적어를 설명하는 보어로 쓴다. (부사는 보어로 쓸 수 ❷[　　].)

• She was **frustrated** when she failed the test.
　　　　└→ 주격 보어로 쓰인 분사형 형용사

• Their advice made my symptoms **worse**.
　　　　　목적격 보어로 쓰인 형용사(bad의 비교급)

❸ look, feel, sound, taste, smell 등의 감각동사 뒤에 주격 보어로 형용사가 온다.

He sounded **impatient** when he asked me a question.
　　└→ 감각동사 sound 뒤에 쓰인 형용사 주격 보어

❹ become, remain, stay, seem 등의 동사 뒤에 주격 보어로 형용사가 온다.

My father remained **silent** for most of the evening.

답 ❶ time ❷ 없다

CHECK

어법상 괄호 안에서 알맞은 것은?

3. These negative comments can seem overwhelming and (stress / stressful). 기출

4. Listening to the bright warm sounds made her day more (pleasant / pleasantly). 기출

개념 04 부사의 쓰임

❶ 부사는 동사, 형용사, 부사, 문장 전체를 꾸민다. 단, [❶]로는 쓰지 않는다.

• The girl **proudly** showed her sand castle to her parents.
　동사 showed를 꾸밈

• **Sometimes**, my dog is out of control.
　my dog ~ control 전체를 꾸밈

• The city feels **completely** safe to walk around even at night.
　→ 형용사 [❷]를 꾸밈

　　　　　　　　　　　　답 ❶ 보어 ❷ safe

CHECK

괄호 안에서 알맞은 것은?

5. The development of tourism is becoming (increasing / increasingly) quick.

개념 05 비교 구문의 기본 형태

❶ 비교 구문의 기본 형태는 다음과 같다.

원급	as+원급+as (~만큼 …한/하게)
비교급	비교급+than (~보다 더 …한/하게)
최상급	the+최상급(+in/of ~) (~ 중에서) 가장 …한/하게

❷ 자주 쓰이는 비교 표현을 알아둔다.

compared to(with)	~와 비교하면
the+비교급 ~, the+비교급 …	~할수록 더 ~한/하게
no less(more) than	무려 ~만큼이나 / ~에 불과한

CHECK

괄호 안에서 알맞은 것은?

6. Your actions speak (louder / the loudest) than your words.

개념 06 비교 표현의 강조

❶ 비교 표현은 다음과 같이 강조하여 쓴다.

비교급 강조	much, even, far, a lot 등
최상급 강조	quite, very, by far 등 * the most ~인 최상급 앞에는 very 대신 by far를 씀

* 원급은 [❶]로 강조한다.

• This scarf feels **much** better than that.

• My grandfather is the **very** oldest student in his class.

　　　　　　　　　　　　답 ❶ very

CHECK

괄호 안에서 알맞은 것은?

7. The thunder rumbled again, sounding (much / very) louder. 기출

개념 07 비교 구문의 구조

❶ 원급 비교 구문에서 as와 as 사이의 품사에 유의한다.
　→ polite가 be동사에 이어지는 [❶]인 구조, politely를 쓸 수 없음

She tried to be as **polite** as she could because we all need to be respected.

❷ than이 이끄는 절에서는 주절과 공통되는 부분이 대개 [❷]된다.

• I slept more comfortably in the hotel room than in my own room.
　　　　　　　I did(= slept)가 생략됨

　　　　　　　　　　　　답 ❶ 보어 ❷ 생략

CHECK

괄호 안에 생략된 말로 알맞은 것은?

8. Our sense of sight is more highly developed than the other senses ( ). 기출
　① are developed　　　② developing

개념 08 가정법 과거 vs. 가정법 과거완료

❶ 가정법 과거는 현재 사실과 반대되거나 실현 가능성이 매우 낮은 일을 가정할 때 쓴다. 「If+주어+동사의 과거형/were ~, 주어+조동사의 과거형+❶ ☐ …」으로 쓴다.

If he **were** here, I **could ask** him to come to see my concert. 그가 현재 여기에 없음

❷ 가정법 과거완료는 과거 사실과 반대되는 일을 가정할 때 쓴다. 「If+주어+had+과거분사 ~, 주어+조동사의 과거형+have+❷ ☐ …」로 쓴다.

If her mother **had allowed** her to play outside, she **would have played** at the beach all day. 그녀의 어머니가 과거에 허락하지 않았음

© haveseen / shutterstock

❸ as if 가정법은 아쉬움이나 유감을 나타낼 때 사실과 반대되는 상황을 가정하는 가정법이다.

as if + 가정법 과거 (주어 + 동사의 과거형)	주절과 같은 시점에서 사실과 반대되는 상황
as if + 가정법 과거완료 (주어 + had + 과거분사)	주절보다 앞선 시점에서 사실과 ❸ ☐ 되는 상황

The house was clean **as if** nobody **had stayed** in it. 아무도 머물지 않았던 것처럼 ~ 누군가 머무름

답 ❶ 동사원형 ❷ 과거분사 ❸ 반대

CHECK

괄호 안에서 알맞은 것은?

9. If we (mix / mixed) the paints together, we would succeed in getting the intended result. 기출

물음에 답하시오.

10. He parked the car clumsily as if he drove for the first time.
→ Did he drive for the first time?

개념 09 I wish 가정법

❶ 「I wish+가정법 과거」는 현재 실현이 어려운 소망이나 사실에 대한 아쉬움을 나타낸다.

I wish I **could camp** in the wild alone. 야외에서 혼자 야영하는 일 → 현재 할 수 없어서 아쉬움

❷ 「I wish+가정법 과거완료」는 과거에 이루지 못한 일에 대한 아쉬움을 나타낸다.

I wish my teachers **had taught** me those things in school. 과거에 선생님들이 그것들을 가르쳐 주지 않아서 아쉬움

CHECK

우리말을 참고하여 괄호 안에서 알맞은 것을 고르시오.

11. I wish you (spoke / had spoken) to me first. 네가 나에게 먼저 말해 줬더라면 좋았을걸.

개념 10 간접의문문

❶ 간접의문문은 문장 안에 의문문이 포함된 것을 말한다.

의문사가 없는 간접의문문	if/whether+주어+동사
의문사가 있는 간접의문문	의문사+주어+동사

* 단, 의문사가 주어일 때 「의문사+❶ ☐ 」

It was so dark that they wondered **whether** it was night or day.

❷ 주절의 동사가 생각이나 추측을 나타낼 때 의문사는 문장 맨 앞에 쓴다.
suppose, guess, think, believe 등

What do you **suppose** is in that box?

답 ❶ 동사

CHECK

어법상 바르면 T, 틀리면 F를 쓰시오.

12. I asked if the bear killed the cow.

13. Can you tell me how did you get there?

개념 11 도치

❶ 부정어를 강조하여 문장의 맨 앞에 쓸 때 주어와 (조) 동사의 위치가 바뀐다.

Little did he realize what he had then signed
부정어　조동사＋주어
up for. (= He little realized ~)

❷ 장소 · 방향을 나타내는 부사구 또는 보어를 강조하여 문장의 맨 앞에 쓸 때 주어와 동사의 위치가 도치된다. 단, 주어가 대명사면 ❶ [   ]와 위치를 바꾸지 않는다.

• On his left side stood a girl with a hat.
　장소의 부사구　　　　　　동사＋주어

• Down came the heavy rain.
　방향의 부사구　　동사＋주어

• So lucky you are! 주어가 ❷ [   ]면 그대로 씀
　보어　　　　주어＋동사

답 ❶ 동사 ❷ 대명사

CHECK

괄호 안에서 알맞은 것은?

14. Never (he has / has he) been there.

15. In the closet (was / were) all the items I needed.

개념 12 강조의 do

❶ 동사를 강조할 때 do/does/did를 주어의 수와 시제에 맞춰 동사 앞에 쓴다. 이때 동사는 원형으로 써야 한다.

• Pets do make you happier and healthier.
　　　= really make

• This vending machine does need to be repaired.
　　　　　　　　　= really needs

• I did believe you were going to help me.
　　= really believed

CHECK

밑줄 친 동사를 강조할 때 빈칸에 알맞은 말은?

16. Maps _____ reflect the world views of their makers. 기출

개념 13 대동사 do

❶ do는 앞에 나온 동사를 대신하는 대동사 역할을 한다. 이때 동사는 일반동사여야 하며, be동사를 대신하지 않는다.

• Who let the dog out?
　– I think Mr. Lewis did.
　　　　　　　　(did = let it out)

• I counted to ten and blew out the candle, and my sister did the same.
　　　　　(did the same = counted ~ the candle)

CHECK

괄호 안에서 알맞은 것은?

17. Latin never appealed to him, nor (did / were) Greek. 기출

개념 14 it ~ that 강조 구문

❶ 「It is(was) ~ that ....」 강조 구문은 주어나 목적어, 부사(구) 등을 강조할 때 쓰며, 강조하는 말을 It is (was)와 ❶ [   ] 사이에 쓴다.

It was your testimony that had him
　　　　강조하는 어구
sentenced to 10 years in prison.

(← Your testimony had ❷ [   ] sentenced to 10 years in prison.)

❷ 강조하는 어구에 따라 that을 who(m), which, when, where 등으로 바꿔 쓸 수 있다.

It was yesterday morning when the prisoner
　　　강조하는 어구
vanished from his cell.

(← The prisoner vanished from his cell yesterday morning.)

답 ❶ that ❷ him

CHECK

괄호 안에서 알맞은 것은?

18. It is you (who / whether) should get involved in this case.

WEEK 2 DAY 1 개념 돌파 전략 ②

A 다음 글을 읽고, 전략에 따라 네모 (a), (b), (c) 안에서 알맞은 것을 골라 쓰시오.

〔학평〕 응용

> Now the entire ballroom was standing, clapping. It was more (a) than / as she had hoped for. Smiling (b) bright / brightly , she looked at the familiar faces in the front row. Tom clapped and cheered and looked like he could barely keep (c) him / himself from running up to hug and congratulate her. She couldn't wait to hug him, too.

(a) ＿＿＿＿＿＿ (b) ＿＿＿＿＿＿ (c) ＿＿＿＿＿＿

문제 해결 전략

(a) → **전략 5**
비교급을 사용하는 비교 구문의 기본 형태는 「비교급＋ ❶＿＿＿＿＿」이다.

(b) → **전략 3, 4**
네모 안의 말이 꾸미는 것이 무엇인지 파악해야 한다. 형용사와 부사는 각각 꾸미는 것이 다르다.

(c) → **전략 2**
동작의 주체와 동작의 대상이 같은지 다른지 파악해야 한다. 같을 때에는 ❷＿＿＿＿＿를 쓴다.

〔답〕 ❶ than ❷ 재귀대명사

B 다음 글을 읽고, 전략에 따라 밑줄 친 부분의 쓰임이 어법상 바르면 T에, 틀리면 F에 표시하시오.

〔학평〕 응용

> You may (a)consistently ask, "What if I lose my job? What if I crash my car?" All these 'what if' phrases create 'movies' in your mind that constantly repeat different scenarios, which creates a state of worry. Rather, say to (b)you, "What would I do if I lost my job? What would I do if I (c)crash my car?" The movies that are created by these questions don't trap you into worry. They give you action steps that direct your mind.

(a) (T / F)   (b) (T / F)   (c) (T / F)

문제 해결 전략

(a) → **전략 4**
부사가 무엇을 꾸미고 있는지 확인한다. 부사는 동사, 형용사, 부사, 문장 전체를 꾸밀 수 있다.

(b) → **전략 2**
동작의 주체와 동작의 대상이 같은지 다른지 파악한다. 명령문의 주어인 ❶＿＿＿＿＿가 생략되어 있다는 점에 유의한다.

(c) → **전략 8**
주절의 시제로 보아 가정법 ❷＿＿＿＿＿ 문장임을 알 수 있다.

〔답〕 ❶ you ❷ 과거

© file404 / shutterstcok

Words
● ballroom 연회장 ● clap 박수를 치다 ● barely 거의 ~ 않는, 간신히
● consistently 지속적으로, 끊임없이 ● state 상태 ● trap into ~에 가두다 ● direct 지휘하다

C 밑줄 친 부분 중 어법상 틀린 것은?   모평 응용

Today was especially busy and wearying, and Anderson wondered ①whether he was really suitable for teaching. He was stressed as kids constantly sought his attention. At snack time, Emily wanted him to open her milk carton, so he ②was. As she was drinking, Scott spilled his milk and Anderson had to help him clean ③it up. Then Jenny, Andrew, Mark, and ... Kids never ceased.

문제 해결 전략

① → 전략 10

접속사 whether는 간접의문문을 이끈다. whether를 포함하는 절에 의문의 의미가 있는지 확인해야 한다.

② → 전략 13

be동사 was 뒤에 생략된 내용을 앞 문장에서 찾을 수 있어야 한다. 찾을 수 없다면 ❶ 　 　 를 대신하는 did를 써야 하는지 확인한다.

③ → 전략 1

대명사 it이 가리키는 대상을 찾아 ❷ 　 　 와 인칭이 일치하는지 확인해야 한다.

답 ❶ 일반동사 ❷ 수

D 밑줄 친 부분 중 어법상 틀린 것은?   수능 응용

That day was unusually foggy as if something mysterious ①is ahead. Hannah was nervous and trembling. The principal was energetically talking of the challenges and thrills of high school life, but hardly could she ②concentrate. The classroom was old, but neat and inviting. Hannah was seated in the fifth row, hallway side, even though she had wanted a window seat. High school life soon proved as ③challenging as the principal had predicted.

문제 해결 전략

① → 전략 8

as if절이 ❶ 　 　 법으로 쓰였는지를 파악하고, 동사의 쓰임이 올바른지 확인해야 한다.

② → 전략 11

부정의 의미가 있는 hardly가 절의 맨 앞에 쓰인 ❷ 　 　 구문임을 파악하여 문장 구조를 살펴보아야 한다.

③ → 전략 7

as와 as 사이에 들어갈 말의 품사를 파악해야 한다. 동사 prove 뒤에 이어지는 말임에 유의한다.

답 ❶ 가정 ❷ 도치

Words
- wearying 지치게 하는 ● suitable 적합한 ● seek 구하다, 찾다 (seek – sought – sought) ● carton 갑, 상자
- spill 쏟다, 엎다 ● cease 멈추다 ● energetically 힘차게 ● hallway 복도 ● predict 예언하다

1 다음 글의 밑줄 친 부분 중, 어법상 틀린 것은? 수능 기출

Psychologists who study giving behavior ①have noticed that some people give substantial amounts to one or two charities, while others give small amounts to many charities. Those who donate to one or two charities seek evidence about what the charity is doing and ②what it is really having a positive impact. If the evidence indicates that the charity is really helping others, they make a substantial donation. Those who give small amounts to many charities are not so interested in whether what they are ③doing helps others — psychologists call them warm glow givers. Knowing that they are giving makes ④them feel good, regardless of the impact of their donation. In many cases the donation is so small — $10 or less — that if they stopped ⑤to think, they would realize that the cost of processing the donation is likely to exceed any benefit it brings to the charity.

① **have** 주어와 수와 인칭이 일치하는지 확인해야 한다. 완료 시제의 have도 주어가 3인칭 단수일 경우에는 ❶_____로 쓴다.

② **what** 간접의문문을 이끄는 의문사 what은 의문문에서 주어나 ❷_____, 보어 역할을 하므로 뒤에 불완전한 절이 온다는 점에 유의한다.

③ **doing** 현재진행형에 현재분사가 쓰인 구조이므로, 주어 they(many charities)와 동사와의 관계가 능동인지 확인한다.

④ **them** them이 가리키는 대상을 찾아서 3인칭 복수 명사인지 확인한다. 만약 주어와 목적어가 같다면 ❸_____를 써야 한다는 점에도 유의한다.

⑤ **to think** stop 뒤에 to부정사가 이어질 때의 의미가 문맥에 어울리는지 확인한다.

달 ❶ has ❷ 목적어 ❸ 재귀대명사

© Rawpixel.com / shutterstock

대표 유형 답

② 뒤에 완전한 형태의 절이 오며, '~인지 아닌지'라는 의문의 의미가 있는 것이 자연스러우므로 what을 접속사 whether로 고쳐야 한다.

┌─▶ those who: ~하는 사람들(S)　　　　　　　　┌─▶ 문장 전체의 동사

Those who donate to one or two charities / seek evidence about
하나 또는 두 개의 단체에 기부하는 사람들은　　　　　　~에 대한 증거를 찾는다

간접의문문 1　　　　　　　　　　　　간접의문문 2
[what the charity is doing]/ and [what(→ whether)] it is really having a
그 자선단체가 무슨 일을 하고 있는지　　　그리고 그것이 정말로 긍정적인 영향을 미치고 있는지

positive impact.

● **substantial** 상당한, 많은 ● **charity** 자선단체 ● **donate** 기부하다 ● **indicate** 나타내다 ● **glow** 불빛, 온기
● **regardless of** ~에 상관없이 ● **stop to think** 곰곰이 생각하다 ● **process** 처리하다 ● **exceed** 초과하다

2 다음 글의 밑줄 친 부분 중, 어법상 틀린 것은?   [학평] 기출

While working as a research fellow at Harvard, B. F. Skinner carried out a series of experiments on rats, using an invention that later became known as a "Skinner box." A rat was placed in one of these boxes, ① which had a special bar fitted on the inside. Every time the rat pressed this bar, it was presented with food. The rate of bar-pressing was ② automatically recorded. Initially, the rat might press the bar accidentally, or simply out of curiosity, and as a consequence ③ receive some food. Over time, the rat learned that food appeared whenever the bar was pressed, and began to press ④ it purposefully in order to be fed. Comparing results from rats ⑤ gives the "positive reinforcement" of food for their bar-pressing behavior with those that were not, or were presented with food at different rates, it became clear that when food appeared as a consequence of the rat's actions, this influenced its future behavior.

풀이 전략

① which 관계대명사 which 뒤에는 불완전한 절이 오며, 계속적 용법으로 쓰일 수 ❶   .

② automatically 부사의 역할에 유의한다. 무엇을 꾸미고 있는지 확인해야 한다.

③ receive 본동사 역할을 할 수 있는지 확인해야 하며, 주어를 찾아 수가 일치하는지도 확인해야 한다.

④ it 대명사 it이 가리키는 것을 찾아 인칭과 ❷   를 확인한다.

⑤ gives 본동사 역할을 할 수 있는지 확인하고, 그렇지 않다면 앞의 명사와의 관계를 생각해야 한다.

답 ❶ 있다 ❷ 수

대표 유형 답

⑤ 뒤에 it became ~으로 시작하는 주절이 있고, Comparing이 이끄는 것은 분사구문이므로 gives의 형태를 고쳐 rats를 꾸미는 형용사 역할을 하게 해야 한다. 글의 흐름으로 보아 쥐가 음식에 대한 '긍정적 강화'를 '받은' 것이므로 수동의 의미가 있는 과거분사 given으로 고쳐야 한다.

┌→ comparing with: ~에 비해   ┌─ given ~ for their bar-pressing behavior가 rats를 꾸밈

Comparing results from rats / gives(→ given) the "positive
쥐에서 얻은 결과를 비교하면   음식이라는 긍정적 강화가 주어진

                                                those = results from rats ◄─
reinforcement" of food / for their bar-pressing behavior / with those
                    그들의 막대기를 누르는 행동에 대해   그것들과

/ that were not, / or were presented with food at different rates, ...
   그렇지 않았던   또는 다른 비율로 음식을 받은

Words
● research fellow 연구원 ● carry out 수행하다 ● present 주다 ● accidentally 우연히 ● purposefully 일부러 ● reinforcement 강화

필수 체크 전략 ②

1 다음 글의 밑줄 친 부분 중, 어법상 **틀린** 것은? 수능 기출

"Monumental" is a word that comes very close to ① expressing the basic characteristic of Egyptian art. Never before and never since has the quality of monumentality been achieved as fully as it ② did in Egypt. The reason for this is not the external size and massiveness of their works, although the Egyptians admittedly achieved some amazing things in this respect. Many modern structures exceed ③ those of Egypt in terms of purely physical size. But massiveness has nothing to do with monumentality. An Egyptian sculpture no bigger than a person's hand is more monumental than that gigantic pile of stones ④ that constitutes the war memorial in Leipzig, for instance. Monumentality is not a matter of external weight, but of "inner weight." This inner weight is the quality which Egyptian art possesses to such a degree that everything in it seems to be made of primeval stone, like a mountain range, even if it is only a few inches across or ⑤ carved in wood.

*gigantic 거대한 **primeval 원시 시대의

전략 Check!

대동사 do는 같은 동사구가 반복될 때 이를 대신하여 쓰인다. 일반동사를 대신하여 쓰며 주어의 인칭과 수, 시제에 맞게 do, ❶ _____ , did로 쓸 수 있다. 대동사 do에 밑줄이 있을 때에는 대신하는 동사가 ❷ _____ 인지 확인해야 한다.

目 ❶ does ❷ 일반동사

Words
- monumental 기념비적인
- monumentality 기념비성
- external 외적인, 외면의
- massiveness 거대함
- admittedly 인정하건대, 틀림없이
- respect (측)면, 점
- exceed 초과하다
- constitute 구성하다
- memorial 기념비
- possess 소유하다, 지니다
- mountain range 산맥

2 다음 글의 밑줄 친 부분 중, 어법상 틀린 것은?

학평 기출

Mental representation is the mental imagery of things that are not actually present to the senses. In general, mental representations can help us learn. Some of the best evidence for this ① comes from the field of musical performance. Several researchers have examined ② what differentiates the best musicians from lesser ones, and one of the major differences lies in the quality of the mental representations the best ones create. When ③ practicing a new piece, advanced musicians have a very detailed mental representation of the music they use to guide their practice and, ultimately, their performance of a piece. In particular, they use their mental representations to provide their own feedback so that they know how ④ closely they are to getting the piece right and what they need to do differently to improve. The beginners and intermediate students may have crude representations of the music ⑤ that allow them to tell, for instance, when they hit a wrong note, but they must rely on feedback from their teachers to identify the more subtle mistakes and weaknesses.

*crude 투박한

전략 Check!

부사에 밑줄이 있으면, 그 부사가 어떤 역할을 하고 있는지 확인해야 한다. 부사는 동사, 형용사, 부사, 문장 전체를 꾸밀 수 있지만 ❶ [   ]를 꾸미거나 ❷ [   ]로는 쓰일 수 없다.

답 ❶ 명사 ❷ 보어

© PopTika / shutterstock

Words
- mental representation 심적 표상
- mental imagery 심상
- differentiate 구분 짓다, 구별하다
- detailed 상세한, 세밀한
- ultimately 궁극적으로
- intermediate 중급의
- subtle 미묘한

3 다음 글의 밑줄 친 부분 중, 어법상 틀린 것은? (학평) 기출

Trying to produce everything yourself would mean you are using your time and resources to produce many things ① for which you are a high-cost provider. This would translate into lower production and income. For example, even though most doctors might be good at record keeping and arranging appointments, ② it is generally in their interest to hire someone to perform these services. The time doctors use to keep records is time they could have spent seeing patients. Because the time ③ spent with their patients is worth a lot, the opportunity cost of record keeping for doctors will be high. Thus, doctors will almost always find it ④ advantageous to hire someone else to keep and manage their records. Moreover, when the doctor specializes in the provision of physician services and ⑤ hiring someone who has a comparative advantage in record keeping, costs will be lower and joint output larger than would otherwise be achievable.

전략 Check!

형용사에 밑줄이 있을 때 형용사의 역할을 파악한다. 형용사는 ❶ 를 꾸미거나 주어나 ❷ 의 보어가 될 수 있다.

답 ❶ 명사 ❷ 목적어

Words
- high-cost 고비용의
- income 수입
- record keeping 기록 관리
- appointment 약속, 예약
- in one's interest ~에게 이익이 되는
- opportunity cost 기회비용
- specialize 전문으로 하다
- provision 제공
- physician 의사, 내과의사
- comparative advantage 비교 우위
- joint 공동의

4 다음 글의 밑줄 친 부분 중, 어법상 <u>틀린</u> 것은? 학평 기출

Not only are humans ① <u>unique</u> in the sense that they began to use an ever-widening tool set, we are also the only species on this planet that has constructed forms of complexity that use external energy sources. This was a fundamental new development, ② <u>which</u> there were no precedents in big history. This capacity may first have emerged between 1.5 and 0.5 million years ago, when humans began to control fire. From at least 50,000 years ago, some of the energy stored in air and water flows ③ <u>was</u> used for navigation and, much later, also for powering the first machines. Around 10,000 years ago, humans learned to cultivate plants and ④ <u>tame</u> animals and thus control these important matter and energy flows. Very soon, they also learned to use animal muscle power. About 250 years ago, fossil fuels began to be used on a large scale for powering machines of many different kinds, thereby ⑤ <u>creating</u> the virtually unlimited amounts of artificial complexity that we are familiar with today.

전략 Check!

부정어가 포함된 어구를 강조하기 위해 문장의 맨 앞에 쓰면 주어와 (조)동사가 ❶ □□ 된다. 이때 be동사가 쓰였으면 주어와 위치를 바꾸고, 일반동사의 경우에는 ❷ □□ (does/did)를 사용하여 도치 구문을 만든다.

답 ❶ 도치 ❷ do

© yuratosno3 / shutterstcok

Words
- ever-widening 계속 확장하는
- construct 구성하다, 건설하다
- external 외부의, 외연의
- fundamental 근본적인
- precedent 전례
- capacity 능력, 용량
- emerge 나타나다, 출현하다
- navigation 운항, 항해
- power 동력을 공급하다
- cultivate 경작하다
- tame 길들이다
- thereby 그렇게 함으로써
- virtually 사실상, 가상으로
- artificial 인공의

필수 체크 전략 ①

1 다음 글의 밑줄 친 부분 중, 어법상 **틀린** 것은?　　　모평 기출

Not all organisms are able to find sufficient food to survive, so starvation is a kind of disvalue often found in nature. It also is part of the process of selection ①by which biological evolution functions. Starvation helps filter out those less fit to survive, those less resourceful in finding food for ②themselves and their young. In some circumstances, it may pave the way for genetic variants ③to take hold in the population of a species and eventually allow the emergence of a new species in place of the old one. Thus starvation is a disvalue that can help make ④possible the good of greater diversity. Starvation can be of practical or instrumental value, even as it is an intrinsic disvalue. ⑤What some organisms must starve in nature is deeply regrettable and sad. The statement remains implacably true, even though starvation also may sometimes subserve ends that are good.

*implacably 확고히　**subserve 공헌하다

① by which 「❶ ⬚ +관계대명사」 뒤에는 완전한 형태의 절이 온다는 점에 유의한다.

② themselves 재귀대명사는 동작의 주체와 그 대상이 ❷ ⬚ 할 때 쓴다는 점에 유의하여 가리키는 대상을 찾는다.

③ to take to부정사의 역할을 파악하고, 의미상 주어와의 관계를 파악하여 능동태로 쓸 수 있는지 확인한다.

④ possible 형용사 possible의 역할을 파악한다. 단, 「주어+동사+목적어+목적격 보어」 구조에서 목적어가 길 경우 보어와 위치를 바꿀 수 있다는 점에 유의한다.

⑤ What What 뒤에 불완전한 형태의 절이 왔는지 확인한다.

답 ❶ 전치사 ❷ 동일

대표 유형 답

⑤ What 뒤에 주어와 동사가 있는 완전한 절이 왔으므로 what은 쓸 수 없다. 관계대명사 what을 접속사 that으로 바꾸어야 한다.

┌→ 접속사 that이 이끄는 명사절이 주어
[What(→That) some organisms must starve in nature]/
어떤 유기체들이 자연에서 굶주려야만 한다는 것은
┌→ 동사, 명사절은 단수 취급
is deeply regrettable and sad.
매우 유감스럽고 슬프다.

Words

● organism 유기체, 생물　● sufficient 충분한　● starvation 기아　● disvalue 반가치(反價値), 부정적 가치　● function 기능하다
● filter out ~을 걸러 내다　● resourceful 수완이 있는　● pave the way 길을 열어 주다　● genetic 유전적인　● variant 변종
● take hold 장악하다　● emergence 출현　● in place of ~을 대신하여　● diversity 다양성　● even as ~하는 바로 그 순간에
● intrinsic 본질적인, 고유한　● regrettable 유감스러운

2 다음 글의 밑줄 친 부분 중, 어법상 틀린 것은?　　모평 기출

An interesting aspect of human psychology is that we tend to like things more and find them more ① appealing if everything about those things is not obvious the first time we experience them. This is certainly true in music. For example, we might hear a song on the radio for the first time that catches our interest and ② decide we like it. Then the next time we hear it, we hear a lyric we didn't catch the first time, or we might notice ③ what the piano or drums are doing in the background. A special harmony ④ emerges that we missed before. We hear more and more and understand more and more with each listening. Sometimes, the longer ⑤ that takes for a work of art to reveal all of its subtleties to us, the more fond of that thing — whether it's music, art, dance, or architecture — we become.

*subtleties 중요한 세부 요소(사항)들

대표 유형 답

⑤ the longer ～, the more ～ 형태이므로 「the 비교급+주어+동사 ～, the 비교급+주어+동사 ～」 구문임을 알 수 있다. 앞 절의 의미가 '～하는 데에 오래 걸릴수록'의 뜻이므로 시간의 비인칭주어 it을 쓰는 것이 알맞다.

> The 비교급 ┐ +S +V ～,
Sometimes, / the longer that(→ it) takes for a work of art / to reveal
때때로　　더 오랜 시간이 걸릴수록　　예술 작품이　　그것의 중요한

> the 비교급 ┐
all of its subtleties to us, / the more fond of that thing /
세부 요소들을 우리에게 모두 드러내는 데　　우리는 그것을 더 좋아하게

> 삽입구(부사절): ～이든 간에　　+S +V ┐
— whether it's music, art, dance, or architecture — / we become.
그것이　　음악이든, 미술이든, 춤이든, 또는 건축이든 간에　　된다

① **appealing** 5형식 「find+목적어+목적격 보어」 구문에서 목적격 보어로 ❶ ▢▢▢ 나 현재분사가 쓰일 수 있는지 확인한다.

② **decide** decide가 동사원형으로 쓰였으므로 문장에서 본동사로 쓰였는지 병렬 구조로 쓰였는지 확인해야 한다.

③ **what** 뒤에 완전한 절이 오는지 불완전한 절이 오는지를 확인하고, 불완전한 절이 오면 ❷ ▢▢ 은 선행사를 포함하는 관계대명사이므로 어떤 요소를 선행사로 포함하고 있는지 확인한다.

④ **emerges** 1형식 문장이므로 주어의 인칭과 수를 확인한다.

⑤ **that** 「the 비교급+주어+동사 ～, the 비교급+주어+동사 ～」의 비교급 구문에서 주어와 동사를 확인한다. take for ～는 '～하는 데 시간이 걸리다'의 뜻이므로 주어의 쓰임이 적절한지 확인한다.

답 ❶ 형용사 ❷ what

© Getty Images Korea

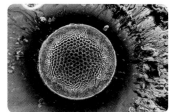
© Akim Kartashovv / shutterstock

Words
● aspect 면, 측면　● tend to ～하는 경향이 있다　● appealing 매력적인　● obvious 분명한, 명백한
● lyrics 가사　● emerge 나타나다　● reveal 드러내다

1 다음 글의 밑줄 친 부분 중, 어법상 틀린 것은? 학평 기출

Are cats liquid or solid? That's the kind of question that could win a scientist an Ig Nobel Prize, a parody of the Nobel Prize that honors research that "makes people laugh, then think." But it wasn't with this in mind ①that Marc-Antoine Fardin, a physicist at Paris Diderot University, set out to find out whether house cats flow. Fardin noticed that these furry pets can adapt to the shape of the container they sit in ②similarly to what fluids such as water do. So he applied rheology, the branch of physics that deals with the deformation of matter, to calculate the time ③it takes for cats to take up the space of a vase or bathroom sink. The conclusion? Cats can be either liquid or solid, depending on the circumstances. A cat in a small box will behave like a fluid, ④filled up all the space. But a cat in a bathtub full of water will try to minimize its contact with it and ⑤behave very much like a solid.

전략 Check!

동사에 밑줄이 있을 때에는 우선 ❶ 를 파악해야 한다. 주어와 동사의 관계를 알아야 동사의 형태가 올바른지 판단할 수 있다.

답 ❶ 주어

Words
- liquid 액체
- solid 고체
- parody 패러디, 놀림감
- honor 경의를 표하다
- with this in mind 이것을 염두에 두고
- set out 착수하다
- rheology 유동학
- deformation 변형
- take up 차지하다

2 다음 글의 밑줄 친 부분 중, 어법상 틀린 것은? 학평 기출

The world's first complex writing form, Sumerian cuneiform, followed an evolutionary path, moving around 3500 BCE from pictographic to ideographic representations, from the depiction of objects to ① that of abstract notions. Sumerian cuneiform was a linear writing system, its symbols usually ② set in columns, read from top to bottom and from left to right. This regimentation was a form of abstraction: the world is not a linear place, and objects do not organize ③ themselves horizontally or vertically in real life. Early rock paintings, thought to have been created for ritual purposes, were possibly shaped and organized ④ to follow the walls of the cave, or the desires of the painters, who may have organized them symbolically, or artistically, or even randomly. Yet after cuneiform, virtually every form of script that has emerged has been set out in rows with a clear beginning and endpoint. So ⑤ uniformly is this expectation, indeed, that the odd exception is noteworthy, and generally established for a specific purpose.

*cuneiform 쐐기 문자 **regimentation 조직화

© Fedor Selivanov / shutterstock

Words

- evolutionary 진화의, 진화적인
- pictographic 상형문자의
- ideographic 표의문자의, 표의적인
- representation 표현
- depiction 묘사
- abstract 추상적인
- notion 관념
- linear 선형의, 선형적인
- abstraction 추상
- ritual 의식의, 제식의
- column 기둥, 세로단
- randomly 무작위로
- endpoint 종료 지점
- odd 특이한, 가끔의
- noteworthy 주목할 만한

3 다음 글의 밑줄 친 부분 중, 어법상 틀린 것은? 학평 기출

Metacognition simply means "thinking about thinking," and it is one of the main distinctions between the human brain and that of other species. Our ability to stand high on a ladder above our normal thinking processes and ① evaluate why we are thinking as we are thinking is an evolutionary marvel. We have this ability ② because the most recently developed part of the human brain — the prefrontal cortex — enables self-reflective, abstract thought. We can think about ourselves as if we are not part of ③ ourselves. Research on primate behavior indicates that even our closest cousins, the chimpanzees, ④ lacking this ability (although they possess some self-reflective abilities, like being able to identify themselves in a mirror instead of thinking the reflection is another chimp). The ability is a double-edged sword, because while it allows us to evaluate why we are thinking ⑤ what we are thinking, it also puts us in touch with difficult existential questions that can easily become obsessions.

전략 Check!

동사에 밑줄이 있을 때에는 전체 문장의 동사인지, 절 안의 동사인지, 명사를 수식하는 ❶[ ]인지를 확인하고, 다음에 동사의 주체를 찾아 인칭, ❷[ ], 시제를 확인한다.

답 ❶ 분사 ❷ 수

Words
- metacognition 메타인지
- evolutionary 진화의, 점진적인
- marvel 놀라운 일, 경이
- prefrontal cortex 전두엽 피질
- self-reflective 자기반성의, 자기 성찰적인
- primate 영장류
- double-edged sword 양날의 검
- existential 실존주의적인, 존재에 관한
- obsession 강박상태, 강박관념

4 다음 글의 밑줄 친 부분 중, 어법상 틀린 것은? 기출

An independent artist is probably the one ① <u>who</u> lives closest to an unbounded creative situation. Many artists have considerable freedom from external requirements about what to do, how to do it, when to do it, and why. At the same time, however, we know that artists usually limit themselves quite ② <u>forcefully</u> by choice of material and form of expression. To make the choice to express a feeling by carving a specific form from a rock, without the use of high technology or colors, ③ <u>restricting</u> the artist significantly. Such choices are not made to limit creativity, but rather to cultivate ④ <u>it</u>. When everything is possible, creativity has no tension. Creativity is strange in that it finds its way in any kind of situation, no matter how restricted, just as the same amount of water flows faster and stronger through a narrow strait ⑤ <u>than</u> across the open sea.

*strait 해협

전략 Check!

대명사에 밑줄이 있을 때에는 대명사가 무엇을 가리키는지 앞에서 확인해야 한다. 성, **①**□□□□, 격이 일치하는지 파악한다. 또한 비교급을 이용해 둘 이상의 대상을 **②**□□□할 때 than을 쓴다는 점에도 유의한다.

답 ❶ 수 ❷ 비교

Words
- independent 독립된, 독자적인
- unbounded 무한한, 억압받지 않는
- considerable 상당한
- external 외적인
- requirement 요구, 필요조건
- carve 깎아내다, 조각하다
- restrict 제약하다, 제한하다
- significantly 상당히, 중요하게
- cultivate 기르다, 함양하다

누구나 합격 전략

1 다음 글의 밑줄 친 부분 중, 어법상 틀린 것은?   학평 기출

People seeking legal advice should be assured, when discussing their rights or obligations with a lawyer, ① which the latter will not disclose to third parties the information provided. Only if this duty of confidentiality is respected ② will people feel free to consult lawyers and provide the information required for the lawyer to prepare the client's defense. Regardless of the type of information ③ disclosed, clients must be certain that it will not be used against them in a court of law, by the authorities or by any other party. It is generally considered to be a condition of the good functioning of the legal system and, thus, in the general interest. Legal professional privilege is ④ much more than an ordinary rule of evidence, limited in its application to the facts of a particular case. It is a fundamental condition on which the administration of justice as a whole ⑤ rests.   *confidentiality 비밀 유지

ⓒ wavebreakmedia / shutterstock

Words

● legal 법적인 ● obligation 의무 ● disclose 노출시키다, 털어놓다 ● consult 상의하다 ● defense 방어, 변호
● regardless of ~에 상관없이 ● authorities 당국 ● legal system 법 체제 ● general interest 공공의 이익
● legal professional privilege 변호사의 비밀 유지 특권 ● case 사건, 소송 ● administration of justice 법의 집행

54 수능전략 • 영어 영역 어법 • Book 2

2 다음 글의 밑줄 친 부분 중, 어법상 틀린 것은?   모평 기출

To begin with a psychological reason, the knowledge of another's personal affairs can tempt the possessor of this information ① to repeat it as gossip because as unrevealed information it remains socially inactive. Only when the information is repeated can its possessor ② turn the fact that he knows something into something socially valuable like social recognition, prestige, and notoriety. As long as he keeps his information to ③ himself, he may feel superior to those who do not know it. But knowing and not telling does not give him that feeling of "superiority that, so to say, latently contained in the secret, fully ④ actualizing itself only at the moment of disclosure." This is the main motive for gossiping about well-known figures and superiors. The gossip producer assumes that some of the "fame" of the subject of gossip, as ⑤ whose "friend" he presents himself, will rub off on him.

*prestige 명성 **notoriety 악명 ***latently 잠재적으로

Words

● **affair** 일, 사건 ● **tempt** 부추기다 ● **possessor** 소유자 ● **unrevealed** 드러나지 않은, 숨겨진 ● **inactive** 활동하지 않는, 사용되지 않는
● **recognition** 인지 ● **superior** 우월한; 우월한 사람 ● **actualize** 실현하다 ● **disclosure** 폭로, 발각 ● **figure** 인물 ● **subject** 대상, 소재
● **rub off on** ~에 옮다, ~에 영향을 주다

3 (A), (B), (C)의 각 네모 안에서 어법에 맞는 표현으로 가장 적절한 것은? 모평 기출

The term *objectivity* is important in measurement because of the scientific demand that observations be subject to public verification. A measurement system is objective to the extent that two observers (A) evaluate / evaluating the same performance arrive at the same (or very similar) measurements. For example, using a tape measure to determine the distance a javelin (B) threw / was thrown yields very similar results regardless of who reads the tape. By comparison, evaluation of performances such as diving, gymnastics, and figure skating is more subjective— although elaborate scoring rules help make (C) it / them more objective. From the point of view of research in motor behavior, it is important to use performances in the laboratory for which the scoring can be as objective as possible.

*javelin 투창

	(A)	(B)	(C)
①	evaluate	threw	it
②	evaluate	threw	them
③	evaluating	threw	it
④	evaluating	was thrown	them
⑤	evaluating	was thrown	it

Words
● term 용어 ● objectivity 객관성 ● measurement 측정 ● be subject to ~의 대상이 되다, ~을 받아야 하다 ● verification 검증, 입증
● objective 객관적인(↔ subjective 주관적인) ● extent 정도 ● tape measure 줄자 ● yield 내다, 산출하다
● evaluation 측정, 평가 ● gymnastics 체조, 체육 ● elaborate 정교한, 공들인 ● motor behavior 운동 행동

4 다음 글의 밑줄 친 부분 중, 어법상 틀린 것은? [모평] 기출

The Internet and communication technologies play an ever-increasing role in the social lives of young people in developed societies. Adolescents have been quick to immerse themselves in technology with most ① <u>using</u> the Internet to communicate. Young people treat the mobile phone as an essential necessity of life and often prefer to use text messages to communicate with their friends. Young people also ② <u>increasingly</u> access social networking websites. As technology and the Internet are a familiar resource for young people, it is logical ③ <u>what</u> they would seek assistance from this source. This has been shown by the increase in websites that provide therapeutic information for young people. A number of 'youth friendly' mental health websites ④ <u>have</u> been developed. The information ⑤ <u>presented</u> often takes the form of Frequently Asked Questions, fact sheets and suggested links. It would seem, therefore, logical to provide online counselling for young people.

© Mjosedesign / shutterstcok

Words
● ever-increasing 점점 증가하는 ● adolescent 청소년 ● immerse oneself in ~에 몰두하다 ● seek 찾다, 구하다
● assistance 도움, 지원 ● therapeutic 치료(법)의 ● Frequently Asked Questions 자주 묻는 질문들 ● fact sheet 자료표

창의·융합·코딩 전략 ①

1 다음 글을 읽고, 아래의 과정을 따라 문제를 푸시오. 학평 응용

One of the simplest and most effective ways to build empathy in children ① is to let them play more on their own. Unsupervised kids are not reluctant to tell one another how they feel. In addition, children at play often take on other roles, pretending to be Principal Walsh or Josh's mom, happily forcing ② themselves to imagine how someone else thinks and feels. Unfortunately, free play is becoming rare. One research indicates that children's opportunities to play in their own ways have ③ continuously and dramatically declined over the past fifty years in many developed countries. The effects, according to the research, have been especially ④ damaged to empathy. A decline of empathy and a rise in narcissism would be exactly ⑤ what we see in children who have little opportunity to play socially.

© Duplass / shutterstock

First Step 글의 첫 부분 읽고, 글의 주제 파악하기

아이들의 공감 능력을 길러 주려면 스스로 놀게 해야 한다.

Second Step 밑줄 친 부분의 어법 사항이 문장 구조 안에서 적절한지 확인하기

① 주어가 3인칭 단수일 때의 be동사 is가 쓰였다. — 주어를 찾는다. 3인칭 ❶[　　] 에 해당하는가?

② 주어와 목적어가 같을 때 쓰이는 재귀대명사가 쓰였다. — 주어와 목적어가 동일한 대상인가?

③ 부사가 쓰였다. 부사는 동사, 형용사, 부사, 문장 전체를 꾸밀 수 있다. — continuously가 동사 또는 형용사, 부사, 문장 전체를 꾸미고 있는가?

④ 현재완료 ❷[　　] 태에 쓰인 과거분사이다. — 주어와 동사의 관계를 살핀다. 수동 관계가 맞는가?

⑤ 선행사를 포함하는 관계대명사 what이나, 간접의문문의 의문사 what이다. — 둘 다 뒤에 불완전한 절이 오므로, 절의 구조를 파악한다.

Last Step ④ 주어인 '결과(The effects)'가 공감 능력(empathy)을 훼손하는 것이므로 능동의 현재분사를 넣어 현재완료 진행형으로 만드는 것이 자연스럽다.

📖 ❶ 단수 ❷ 수동

2 다음 글을 읽고, 아래의 과정을 따라 문제를 푸시오. 학평 기출

With all the passion for being slim, it is no wonder ① that many people view any amount of visible fat on the body as something to get rid of. However, the human body has evolved over time in environments of food scarcity; hence, the ability to store fat ② efficiently is a valuable physiological function that served our ancestors well for thousands of years. Only in the last few decades, in the primarily industrially developed economies, ③ have food become so plentiful and easy to obtain as to cause fat-related health problems. People no longer have to spend most of their time and energy ④ gathering berries and seeds and hoping that a hunting party will return with meat. All we have to do nowadays is drive to the supermarket or the fastfood restaurant, ⑤ where for very low cost we can obtain nearly all of our daily calories.

ⓒTijanaM/shutterstock

First Step 글의 첫 부분 읽고, 글의 전반적인 흐름 파악하기

많은 사람들이 몸에서 지방을 제거하고 싶어 하지만, 인간의 신체는 식량이 부족한 환경에서 ❶ [   ]을 저장하도록 진화해 왔다.

Second Step 밑줄 친 부분의 어법 사항이 문장 구조 안에서 적절한지 확인하기

① that 뒤에 완전한 절이 있으므로 접속사일 것이다. ── 앞에 it이 있으므로, 가주어와 진주어 구조인지 확인한다.

② 부사는 동사, 형용사, 부사, 문장 전체를 꾸밀 수 있다. ── efficiently가 꾸미는 것이 동사 또는 형용사, 부사, 문장 전체인가?

③ 현재완료에 쓰인 have에만 밑줄이 있다. ── 주어의 수를 확인하여 복수이면 have가, 단수이면 ❷ [   ]가 알맞다.

④ 밑줄 친 부분이 포함되는 절에 주어와 동사가 있는지 확인한다. ── 문장 구조를 파악한다.

⑤ 관계부사가 쓰였으므로 뒤에 완전한 형태의 절이 오는지 확인한다. ── 완전한 형태의 절이 온다면, 의미상으로도 where가 어울리는지 확인한다.

Last Step ③ only가 포함된 부사구가 문장 앞으로 나가 강조되어 주어와 동사가 도치된 문장으로, 주어는 단수 food이다. 따라서 have는 has로 고쳐야 한다.

답 ❶ 지방 ❷ has

BOOK 2 마무리 전략

핵심 한눈에 보기

지난 2주간 학습한 어법 전략 중 가장 중요한 내용을 다시 한 번 기억해 두세요.

1주   관계사, 접속사, 병렬 구조

관계대명사는 「접속사+대명사」의 역할을 한다.

관계부사는 「접속사+부사」 역할을 하며, 「전치사+관계대명사」로 바꿔 쓸 수 있다.

관계대명사 뒤에는 불완전한 형태의 절이 오고, 관계부사 뒤에는 완전한 형태의 절이 온다.

관계대명사 what은 선행사를 포함하므로 앞에 선행사가 없고, 뒤에 불완전한 절이 온다. 관계대명사 that은 앞에 선행사가 오고 뒤에 불완전한 절이 온다.

콤마(,)+관계대명사는 계속적 용법으로 선행사를 보충 설명한다.

관계대명사 that이나 what은 계속적 용법으로 쓰지 않아요!

가주어-진주어 구문인 「it ~ that절」은 접속사 that이 이끄는 명사절이 주어이다.

사실, 의견을 나타내는 명사 (fact, truth, idea, opinion 등) 뒤의 동격의 that 명사절은 명사를 설명한다.

if / whether절은 '~인지 (아닌지)'라는 뜻의 명사절을 이끄는 접속사이다.

접속사 뒤에는 「주어+동사」로 이루어진 절이 오고, 전치사 뒤에는 명사(구)가 온다.

등위접속사 and, but, or 앞뒤의 어구나 문장이 문법적으로 형태와 기능이 같아야 한다.

상관접속사 A와 B가 문법적으로 같은 형태와 기능이어야 한다.
both A and B / not A but B
either A or B / neither A nor B
not only A but (also) B

2주 대명사, 형용사/부사, 가정법, 특수 구문

대명사는 앞에 나온 명사를 대신하며, 대신하는 명사와 성, 수, 인칭이 일치해야 한다.

재귀대명사는 주어와 목적어가 가리키는 대상이 같을 때 쓴다.

부사는 동사, 형용사, 부사, 문장 전체를 꾸미고, 보어로는 쓰지 않는다.

형용사는 주어나 목적어를 설명하는 보어로 쓴다.

감각동사 look, feel, sound, taste, smell 등+형용사: ~처럼 보다, 느끼다, 들리다, ~ 같은 맛이 나다, 냄새가 나다
become, remain, stay, seem 등+형용사: ~해지다/ ~한 상태가 되다

비교 표현:
compared to(with): ~만큼 ...한/하게
the+비교급 ~, the+비교급 ...: ~보다 더 ...한/하게
no less(more) than: ~만큼 ...한/하게

비교급 강조: much, even, far, a lot 등
최상급 강조: quite, very, by far 등

비교:
as+원급+as: ~만큼 ...한/하게
비교급+than: ~보다 더 ...한/하게
the+최상급(+in/of ~): (~ 중에서) 가장 ...한/하게

가정법 과거: 현재 사실과 반대되거나 실현 가능성이 매우 낮은 일을 가정
가정법 과거완료: 과거 사실과 반대되는 일을 가정

「as if 가정법」: 아쉬움이나 유감을 나타낼 때 사실과 반대되는 상황을 가정

I wish+가정법 과거: 현재 실현이 어려운 소망이나 사실에 대한 아쉬움을 가정
I wish+가정법 과거완료: 과거에 이루지 못한 일에 대한 아쉬움을 가정

도치: 부정어, 부사구, 보어를 강조하여 문장의 맨 앞에 쓸 때 주어와 (조)동사의 위치가 바뀐다.

대동사 do: do는 앞에 나온 동사를 대신하는 대동사 역할을 한다. be동사를 대신하지 않는다.

「It is(was) ~ that ...」 강조 구문: 주어나 목적어, 부사(구) 등을 강조할 때 쓰며, 강조하는 말을 It is(was)와 that 사이에 쓴다.

1 밑줄 친 동사 (A), (B), (C)를 어법에 맞는 형태로 가장 적절하게 바꾼 것은? **수능** 응용

Oxygen is what it is all about. Ironically, the stuff that gives us life eventually kills it. The ultimate life force lies in tiny cellular factories of energy, called mitochondria, that burn nearly all the oxygen we breathe in. But breathing has a price. The combustion of oxygen that keeps us alive and active (A) <u>send</u> out by-products called oxygen free radicals. They have Dr. Jekyll and Mr. Hyde characteristics. On the one hand, they help guarantee our survival. For example, when the body mobilizes (B) <u>fight</u> off infectious agents, it generates a burst of free radicals to destroy the invaders very efficiently. On the other hand, free radicals move uncontrollably through the body, attacking cells, rusting their proteins, piercing their membranes and (C) <u>corrupt</u> their genetic code until the cells become dysfunctional and sometimes give up and die. These fierce radicals, built into life as both protectors and avengers, are potent agents of aging.

*oxygen free radical 활성 산소 **membrane (해부학) 얇은 막

	(A)	(B)	(C)
①	sends	...... fight	...... corrupting
②	sending	...... to fight	...... corrupted
③	sending	...... fight	...... corrupting
④	sends	...... to fight	...... corrupting
⑤	sends	...... fight	...... corrupted

Words
- ironically 역설적이게
- ultimate 궁극적인
- cellular 세포의
- combustion 연소
- by-product 부산물
- guarantee 보증하다
- mobilize 동원되다
- infectious agent 감염원
- burst 폭발, 연속 발사
- uncontrollably 통제할 수 없게
- protein 단백질
- pierce 뚫다
- corrupt 오염시키다, 변질시키다
- genetic code 유전 암호
- dysfunctional 제대로 기능을 하지 않는, 고장 난
- avenger 보복자
- potent 강한
- agent 동인(動因), 요인
- aging 노화

How to Solve
1. 선택지에 주어진 동사의 형태가 어법상 어떤 역할을 하는지 떠올린다.
2. 밑줄 친 동사가 있는 문장의 구조를 파악하여 어떤 역할의 동사 형태가 필요한지 확인한다.
3. 선택한 동사로 완성된 문장이 글의 흐름에 어울리는지 확인한다.

2 다음 글의 네모 (A), (B), (C) 안에서 문맥상 가장 적절한 것은? 수능 응용

During the early stages when the aquaculture industry was rapidly expanding, mistakes were made and these were costly both in terms of direct losses and in respect of the industry's image. High-density rearing led to outbreaks of infectious diseases that in some cases (A) devastated / was devastated not just the caged fish, but local wild fish populations too. The negative impact on local wildlife inhabiting areas close to the fish farms continues to be an ongoing public relations problem for the industry. Furthermore, a general lack of knowledge and insufficient care being taken when fish pens were initially constructed meant (B) that / whether pollution from excess feed and fish waste created huge barren underwater deserts. These were costly lessons to learn, but now stricter regulations are in place to ensure that fish pens are placed in sites where there is good water flow to remove fish waste. This, in addition to other methods that decrease the overall amount of uneaten food, has helped aquaculture to clean up (C) its / their act.

Words

- **aquaculture** 수산 양식
- **costly** 대가가 큰, 비용이 많이 드는
- **in terms of** ~의 면에서
- **in respect of** ~의 측면에서
- **high-density** 고밀도의
- **rearing** 사육, 양육
- **lead to** ~을 초래하다
- **outbreak** 발발, 발생
- **infectious** 전염성의
- **devastate** 황폐화하다
- **inhabit** 거주하다, 서식하다
- **insufficient** 불충분한
- **pen** 우리, 작은 우리
- **excess** 초과한; 초과
- **barren** 불모의, 황폐한
- **regulation** 규정, 규제
- **in place** 가동(시행) 중인
- **ensure** 반드시 ~하게 하다
- **overall** 전반적인, 일반적인

	(A)	(B)	(C)
①	devastated	…… that	…… its
②	devastated	…… whether	…… its
③	devastated	…… whether	…… their
④	was devastated	…… that	…… its
⑤	was devastated	…… whether	…… their

How to Solve

글의 흐름을 따라가며 문장을 자연스럽게 하는 어구를 골라야 한다.

(A) 동사의 능동태와 수동태 중에 선택해야 하므로, **❶** ⬚ 와의 관계를 살펴본다.

(B) 앞의 동사와의 관계를 살펴 뒤에 나오는 절의 내용이 사실인지, **❷** ⬚ 을 나타내는지 살펴본다.

(C) 뒤에 나오는 명사 act가 누구의 '행위'일지 앞에서 살펴본다.

정답 ❶ 주어 ❷ 의문

3 (A), (B), (C)의 각 네모 안에 들어갈 말로 어법상 가장 자연스러운 것은? 수능 응용

Thanks to newly developed neuroimaging technology, we now have access to the specific brain changes that occur during learning. Even though all of our brains ⬚(A)⬚ the same basic structures, our neural networks are as unique as our fingerprints. The latest developmental neuroscience research has shown that the brain is much more malleable throughout life than previously assumed; it develops in response to its own processes, to its immediate and distant "environments," and to its past and current situations. The brain seeks to create meaning through establishing or ⬚(B)⬚ existing neural networks. When we learn a new fact or skill, our neurons communicate to form networks of connected information. Using this knowledge or skill results in structural changes to allow similar future impulses to travel more quickly and ⬚(C)⬚ than others. High-activity synaptic connections are stabilized and strengthened, while connections with relatively low use are weakened and eventually pruned. In this way, our brains are sculpted by our own history of experiences.

*malleable 순응성이 있는 **prune 잘라 내다

	(A)	(B)	(C)
①	contain	······ refine	······ efficient
②	containing	······ refine	······ efficiently
③	contain	······ refining	······ efficiently
④	containing	······ refining	······ efficiently
⑤	contain	······ refining	······ efficient

How to Solve

1. 접속사 even though 뒤에는 ❶⬚⬚⬚이 나온다는 것에 유의한다.
2. 문맥상 등위접속사 or가 무엇과 빈칸을 연결하는지 파악한다.
3. 앞에 등위접속사 and가 있고 뒤에 비교급에 쓰이는 ❷⬚⬚⬚이 있다는 것에 유의한다.

답 ❶ 절 ❷ than

4 (A), (B), (C)의 각 네모 안에서 문맥상 적절한 것은?

모평 응용

(A) Accept / Accepting whatever others are communicating only pays off if their interests correspond to ours — think cells in a body, bees in a beehive. As far as communication between humans is concerned, such commonality of interests is rarely achieved; even a pregnant mother has reasons to mistrust the chemical signals sent by her fetus. Fortunately, there are ways of making communication work even in the most adversarial of relationships. A prey can convince a predator not to chase it. But for such communication to occur, there must be strong guarantees (B) which / that those who receive the signal will be better off believing it. The messages have to (C) keep / be kept , on the whole, honest. In the case of humans, honesty is maintained by a set of cognitive mechanisms that evaluate communicated information. These mechanisms allow us to accept most beneficial messages — to be open — while rejecting most harmful messages — to be vigilant.

*fetus 태아 **adversarial 반대자의 **vigilant 경계하는

	(A)	(B)	(C)
①	Accepting	that	be kept
②	Accepting	that	keep
③	Accepting	which	keep
④	Accept	that	be kept
⑤	Accept	which	keep

Words

- pay off 성공하다
- correspond 일치하다
- commonality 공통성
- mistrust 불신하다
- prey 먹잇감
- convince 납득시키다, 확신시키다
- predator 포식자
- chase 쫓다
- guarantee 보장; 보장하다
- be better off ~하는 것이 더 흡족하다, 이득이 된다
- cognitive 인지의
- mechanism 기제 (인간의 행동에 영향을 미치는 심리적 작용)
- beneficial 유익한

How to Solve

문맥과 어법의 적절성을 함께 따져 보아야 한다.
(A) 네모가 포함된 절에 본동사가 있는지를 먼저 살펴본다.
(B) 네모 앞에 명사구가 있는지, 네모 뒤의 [❶]의 형태는 어떠한지 확인한다.
(C) 능동태인지 수동태인지 판단해야 하므로 [❷]와의 관계를 확인한다.

답 ❶ 절 ❷ 주어

01 다음 글의 밑줄 친 부분 중, 어법상 틀린 것은? (학평) 기출

Application of Buddhist-style mindfulness to Western psychology came primarily from the research of Jon Kabat-Zinn at the University of Massachusetts Medical Center. He initially took on the difficult task of treating chronic-pain patients, many of ① them had not responded well to traditional pain-management therapy. In many ways, such treatment seems completely ② paradoxical — you teach people to deal with pain by helping them to become more aware of it! However, the key is to help people let go of the constant tension that ③ accompanies their fighting of pain, a struggle that actually prolongs their awareness of pain. Mindfulness meditation allowed many of these people to increase their sense of well-being and ④ to experience a better quality of life. How so? Because such meditation is based on the principle that if we try to ignore or repress unpleasant thoughts or sensations, then we only end up ⑤ increasing their intensity.

© Nadya Lukic / shutterstock

Although prices in most retail outlets are set by the retailer, this does not mean ① that these prices do not adjust to market forces over time. On any particular day we find that all products have a specific price ticket on ② them. However, this price may be different from day to day or week to week. The price that the farmer gets from the wholesaler is much more flexible from day to day ③ as the price that the retailer charges consumers. If, for example, bad weather leads to a poor potato crop, then the price that supermarkets have to pay to their wholesalers for potatoes will go up and this will be reflected in the prices they mark on potatoes in their stores. Thus, these prices ④ do reflect the interaction of demand and supply in the wider marketplace for potatoes. ⑤ Although they do not change in the supermarket from hour to hour to reflect local variations in demand and supply, they do change over time to reflect the underlying conditions of the overall production of and demand for the goods in question.

1·2 등급 확보 전략 1회 69

03 다음 글의 밑줄 친 부분 중, 어법상 틀린 것은?

학평 기출

Don't be afraid to move around and try different things, ① however old you are. The most important thing you want to find out is who you are and what capabilities you have. Give yourself a time limit to dig into yourself and find out ② what you need. In this period, there is no way around it, so you have to be a risk taker. If you don't take any risks, you don't get any sweetness out of life. And the truth of the matter is that the sweetness in life ③ comes with the risk. I've lived my life ④ taking risks and I wish I could tell you they were all successful, but they weren't. But you want to know something? I learned more from my failures than I ⑤ was from my successes.

04 다음 글의 밑줄 친 부분 중, 어법상 틀린 것은? 학평 기출

According to Pierre Pica, understanding quantities approximately in terms of estimating ratios is a universal human intuition. In fact, humans who do not have numbers have no choice but ① to see the world in this way. By contrast, understanding quantities in terms of exact numbers is not a universal intuition; it is a product of culture. The precedence of approximations and ratios over exact numbers, Pica suggests, ② is due to the fact that ratios are much more important for survival in the wild than the ability to count. ③ Faced with a group of spear-wielding adversaries, we needed to know instantly whether there were more of them than us. When we saw two trees, we needed to know instantly ④ that had more fruit hanging from it. In neither case was it ⑤ necessary to enumerate every enemy or every fruit individually. The crucial thing was to be able to make quick estimates of the relative amounts.

*enumerate 일일이 세다

01 다음 글의 밑줄 친 부분 중, 어법상 틀린 것은? 수능 기출

The Greeks' focus on the salient object and its attributes led to ① their failure to understand the fundamental nature of causality. Aristotle explained that a stone falling through the air is due to the stone having the property of "gravity." But of course a piece of wood ② tossed into water floats instead of sinking. This phenomenon Aristotle explained as being due to the wood having the property of "levity"! In both cases the focus is ③ exclusively on the object, with no attention paid to the possibility that some force outside the object might be relevant. But the Chinese saw the world as consisting of continuously interacting substances, so their attempts to understand it ④ causing them to be oriented toward the complexities of the entire "field," that is, the context or environment as a whole. The notion ⑤ that events always occur in a field of forces would have been completely intuitive to the Chinese.

*salient 현저한, 두드러진 **levity 가벼움

02 다음 글의 밑줄 친 부분 중, 어법상 틀린 것은? 학평 기출

When children are young, much of the work is demonstrating to them that they ① do have control. One wise friend of ours who was a parent educator for twenty years ② advises giving calendars to preschool-age children and writing down all the important events in their life, in part because it helps children understand the passage of time better, and how their days will unfold. We can't overstate the importance of the calendar tool in helping kids feel in control of their day. Have them ③ cross off days of the week as you come to them. Spend time going over the schedule for the day, giving them choice in that schedule wherever ④ possible. This communication expresses respect — they see that they are not just a tagalong to your day and your plans, and they understand what is going to happen, when, and why. As they get older, children will then start to write in important things for themselves, ⑤ it further helps them develop their sense of control.

03 다음 글의 밑줄 친 부분 중, 어법상 틀린 것은? 　　　학평 응용

One study showed ①that a certain word (e.g., boat) seemed more pleasant when presented after related words (e.g., sea, sail). That result occurred because of conceptual fluency, a type of processing fluency related to ②how easily information comes to our mind. Because "sea" primed the context, the heightened predictability caused the concept of "boat" ③to enter people's minds more easily, and that ease of processing produced a pleasant feeling that became misattributed to the word "boat." Marketers can take advantage of conceptual fluency and enhance the effectiveness of their advertisements by strategically positioning their ads in predictive contexts. For example, an experiment showed ④which consumers found a ketchup ad more favorable when the ad was presented after an ad for mayonnaise. The mayonnaise ad primed consumers' schema for condiments, and when the ad for ketchup was presented afterward, the idea of ketchup came to their minds more easily. As a result of ⑤that heightened conceptual fluency, consumers developed a more positive attitude toward the ketchup advertisement.

*prime 준비시키다　**condiment 양념

04 다음 글의 밑줄 친 부분 중, 어법상 **틀린** 것은?　　　　수능 응용

The future of our high-tech goods may lie not in the limitations of our minds, ① and in our ability to secure the ingredients to produce them. In previous eras, such as the Iron Age and the Bronze Age, the discovery of new elements brought forth seemingly ② unending numbers of new inventions. Now the combinations may truly be unending. We are now witnessing a fundamental shift in our resource demands. At no point in human history ③ have we used more elements, in more combinations, and in increasingly refined amounts. Our ingenuity will soon outpace our material supplies. This situation comes at a defining moment ④ when the world is struggling to reduce its reliance on fossil fuels. Fortunately, rare metals are key ingredients in green technologies such as electric cars, wind turbines, and solar panels. They help to convert free natural resources like the sun and wind into the power ⑤ that fuels our lives. But without increasing today' limited supplies, we have no chance of developing the alternative green technologies we need to slow climate change.

*ingenuity 창의력

ⓒ UVAconcept / shutterstcok

memo

굽은 허리를 꼿꼿하게!
허리 스트레칭

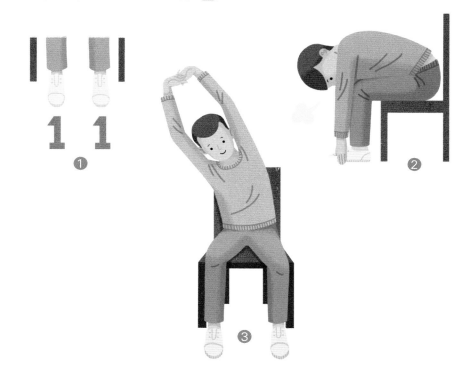

바르지 못한 자세로 오래 앉아 있게 되면, 허리 근육에 무리가 오고 통증으로 이어지게 됩니다. 내 몸의 중심인 허리 건강을 위해 꾸준한 스트레칭과 바른 자세가 무엇보다 중요하다는 것! 잊지 마세요.

❶ 의자에 앉아 무릎과 발 사이를 어깨너비 정도로 벌리고, 발은 11자 모양으로 반듯하게 놓습니다.

❷ 숨을 뱉으며 상체를 서서히 숙입니다. 허리를 편 상태에서, 가능한 만큼 숙여 주세요. 고개를 숙인 채로 30초간 2번의 자세를 유지합니다.

❸ 천천히 일어나 어깨를 펴고 두 손에 깍지를 낀 다음, 팔을 올려 오른쪽으로 당겨줍니다. 왼쪽도 똑같이 반복합니다.

※ 스트레칭도 좋지만, 자세가 바르지 못하면 허리에 지속해서 무리가 가니, 의식적으로 바른 자세로 앉는 것이 제일 중요합니다.

book.chunjae.co.kr

교재 내용 문의	··················	교재 홈페이지 ▸ 고등 ▸ 교재상담
교재 내용 외 문의	··················	교재 홈페이지 ▸ 고객센터 ▸ 1:1문의
발간 후 발견되는 오류	··············	교재 홈페이지 ▸ 고등 ▸ 학습지원 ▸ 학습자료실

수능공략 필승학습!
단기간에 끝장내자!

BOOK 3

정답과 해설

실전에 강한
수능전략

영어
영역 어법

천재교육

수능전략

영·어·영·역

어법

BOOK 3

정답과 해설

DAY 1 개념 돌파 전략 ① CHECK

8~11쪽

1 flows 2 tend 3 has 4 were 5 have 6 is 7 indicates 8 ate 9 went 10 depend 11 experienced
12 has been 13 inspired 14 promised 15 had 16 had 17 Many companies 18 Meeting this challenge
19 the teacher 20 Gaudi

해석 **1** 물은 다리 아래로 흐른다. **2** 나이 많은 사람들은 스스로를 믿는 경향이 있다. **3** 소년들은 각자 방이 있다. **4** 약속을 깨뜨린 사람들은 처벌을 받았다. **5** 그 나머지 상자들은 그의 방으로 옮겨져야 한다. **6** 어떤 것이 우리에게 중요한지 판단하는 것은 우리의 문화적 차이에 달려 있다. **7** 그들은 적절하거나 부적절한 행위를 가리키는 사회적 신호들에 스스로를 적응하게 한다. **8** 내 친구 Amy는 지나치게 느리게 먹었다. **9** 그들은 오후 4시에 그들의 사무실로 되돌아갔다. **10** 개인의 성공이 주로 그 사람 개인의 능력과 행위에 달려 있다는 믿음은 이러한 형태의 주체성을 동반한다. **11** 개인적인 고난을 경험한 많은 부모들이 자신들의 자녀는 더 나은 삶을 살기를 열망한다. **12** 1970년대 이후로 국가 간의 더 자유로운 자금 이동을 지향하는 흐름이 있어 왔다. **13** 스마트워치와 운동 추적기들은 많은 사람들이 운동을 하게 고무해 왔다. **14** 너는 지난달에 우리가 그녀를 돕자고 약속한 것이 기억나지 않니? **15** 그녀는 무슨 일이 일어났는지에 대해 조용히 내 말을 들었다. **16** 아기는 벨이 울릴 때까지 자고 있었다. **17** 많은 기업들이 행위와 결과를 혼동한다. **18** 이 과제에 대응하려면 동등한 대우에 대한 약속이 필요하다. **19** 그 아이들은 선생님에 의해 두 모둠으로 나뉘었다. **20** 그 건물은 Gaudi에 의해 설계되었다.

DAY 1 개념 돌파 전략 ②

12~13쪽

A (a) is (b) is (c) Allow **B** (a) rated (b) has
C ① **D** ③

A 해석 악기를 잡고 연주하는 정확한 방법이 대체로 있다고 해도 먼저 시작해야 할 가장 중요한 가르침은 악기가 장난감이 아니라는 것과 악기는 관리를 받아야 한다는 것이다. 아이들에게 알려 주기 전에 악기를 직접 다루고 연주하는 방법을 탐구할 시간을 주어라.

해설 (a) 「there +be동사」 구문에서 be동사의 주어는 뒤에 나오는 명사이다. a correct way가 주어이므로 단수 be동사 is가 적절하다.
(b) be동사의 주어는 the most important instruction으로 단수이다. 따라서 단수 be동사 is가 적절하다.
(c) 문장에 본동사가 없는 것으로 보아 네모 안의 동사가 본동사가 되어 명령문 형식이 되는 것이 적절하다. 따라서 동사원형 형태의 Allow가 알맞다.

끊어 읽기로 보는 구문

~에도 불구하고   정확한 방법이 대체로 있다   악기를 잡고 연주하는
Although / there is usually a correct way / of holding and playing musical instruments,
　　　　　　　　　　　　S　　　　　└─ = of holding (musical instruments) and playing musical instruments

시작해야 하는 가장 중요한 가르침은   그것들이 장난감이 아니라는 것이다
/ the most important instruction to begin with / is that they are not toys
　　　　핵심 S　　└─형용사적 용법　　　　　　보어절　└─ = musical instruments

그리고 그것들은 관리되어야 한다는 것이다
/ and that they must be looked after.
　　보어절　└─ = musical instruments

B 해석 외래종에 의한 자연 군집 침범은 현재 가장 중요한 전지구적 범위의 환경 문제 중 하나로 평가되고 있다. 생물 다양성의 상실은 생태계가 기능하는 것의 결과에 대한 우려를 자아냈고, 따라서 이 둘 사이의 관계를 이해하는 것이 지난 20년간 생태학 연구의 주요 초점이 되어 왔다.

해설 (a) '외래종에 의한 자연 군집 침범'이라는 현상은 스스로 평가하는 것이 아니라 평가되는 것이므로 수동태가 되도록 rate를 과거분사 rated로 써야 한다.
(b) 주어가 동명사구 understanding the relationship between both이므로 동사는 단수형으로 써야 한다. 따라서 have는 has로 쓰는 것이 적절하다.

끊어 읽기로 보는 구문

자연 군집 침범은   외래종에 의한
[Invasions of natural communities / by non-indigenous species] [주어구]
핵심 S   ~에 의한

현재 평가되고 있다   가장 중요한 전지구적 범위의 환경 문제 중 하나로
/ are currently rate(→ rated) / as one of the most important global-scale environmental problems.
     V(수동태)   be rated as ~: ~로 평가되다

C 해석 저는 석 달 전에 저희에게 제공된 세탁기의 서비스에 관해 지난 월요일에 우리가 논의했던 것을 귀사에서 기억하고 있기를 바랍니다. 그 세탁기가 더 이상 작동하지 않는다고 말하게 되어 유감입니다. 우리가 그때 만나 합의한 대로 가능한 한 빨리 그것을 수리할 서비스 기사를 보내주십시오. 제품 보증서에는 귀사가 여분의 부품과 재료를 무상으로 제공하며, 다만 기사의 노동에 대해서는 요금을 부과한다고 되어 있습니다.

해설 ① 바로 뒤에 명확한 과거 시점을 나타내는 부사구 last Monday가 있으므로 현재완료를 쓸 수 없다. have discussed를 discussed로 고쳐야 한다.

끊어 읽기로 보는 구문

나는 바란다   당신이 기억하기를   지난 월요일에 우리가 논의했던 것을
I hope / you remember / that we have discussed(→ discussed) last Monday /
     명사절 접속사 that이 생략됨   remember의 목적어인 명사절을 이끄는 접속사 that

세탁기의 서비스에 관해   석 달 전에 우리에게 제공된
the servicing of the washing machine / supplied to us three months ago.
     the washing machine을 꾸미는 수동의 의미가 있는 과거분사구

D 해석 과학적 측정이 정확하게 이루어졌는지 등등을 확실히 하는 것은 매우 필요한 일이다. 그러나 생명이 관련되어 있는 한, 그것은 TV에서 색을 빼버려서 모든 것을 흑백으로 보고는 그것이 더 진실이라고 말하는 것과 약간 비슷하다. 그것은 더 진실한 것이 아니다. 그것은 단지 삶의 풍성함을 제거하는 여과장치일 뿐이다.

해설 ③ 주격 관계대명사절의 동사는 선행사가 주어에 해당한다. 단수인 a filter가 선행사이므로 reduce를 reduces로 고쳐야 한다.

끊어 읽기로 보는 구문

생명이 관련되어 있는 한   그러나   그것은 TV에서 색을 빼버리는 것과 약간 비슷하다
As far as life is concerned, / however, / it is a bit like **turning** the color off on your TV
as far as: ~하는 한   앞 문장의 내용(과학적 측정이 정확하게 이루어졌는지 등등을 확실히 하는 것)

여러분이 모든 것을 흑백으로 보도록   그리고 그것이 더 진실하다고 말하는 것과
/ so that you see everything in black and white / and then **saying** that is more truthful.
목적을 나타내는 접속사 so that   등위접속사 and가 turning과 saying을 병렬 연결, 전치사 like의 목적어

[대표 유형] 1 ⑤   2 ⑤

[대표 유형 1]   지 문 한 눈 에 보 기

❶ Although sports nutrition is a fairly new academic discipline, / there have always been recommendations
부사절: ~이지만
/ ①made to athletes about foods / that could enhance athletic performance. ❷ One ancient Greek
recommendations를 꾸미는 과거분사구   선행사   관계대명사절
athlete is reported / ② to have eaten dried figs / to enhance training. ❸ There are reports / that
to부정사의 완료형   부사적 용법(목적)   동격의 that
marathon runners in the 1908 Olympics drank cognac / to improve performance. ❹ The teenage running
부사적 용법(목적)
phenomenon, Mary Decker, / surprised the sports world in the 1970s / [when she reported / ③ that
동격   [부사절]   reported의 목적어 명사절
she ate a plate of spaghetti noodles / the night before a race]. ❺ Such practices may be suggested /
to athletes / ④because of their real or perceived benefits / by individuals who excelled in their sports.
because of+명사(구)   선행사   주격 관계대명사절
❻ Obviously, / some of these practices, / such as drinking alcohol during a marathon, / are no longer
S   ~와 같은(앞의 주어에 대한 예시)   V
recommended, / but others, / such as a high-carbohydrate meal the night before a competition, / ⑤has
S   ~와 같은 (앞의 명사 others에 대한 예시)   V
(→ have) stood the test of time.

해석 ❶ 운동 영양학이 매우 새로운 학문 분야이긴 하지만, 선수들의 운동 기량을 향상할 수 있게 하는 음식에 관해 이루어지는 충고는 늘 존재해 왔다. ❷ 고대 그리스의 한 운동선수는 컨디션을 향상하기 위해 말린 무화과를 먹었다고 전해진다. ❸ 1908년 올림픽에서 마라톤 선수들은 기량을 향상하기 위하여 코냑을 마셨다는 보고가 있다. ❹ 십 대 달리기 천재인 Mary Decker는 시합 전날 밤 스파게티 한 접시를 먹었다고 전해서 1970년대에 스포츠 계를 놀라게 했다. ❺ 그러한 관행은 그것의 실제적인 이점 혹은 자신의 운동 분야에서 탁월한 능력을 보인 개인들이 인식한 이점 때문에 운동선수들에게 권해질 수도 있다. ❻ 분명 마라톤 중에 술을 마시는 것과 같은 이러한 관행 중 일부는

더 이상 추천되지 않지만, 경기 전날 밤의 고탄수화물 식사와 같은 다른 관행은 세월의 검증을 견뎌냈다.

정답 전략 주어와 동사의 수 일치 ⑤ has stood의 주어는 앞의 others이고, such as ~ a competition은 others에 대한 예시이다. 따라서 주어가 복수이므로 has는 have로 고쳐 써야 한다.

왜 오답일까? ① recommendations(충고들)가 '선수들에게(to athletes)' 직접 하는 것이 아니라 누군가에 의해 이루어지는 것이므로 수동의 의미인 과거분사 made가 알맞다.
② '고대 그리스의 운동선수'가 과거에 했던 일을 나타내어 문장의 시제인 현재보다 앞서므로 to부정사의 완료형으로 쓰는 것이 알맞다.
③ that 뒤에 완전한 절이 나오므로 reported의 목적어인 명사절을 이끄는 접속사 that의 쓰임은 적절하다.
④ 뒤에 명사구가 나오므로 because of의 쓰임이 알맞다. 뒤에 절이 나올 경우에는 because를 써야 한다.

[대표 유형 2]   지 문 한 눈 에 보 기

❶ In early modern Europe, / transport by water / was usually much cheaper / than transport by land. ❷ An
비교 대상 1 / S   비교급 강조 부사   비교 대상 2
Italian printer calculated in 1550 / ①that [to send a load of books from Rome to Lyons] / would cost 18 scudi by
that절은 calculated의 목적어 명사절   [S(to부정사구)]   V
land / compared with 4 by sea. ❸ Letters were normally carried overland, / but a system [of transporting letters
compared with: ~와 비교하여   S   of ~ by canal boat가 a system을 꾸밈
and newspapers, as well as people, by canal boat] / ②developed in the Dutch Republic / in the seventeenth
A as well as B: B뿐만 아니라 A도   V
century. ❹ The average speed of the boats / was a little over four miles an hour, / ③slow compared to a rider on
S   V   being이 생략된 분사구문 = and it was slow ~

horseback. ❺ **On the other hand**, / the service was regular, frequent and cheap, / and allowed communication
반면, 다른 한 편으로는
/ **not only** between Amsterdam and the smaller towns, / **but also** between one small town and another, / thus
———— not only A but also B: A뿐만 아니라 B도 ————
④equalizing accessibility to information. ❻ **It** was only in 1837, / with the invention of the electric telegraph, /
동시에 일어나는 일을 나타내는 분사구문   it ~ that 강조 구문
that the traditional link between transport and the communication of messages / ⑤were(→ was) broken.

해석 ❶ 근대 초기 유럽에서 수로를 통한 운송은 대개 육로를 통한 운송보다 훨씬 더 저렴했다. ❷ 1550년에 이탈리아의 한 인쇄업자는 로마에서 리옹까지 책 한 짐을 보내는 데 뱃길로는 4스쿠도인데 비해 육로로는 18스쿠도가 들 것이라고 추정했다. ❸ 편지는 보통 육로로 운반되었지만 운하용 배를 통해 사람뿐만 아니라 편지와 신문을 운송하는 시스템이 17세기에 네덜란드 공화국에서 발달했다. ❹ 그 배들의 평균 속력은 시속 4마일이 약간 넘었는데 말을 타고 다니는 사람에 비해서는 느렸다. ❺ 반면 그 서비스는 규칙적이고 빈번하고 저렴해서 암스텔담과 더 작은 마을들 사이뿐만 아니라 작은 마을과 또 다른 작은 마을 간에도 연락이 가능하게 했고, 따라서 정보에 대한 접근을 균등하게 했다. ❻ 운송과 메시지 연락 사이의 전통적인 관계가 깨진 것은 바로 1837년 전기 전신의 발명으로 인해서였다.

정답 전략 주어와 동사의 수 일치 ⑤ 주어가 the traditional link이므로 단수 동사 was가 적절하다.

왜 오답일까? ① that 뒤에 완전한 절이 나오므로, 동사 calculated의 목적어가 되는 명사절을 이끄는 접속사 that의 쓰임이 적절하다.

② developed는 'Letters were normally carried overland'와 등위접속사 but으로 연결되는 절의 동사 역할을 한다. 주어가 a system이고 develop은 자동사로 '발달하다'라는 의미로 쓰였다.

③ slow는 being이 생략된 분사구문을 이끌며 주어에 대한 부연 설명을 한다.

④ 분사구문에 쓰인 현재분사로, 생략된 주어는 the service라고 할 수 있다. '그 서비스'가 정보에 대한 접근을 '균등하게 한' 것이므로 능동의 현재분사가 적절하게 쓰였다.

DAY 2 필수 체크 전략 ② | 16~19쪽

1 ③   **2** ②   **3** ⑤   **4** ⑤

1 —— 지문 한눈에 보기

❶ The idea / that hypnosis can put the brain into a special state, / [①in which the powers of memory are
S   동격의 that절   선행사   = where
dramatically greater than normal], / reflects a belief / in a form of easily unlocked potential. ❷ But it is false.
                                    V   부사 형용사 명사
❸ People under hypnosis / generate more "memories" / than they ②do in a normal state, / but these
                                                                    = generate
recollections are as likely to be false as true. ❹ Hypnosis leads them to come up with more information, / but not
              ~일 가능성이 있다
necessarily more accurate information. ❺ In fact, / **it** might actually be people's beliefs in the power of hypnosis
                                                   it ~ that 강조 구문
/ **that** ③leads(→ lead) them to recall more things: ❻ If people believe / [that they should have better memory
                                                        부사절(조건)   [believe의 목적어 명사절]
under hypnosis], / they will try harder to retrieve more memories / when hypnotized. ❼ Unfortunately, / there's
                                                                they are 생략   ~할
no way to know / ④whether the memories hypnotized people retrieve are true or not / — [unless of course we
방법이 없다   관계대명사가 생략된 목적격 관계대명사절   부사절: ~하지 않는 한
know exactly / what the person should be able to remember]. ❽ But if we ⑤knew that, / then we'd have no need
                know의 목적어 명사절(간접의문문)   가정법 과거
to use hypnosis in the first place!

해석 ❶ 최면이 뇌의 기억력을 보통보다 훨씬 더 좋은 특별한 상태로 만들 수 있다는 생각은 쉽게 열리는 잠재력의 한 형태에 대한 믿음을 반영한다. ❷ 하지만 그것

은 거짓이다. ❸ 최면에 걸린 사람들이 보통의 상태에서 기억을 해내는 것보다 더 많이 '기억'해 내지만, 이 기억들은 사실일 만큼이나 거짓일 가능성도 있다. ❹ 최면은 사람들이 더 많은 정보를 생각해 내게 하지만, 반드시 더 정확한 정보를 생각해 내게 하는 것은 아니다. ❺ 사실상 실제로 그들이 더 많은 것들을 기억해 내게 하는 것

은 바로 최면의 힘에 대한 사람들의 믿음일지도 모른다. ❻ 만약 사람들이 그들이 최면에 놓인 상태에서 더 잘 기억해 내야 한다고 믿으면, 그들은 최면에 빠졌을 때 더 많은 기억을 상기해 내려고 더 열심히 노력할 것이다. ❼ 안타깝게도, 최면에 걸린 사람들이 상기해 낸 기억이 사실인지 아닌지를 알 방법은 없다—물론 우리가 그 사람이 무엇을 기억해 낼 수 있어야만 하는지를 정확하게 알지 못한다면 말이다. ❽ 그러나 우리가 그것을 안다면, 그러면 애초에 최면을 사용할 필요가 없을 것이다!

정답 전략 주어와 동사의 수 일치 ③ It ~ that 강조 구문에서 강조되는 대상이 주어 people's beliefs로 복수이므로 복수 동사인

lead로 고쳐 써야 한다.

왜 오답일까? ① in which 뒤의 관계사절이 완전한 형태이므로 「전치사+관계대명사」로 관계사절에서 부사 역할을 하는 것이 적절하다. 선행사로 보아 관계부사 where로 바꿀 수 있다.

② 대동사 do가 앞의 일반동사 generate를 대신 받으므로 쓰임이 적절하다.

④ whether ~ or not은 '~인지 아닌지'라는 의미로 명사절을 이끄므로 쓰임이 알맞다.

⑤ 가정법 과거 문장에서 if절에는 동사의 과거형이 쓰인다.

---

❶ Water has no calories, / but it takes up a space in your stomach, / which creates a feeling of fullness.
차지하다 　　　　　　　　　　　　　　　　　　앞에 나온 절의 내용을 받음

❷ Recently, / a study found / (A) that / what people [who drank two glasses of water before meals] / got full
　　　　　　　　　　　　　　　　　　선행사 S　주격 관계대명사절　　　　　　　　　　　　　V1
sooner, / ate fewer calories, / and lost more weight. ❸ You can put the same strategy to work / by choosing foods
V2　　　　　　　V3　　　　　　　　　　　　　　　　　　　　　　　choose A over B: B 대신 A를 선택하다
/ [that have a higher water content] / over those with less water. ❹ For example, / the only difference between
[주격 관계대명사절]　　　　　　　= foods　　　　　　　　　　　　　　　　　　　　　　　S
grapes and raisins / (B) is / are [that grapes have about 6 times as much water in them]. ❺ That water makes a
　　　　　　　　　　　　V　보어절
big difference / in how much they fill you up. ❻ You'll feel much more satisfied / after eating 100 calories' worth
　　　　　　　간접의문문　　　　　　　　　　　　비교급을 강조하는 부사　　　　전치사+동명사
of grapes / than you would after eating 100 calories' worth of raisins. ❼ Salad vegetables like lettuce, cucumbers,
　　　　　　　　would 뒤에 feel이 생략됨　　　　　　　　　　　　　　　　앞에 나온 일반동사 have를 대신하는 대동사 do
and tomatoes / also have a very high water content, / as (C) are / do broth-based soups.

해석 ❶ 물은 칼로리가 없지만 위장에서 공간을 차지하여 그것이 포만감을 만든다. ❷ 최근에 한 연구는 식사 전에 물 두 잔을 마신 사람은 더 빨리 배가 부르고, 더 적은 칼로리를 먹으며, 더 많은 몸무게가 빠진다는 것을 밝혀냈다. ❸ 수분 함량이 더 적은 음식보다 수분 함량이 더 많은 음식을 선택함으로써 바로 그 전략이 작동하도록 할 수 있다. ❹ 예를 들어, 포도와 건포도의 유일한 차이는 포도가 약 여섯 배 더 많은 수분을 함유하고 있다는 것이다. ❺ 그 수분이 그것들이 얼마만큼 배를 채우는지에 큰 차이를 만든다. ❻ 100칼로리 상당의 건포도를 먹은 후에 느끼는 것보다 100칼로리 상당의 포도를 먹은 후에 훨씬 더 만족감을 느끼게 된다. ❼ 상추, 오이, 그리고 토마토와 같은 샐러드 채소 역시 묽은 수프가 그런

것처럼 매우 높은 수분 함량을 갖고 있다.

정답 전략 접속사와 관계대명사, 주어와 동사의 수 일치, 대동사 do
(A) 뒤에 주어(people)와 동사(got, ate, lost)를 갖춘 완전한 형태의 절이 나왔으므로 접속사 that이 적절하다. what 뒤에는 불완전한 형태의 절이 온다.
(B) 주어는 the only difference이므로 3인칭 단수형 be동사 is가 적절하다.
(C) '묽은 수프가 그러한 것처럼 샐러드 채소들은 수분 함량이 높다'라는 의미로, broth-based soups 앞에는 일반동사 have를 대신하는 표현인 대동사 do를 쓰는 것이 적절하다.

---

❶ When I was young, / my parents worshipped medical doctors / as if they were exceptional beings ①possessing
　　　　　　　　　　　　　　　　　　　　　　　　　as if 가정법 과거: 주절과 같은 시점에서 불가능한 일을 가정　　명사 수식(현재분사구)
godlike qualities. ❷ But I never dreamed of pursuing a career in medicine / until I entered the hospital for a
　　　　　　　　　　　　　　~하고 나서야 …할 꿈을 꾸다　　　　　　　　　　　　부사절: ~할 때까지
rare disease. ❸ I became a medical curiosity, / attracting some of the area's top specialists / to look in on me
　　　　　　　　　　　　　　　　분사구문 (생략된 주어는 I)　　　　　　　　　　　　　부사적 용법(목적)
and ②review my case. ❹ As a patient, and a teenager ③eager to return to college, / I asked each doctor who
→ to look ~ and (to) review　　　　　　　　(who was 생략) eager ~ college가 뒤에서 명사를 설명
examined me, / "What caused my disease?" / "How will you make me better?" ❺ The typical response was

nonverbal. ❻ They shook their heads / and walked out of my room. ❼ I remember ④thinking to myself, / "Well,

remember+동명사: (과거에) ~한 것을 기억하다

I could do that." ❽ When it became clear to me / ⑤what(→ that) no doctor could answer my basic questions, /

가주어 it　　　　진주어 that절

I walked out of the hospital against medical advice. ❾ Returning to college, / I pursued medicine with a great

= After I returned to college, ~

passion.

해석 ❶ 내가 어릴 때 부모님은 의사들이 마치 신과 같은 재능을 지닌 뛰어난 존재인 것처럼 우러러보았다. ❷ 그러나 나는 희귀병으로 병원에 입원하고 나서야 의학에서의 직업을 추구할 것을 꿈꾸게 되었다. ❸ 나는 그 분야 최고의 몇몇 전문의들이 나를 방문하여 사례를 관찰하도록 이끄는 의학적 호기심의 대상이 되었다. ❹ 환자로서, 그리고 대학으로 돌아가기를 간절히 바라는 십 대로서, 나는 나를 진찰한 각 의사에게 물었다. "무엇이 제 병의 원인인가요?" "어떻게 저를 낫게 해주실 건가요?" ❺ 전형적인 반응은 비언어적인 것이었다. ❻ 그들은 머리를 가로저으며 내 방을 나갔다. ❼ 나는 "음, 내가 그쯤은 할 수 있을 거야."라고 속으로 생각했던 것이 기억난다. ❽ 어떤 의사도 나의 기본적인 질문에 대답할 수 없다는 것이 내게 분명해졌을 때, 나는 의학적 조언을 따르지 않고 병원을 나갔다. ❾ 대학

에 돌아와서 나는 매우 열정적으로 의학을 추구하게 되었다.

정답 전략 가주어 it과 진주어 that절 ⑤ what 뒤에 완전한 절이 나오고 있고, 주어 it이 의미가 없는 형식상의 주어, 즉 가주어이므로 what을 명사절 접속사 that으로 고쳐 that절이 진주어가 되게 해야 한다.

왜 오답일까? ① 현재분사 possessing이 명사구 exceptional beings를 꾸미고 있다. 뛰어난 존재가 신과 같은 재능을 '가지고 있는'이라는 능동의 의미가 어울리므로 현재분사가 알맞다.
② review는 to look에 연결되는 병렬 구조이므로 동사원형이 알맞다. 앞에 to가 생략된 것으로 볼 수 있다.
③ 형용사 eager 앞에 관계대명사와 be동사가 생략된 구조이다. 「주격 관계대명사+be동사」는 생략할 수 있다.
④ remember의 목적어로 동명사가 오면 '~했던 것을 기억하다'라는 의미이다. 과거의 일을 회상하는 글의 흐름상 동명사의 쓰임이 자연스럽다.

---

❶ Why do we often feel / that others are paying more attention to us / than they really are? ❷ The spotlight

feel의 목적어 명사절　　　　　　　　　　　　　　　　　　= are paying attention

effect means seeing ourselves at center stage, / thus intuitively overestimating the extent / ①to which others'

분사구문을 이끄는 현재분사　선행사　전치사+관계대명사

attention is aimed at us. ❸ Timothy Lawson explored the spotlight effect / by having college students ②change

have+목적어+동사원형: ~에게 …하게 하다

into a sweatshirt with a big popular logo on the front / before meeting a group of peers. ❹ Nearly 40 percent

of them ③were sure ∧the other students would remember / what the shirt said, / but only 10 percent actually

(접속사 that 생략)　　　　　　　　　　　간접의문문

did. ❺ Most observers did not even notice / ④that the students changed sweatshirts / after leaving the room

= remembered　　　　　　　　　　notice의 목적어 명사절

for a few minutes. ❻ In another experiment, / even noticeable clothes, / such as a T-shirt with singer Barry

S　　　　　　such as ~는 주어를 설명함

Manilow on it, / ⑤provoking(→ provoked) only 23 percent of observers to notice / —far fewer than the 50

V

percent estimated by [the students sporting the 1970s soft rock singer on their chests].

= 앞서 언급된 Barry Manilow가　= singer Barry Manilow
　그려진 눈에 띄는 옷을 입은 학생들

해석 ❶ 우리는 왜 다른 사람들이 실제로 그런 것보다 더 많이 우리를 주목하고 있다고 종종 느끼는가? ❷ 조명 효과는 우리 자신을 무대의 중앙에 있다고 보는 것을 의미하며, 따라서 다른 사람들의 주목이 우리에게 향해 있는 정도를 직관적으로 과대평가한다. ❸ Timothy Lawson은 대학생들에게 또래 집단을 만나기 전에 앞면에 커다란 유명 상표가 있는 운동복 상의로 갈아입게 하여 조명 효과를 조사했다. ❹ 그들 중 거의 40퍼센트가 다른 학생들이 셔츠에

무엇이 쓰여 있는지 기억할 것이라고 확신했지만, 단지 10퍼센트만이 실제로 그러했다. ❺ 대부분의 관찰자들은 학생들이 몇 분 동안 방을 떠난 후에 운동복 상의를 갈아입은 것조차 알아차리지 못했다. ❻ 또 다른 실험에서는 가수 Barry Manilow가 그려진 티셔츠와 같이 눈에 띄는 옷조차 오직 23퍼센트의 관찰자들만이 알아차리게 했다. 즉, 가슴에 그 1970년대의 소프트 록 가수를 전시하는 학생들에 의해 추정된 50퍼센트보다 훨씬 더 적었다.

주어와 동사 ⑤ 주어는 noticeable clothes이며, 문장에 본동사 역할을 하는 말이 없으므로 provoking을 provoked로 고쳐야 한다.

①「전치사＋관계대명사」 뒤에 완전한 형태의 절이 나오므로 어법상 자연스럽다. to the extent가 관계사절에서 부사구 역할을 하게 된다.

②「have＋목적어＋목적격 보어」의 5형식 구조에서 목적격 보어로 쓰인 동사원형이므로 적절하다.

③ 주어는 Nearly 40 percent of them이며, Nearly 40 percent of 뒤에 복수 대명사인 them이 오므로 복수 동사 were가 알맞다.

④ 뒤에 완전한 형태의 절이 오므로 that은 명사절을 이끄는 접속사로 바르게 쓰였다.

DAY 3 필수 체크 전략 ①

| 20~21쪽

[대표 유형] 1 ⑤　　2 ③

[대표 유형 1]　　지문 한 눈에 보기

❶ Commercial airplanes generally travel airways / similar to roads, / although they are not physical structures.
　　　　　　　　　　　　　　　　　　　　　　　　which are가 생략됨　　　　부사절(양보)　　　　　　= airways

❷ Airways have fixed widths and defined altitudes, / ①which separate traffic / moving in opposite directions.
　　　　　　　　　선행사　　　　　　　　　　　　주격 관계대명사(계속적 용법)　　　현재분사구

❸ Vertical separation of aircraft / allows some flights / ②to pass over airports / while other processes occur below.
　　　　　　　　　　　　　　　　　allow+O+OC(to부정사)　　　　　　　　　부사절: ~하는 동안에

❹ Air travel usually covers long distances, / with short periods of intense pilot activity at takeoff and landing
　　　　　　　　　　　　　　　　　　　short periods와 long periods가 병렬 연결됨
/ and long periods of lower pilot activity while in the air, / the portion of the flight ③known as the "long haul."
　　　　　　　　　　　　　　　　　　　　　　　　　　　= long periods와 동격　　the portion이 '알려져 있는' 것이므로 수동의 과거분사가 꾸밈

❺ During the long-haul portion of a flight, / pilots spend more time assessing aircraft status / than ④searching
　　　　　　　　　　　　　　　　　　　　　　　　　　　　　　　　　　assessing ~과 searching ~을 비교
out nearby planes. ❻ This is / because collisions between aircraft usually occur in the surrounding area of
airports, / [while crashes [due to aircraft malfunction] / ⑤tends(→ tend) to occur during long-haul flight].
　　　　부사절: 반면에　　S　　　　　crashes를 꾸밈　　　　　　　　　　　V

❶ 일반적으로 민간 항공기는 비록 물리적 구조물은 아니라 해도 도로와 유사한 항로로 운항한다. ❷ 항로에는 고정된 폭과 규정된 고도가 있으며, 그것들이 반대 방향으로 움직이는 통행량을 분리한다. ❸ 항공기 사이의 수직 간격은 아래에서 다른 과정이 이루어지는 동안 어떤 비행기들이 공항 위를 통과할 수 있게 해 준다. ❹ 비행은 대개 장거리에 걸쳐 있는데, 이륙과 착륙 시 짧은 시간의 고강도 조종사 활동과, '장거리'라고 알려진 비행 부분인, 공중에 있는 동안 긴 시간의 저강도 조종사 활동이 있다. ❺ 비행에서 장거리 부분 동안 조종사들은 근처의 비행기를 탐색하는 것보다 항공기 상태를 평가하는 데 더 많은 시간을 보낸다. ❻ 이는 항공기 간의 충돌은

대개 공항 주변 지역에서 발생하는 반면, 항공기 오작동으로 인한 추락은 장거리 비행 중에 발생하는 경향이 있기 때문이다.

주어와 동사의 수 일치 ⑤ while이 이끄는 부사절에서 주어는 복수인 crashes이므로 tends는 복수 동사인 tend로 고쳐 써야 한다.

① 계속적 용법으로 쓰인 관계대명사 which가 사물인 선행사를 받고 있고, 뒤에 주어가 없는 불완전한 절이 있으므로 주격 관계대명사로 바르게 쓰였다.

②「allow＋목적어＋to부정사」의 5형식 구조로 알맞다.

③ 비행의 특정 부분(the portion)이 '알려져 있는' 것이 자연스러우므로 과거분사구가 뒤에서 꾸민다.

④ searching은 assessing과 비교되므로 문법적으로 같은 형태로 쓰는 것이 알맞다.

[대표 유형 2]　　지문 한 눈에 보기

❶ The process of job advancement in the field of sports / ①is often said to be shaped like a pyramid. ❷ That
　　　　　　　S　　　　　　　　　　　　　　　　　　　　　V　　　부사절: 반면에　　　　　　　　　즉,
is, / at the wide base are many jobs with high school athletic teams, / while at the narrow tip are the few,
　　위치를 나타내는 부사구+동사+주어(도치 구문)　　S　　　　　　　부사구+동사+주어(도치 구문)　　V

highly desired jobs with professional organizations. ❸ Thus / there are many sports jobs altogether, / but the competition becomes ②increasingly tough / as one works their way up. ❹ The salaries of various positions reflect this pyramid model. ❺ For example, high school football coaches are typically teachers / who ③paid(→ are paid) a little extra for their afterclass work. ❻ But / coaches [of the same sport at big universities] / can earn more than $1 million a year, / causing the salaries of college presidents ④to look small in comparison. ❼ One degree higher up is the National Football League, / ⑤where head coaches can earn many times more / than their best-paid campus counterparts.

become+형용사: ~해지다
부사절: ~하면서
주어가 teachers이므로 추가수당을 '지급 받는' 것이 자연스러움
S 전치사구(명사 수식) V
분사구문 / 5형식: cause+O+OC(to부정사)
선행사 관계부사절
대응 관계에 있는 사람 = 대학의 감독

해석 ❶ 스포츠 분야에서 직업 상승 과정은 피라미드와 같은 형상을 띤다고 종종 이야기된다. ❷ 즉, 넓은 하단부에는 고등학교 운동부와 관련된 많은 직업이 있는 반면에, 좁은 꼭대기에는 전문적인 조직에서의, 몹시 선망되는 매우 적은 수의 직업이 있다. ❸ 그래서 많은 스포츠 관련 일자리가 있지만 위로 올라가면서 경쟁은 점점 더 치열해진다. ❹ 다양한 직종의 봉급이 이러한 피라미드 모델을 반영한다. ❺ 예를 들어 고등학교 축구 코치들은 일반적으로 그들의 방과 후 업무에 대해 약간의 추가 수당을 지급받는 교사들이다. ❻ 하지만 큰 대학의 같은 종목 코치들은 매년 백만 달러 이상의 돈을 벌 수 있고, 이는 비교 시에 대학 총장의 봉급을 작아보이게 한다. ❼ 한 단계 위로 올라간 것이 전미 축구 연맹(NFL)인데, 그곳에서 감독들은 돈을 가장 잘 버는 대학의 감독들보다 몇 배를 더 벌 수 있다.

정답 전략 관계대명사절의 주어 ③ 주격 관계대명사절의 주어는 앞의 선행사에 해당한다. 교사들(teachers)은 돈을 '지급받는' 것이 자연스러우므로 paid를 수동태로 고쳐 are paid로 써야 한다.

왜 오답일까? ① 주어는 The process이므로 단수이다. 따라서 is가 적절하다.
② 부사 increasingly가 형용사 tough를 꾸미는 것이므로 적절하다. 「become+형용사」는 '~해지다'의 의미이다.
④ 「cause+목적어+to부정사」의 5형식 구조로 to부정사는 목적격 보어로 쓰인다.
⑤ 관계부사 뒤에 완전한 절이 와야 하며, 문맥상 the National Football League가 '위치'를 의미하므로 where의 쓰임이 자연스럽다.

DAY 3 필수 체크 전략 ②

1 ④   2 ⑤   3 ②   4 ⑤

1   지문 한눈에 보기

❶ If an animal is innately programmed for some type of behaviour, / then there ①are likely to be biological clues. ❷ It is no accident / that fish have bodies / which are streamlined and ②smooth, / [with fins and a powerful tail]. ❸ Their bodies are structurally adapted / [for moving fast through the water]. ❹ Similarly, / if you found a dead bird or mosquito, / you could guess / by looking at ③its wings / that flying was its normal mode of transport. ❺ However, we must not be over-optimistic. ❻ Biological clues are not essential. ❼ The extent / to which they are ④finding(→ found) / varies from animal to animal / and from activity to activity. ❽ For example, / it is impossible / to guess from their bodies / that birds make nests, and, / sometimes, animals behave in a way / quite contrary to ⑤what might be expected from their physical form: / ghost spiders have tremendously long legs, / yet they weave webs out of very short threads. ❾ To a human observer, / their legs seem a great hindrance / [as they spin and move about the web].

부사절(조건)
be likely to ~: ~일 가능성이 높다
S
가주어   진주어   선행사   bodies를 꾸밈
전치사+목적어(동명사구)
guess의 목적어 명사절
S   = biological clues
V
가주어
진주어   guess의 목적어인 명사절을 이끄는 접속사
선행사를 포함하는 관계대명사절
부사절: ~할 때

❶ 어떤 동물이 선천적으로 어떤 종류의 행동을 하도록 되어 있다면, 생물학적인 단서가 있을 가능성이 높다. ❷ 물고기가 지느러미와 강력한 꼬리를 갖춘 유선형이고 매끈한 몸통을 가지고 있는 것은 우연이 아니다. ❸ 그들의 몸은 물속에서 빠르게 움직이는 데 구조적으로 알맞다. ❹ 마찬가지로, 여러분이 죽은 새나 모기를 발견한다면, 그것의 날개를 보고 비행이 그것의 보편적인 이동 방식이라는 것을 추측할 수 있을 것이다. ❺ 하지만, 우리는 지나치게 낙관적이어서는 안 된다. ❻ 생물학적인 단서는 필수적인 것은 아니다. ❼ 그것들이 발견되는 정도는 동물마다 다르고 행동마다 다르다. ❽ 예를 들어, 새들의 몸통에서 그들이 둥지를 짓는 것을 추측하는 것은 불가능하고, 때로 동물들은 그들의 신체적 형태에서 예상될 수 있는 것과는 정반대의 방식으로 행동한다. 유령거미는 엄청나게 긴 다리를 가지고 있지만 매우 짧은 가닥으로 거미집을 짓는다. ❾ 인간 관찰자에게는 그들이 거미집 둘레를 빙빙 돌며 움직일 때 그것

들의 다리가 굉장한 방해물처럼 보인다.

정답 전략 **수동태** ④ 주어 they, 즉 biological clues는 '발견되는' 것이므로 현재분사 finding을 과거분사 found로 바꾸어 수동태로 써야 한다.

왜 오답일까? ① 주어는 biological clues이므로 동사 역시 are로 복수로 써야 한다. be likely to be 전체가 동사구 역할을 하여 주어가 맨 뒤에 쓰인 형태이다.

② 형용사 smooth가 streamlined와 and에 의해 병렬 연결되어 주격보어로 쓰였다.

③ its가 가리키는 것은 a dead bird or mosquito이므로 단수로 받는 것이 알맞다.

⑤ what은 선행사를 포함한 관계대명사로 쓰여 contrary to의 목적어 역할을 하는 명사절을 이끈다.

2

❶ We all want to believe / that our brains sort through information / in the most rational way ①possible.
　　　　　　　　　believe의 목적어 명사절(접속사)　　　　　　　　　　　　　　　　　　　　　형용사(명사 수식)

❷ On the contrary, / countless studies show / that there are many weaknesses of human reasoning. ❸ Common
　　　　　　　　　　　　　　　　　　　show의 목적어 명사절(접속사)

weaknesses in reasoning / ②exist across people [of all ages and educational backgrounds]. ❹ For example,
　　S　　　　　　　　　　　　V　　　　　　　　　　전치사구(명사 수식)

/ confirmation bias is ubiquitous. ❺ People pay attention to information / that supports their viewpoints, /
　　　　　　　　　　　　　　　　　　　　　　　　　～에 주목하다　　　　　　선행사　　　　주격 관계대명사절

while ③ignoring evidence to the contrary. ❻ Confirmation bias is not the same as being stubborn, / and is not
접속사+분사구문　　　전치사+관계대명사　　　　　　　　　　　　　　　　V1　　　　　　　　　　　　　　　　　　V2

constrained to issues / ④about which people have strong opinions. ❼ Instead, / it acts at a subconscious level
　　　　　　　　　선행사↑⌐‥‥‥‥‥‥‥ = about issues　　　　　　　　　　　　　　　= confirmation bias

/ to control the way / we gather and filter information. ❽ Most of us are not aware of these types of flaws in our
　　부사적 용법(목적)　(관계부사 how 생략)

reasoning processes, / but professionals who work to convince us of certain viewpoints / ⑤to study(→ study)
　　　　　　　　　　　　　　　　　　S, 선행사　⌐‥‥‥주격 관계대명사절　　　　　　　　　　　　　　　　　　　　V

the research on human decision making / to determine how to exploit our weaknesses / to make us more
　　　　　　　　　　　　　　　　　　　　　　　　　　　how+to부정사: ~하는 방법　　　　　부사적 용법(목적)

susceptible to their messages.
목적격 보어로 쓰인 형용사

❶ 우리 모두는 우리의 뇌가 할 수 있는 가장 이성적인 방법으로 정보를 분류한다고 믿고 싶어 한다. ❷ 이와 반대로, 수없이 많은 연구들이 인간의 추론에 많은 약점이 있음을 보여준다. ❸

추론에 있어서 흔한 약점들은 모든 연령대와 교육적 배경을 가진 사람들에 걸쳐 존재한다. ❹ 예를 들어, 확증 편향은 아주 흔하다. ❺ 사람들은 자신들의 견해를 뒷받침하는 정보에는 주목하는 반면, 반대되는 증거는 무시한다. ❻ 확증 편향은 고집을 부리는 것과 동일하지 않고, 사람들이 강력한 의견을 갖고 있는 사안들에 국한되지도 않는다. ❼ 대신, 그것은 우리가 정보를 수집하고 가려내는 방식을 통제하기 위해 잠재의식 수준에서 작용한다. ❽ 우리들 대부분은 우리의 추론 과정에서 이러한 종류의 결함을 인식하지 못하지만,

특정한 견해를 우리에게 납득시키기 위해 일하는 전문가들은 자신들의 메시지에 우리를 더 취약하게 만들기 위해 우리의 약점들을 이용하는 방법을 정하려고 인간의 의사결정에 관한 연구를 한다.

정답 전략 **문장의 주어와 동사** ⑤ 주어 professionals의 동사가 없으므로, to study를 study로 고쳐 이 절의 본동사로 만드는 것이 적절하다.

왜 오답일까? ① 형용사 possible은 명사 뒤에서 꾸밀 수 있다.

② 주어는 복수인 Common weaknesses이므로 exist가 알맞다.

③ 대조의 접속사 while이 남아 있는 분사구문이라고 할 수 있다. 생략된 주어 people이 반대되는 증거를 '무시하는' 상황이므로 능동의 현재분사가 적절하다.

④ 「전치사+관계대명사」 뒤에 완전한 형태의 절이 왔으므로 어법상 자연스럽다. about which(= issues)가 관계사절 안에서 부사구 역할을 하는 구조이다.

❶ In many countries, / amongst younger people, / the habit of reading newspapers has **been on the decline**
be on the decline: 쇠퇴하고 있다
/ and some of the dollars previously (A) [spent / were spent] on newspaper advertising have migrated to the
S(some of+복수명사: 복수로 취급) ↑ ┈┈┈┈┈┈┈┈┈ V
Internet. ❷ Of course / some of this decline in newspaper reading has been due to the fact / [that we are
S(some of+단수명사: 단수 취급) ↑ 전치사구(명사 수식) V 동격
doing more of our newspaper reading online]. ❸ We can read [the news of the day, or the latest on business,
the news ~ whatever news 전체가 read의 목적어
entertainment or (B) [however / whatever] news] / [on the websites of the *New York Times*, the *Guardian* or
on the websites ~ in the world 전체가 부사구
almost any other major newspaper in the world]. ❹ Increasingly, / we can access these stories wirelessly / by
mobile devices as well as our computers. ❺ Advertising dollars / have simply been (C) [followed / following] the
광고비가 이동 경로를 '따라가는' 것이므로 능동의 현재분사
migration trail / across to these new technologies.

해석 ❶ 많은 나라에서, 젊은 사람들 사이에서 신문을 읽는 습관이
감소하고 있으며, 전에 신문 광고에 쓰였던 돈의 일부가 인터넷으로
이동해 오고 있다. ❷ 물론, 신문 읽기의 감소의 일부는 우리가 신문
읽기를 온라인으로 더 많이 하고 있다는 사실에 기인해 왔다. ❸ 우
리는 New York Times나 Guardian 또는 세계의 거의 모든 주요
신문의 웹사이트에서 그날의 뉴스나 사업, 연예 또는 어떤 뉴스든지
그에 관한 최신 내용을 읽을 수 있다. ❹ 점점 더, 우리는 컴퓨터뿐
만 아니라 모바일기기로 무선을 이용해 이런 기사들에 접근할 수
있다. ❺ 광고비는 그저 이러한 새로운 기술로 건너가는 이동 경로

를 따라가고 있다.
정답 전략 문장의 주어와 동사, 복합 관계형용사, 현재완료 진행 (A)
접속사 and 뒤의 절에서 some of the dollars가 주어이고, have
migrated가 동사이다. were spent는 문장에서 본동사 역할을 하
게 되므로, spent를 써서 the dollars를 뒤에서 꾸미게 해야 한다.
(B) '어떤 뉴스든지'라는 의미이므로 whatever가 적절하다.
(C) 주어인 Advertising dollars가 이동 경로를 '따라가는' 것이므
로 능동 의미의 현재분사 following을 써야 한다.

---

❶ What could be wrong / with the compliment "I'm so proud of you"? ❷ Plenty. ❸ Just as **it** is misguided / ①**to**
= 가주어 진주어
offer your child false praise, / **it** is also a mistake / **to reward** all of his accomplishments. ❹ **Although rewards**
offer A B: A에게 B를 제공하다 (4형식) └ 가주어 진주어 부사절(양보)
sound so ②**positive**, / they can often lead to negative consequences. ❺ It is / because **they** can take away from
sound+형용사: ~처럼 들리다 = rewards = rewards
the love of learning. ❻ **If you consistently reward a child for her accomplishments,** / she starts to focus more
부사절(조건)
on **getting the reward** / than on ③**what she did to earn it**. ❼ The focus of her excitement shifts / **from** enjoying
전치사 on의 목적어(동명사구) 전치사 on의 목적어(관계대명사절) from A to B: A에서 B로
learning itself **to** ④**pleasing** you. ❽ If you applaud **every time** your child identifies a letter, / she may become a
every time+주어+동사: ~할 때마다
praise lover / [who eventually ⑤**become**(→ **becomes**) less interested in learning the alphabet for its own sake /
선행사 └┈┈┈┘ [주격 관계대명사절] 주어인 선행사가 단수인 a praise lover
than for hearing you applaud].
의미상 in learning the alphabet이 생략된 형태

해석 ❶ "나는 네가 참 자랑스러
워."라는 칭찬에 무엇이 잘못되었
을까? ❷ 많다. ❸ 자녀에게 거짓
칭찬을 하는 것이 잘못 판단된 일
인 것과 꼭 같이, 자녀의 모든 성
취에 대해 보상하는 것 또한 실수
이다. ❹ 보상이 매우 긍정적으로 들린다 해도, 그것들은 종종 부정

적인 결과로 이어질 수 있다. ❺ 이는 그것들(보상들)이 배움에 대한
애정을 빼앗아 갈 수 있기 때문이다. ❻ 만약 당신이 아이의 성취에
대해 지속적으로 보상을 해준다면, 아이는 보상을 얻기 위해 자신이
한 일보다 보상을 얻는 것에 더 집중하기 시작한다. ❼ 즐거움의 초
점이 배움 그 자체를 즐기는 것에서 당신을 기쁘게 하는 것으로 옮
겨 간다. ❽ 만약 당신이 자녀가 글자를 알아볼 때마다 박수를 쳐
준다면, 자녀는 결국 당신에게 칭찬을 듣기 위해 알파벳을 배우는

것보다 알파벳 배우기 그 자체에는 흥미를 덜 갖게 되는 칭찬 애호가가 될지도 모른다.

정답 전략 주어와 동사의 수 일치 ⑤ 주격 관계대명사절의 동사는 선행사가 주어 역할을 한다. 따라서 become은 선행사 a praise lover에 수를 맞춰야 하므로, 3인칭 단수 주어에 맞게 becomes로 고쳐 써야 한다.

왜 오답일까? ① 앞의 it은 가주어이고, to부정사구가 진주어로 쓰인 구문이다. to부정사는 명사적 용법으로 쓰여 주어 역할을 할 수 있다.

② 형용사 positive가 감각동사 sound 뒤에서 주격 보어 역할을 하고 있으므로 적절하다. 앞의 부사 so는 형용사 positive를 꾸미는 역할을 한다.

③ 앞에 선행사가 없고, 뒤에 불완전한 절이 왔으므로 what이 선행사를 포함하는 관계대명사 역할을 한다. what이 이끄는 절은 명사 역할을 하므로 전치사의 목적어로도 쓰일 수 있다.

④ 「from A to B」 구조이다. 전치사 뒤에 각각 목적어로 동명사 enjoying과 pleasing이 왔으므로 어법상 자연스럽다.

누구나 합격 전략

1 ② **2** ④ **3** ① **4** ③

---

1 지문 한눈에 보기

❶ The first underwater photographs were taken / by an Englishman [named William Thompson].
(named → 과거분사구가 명사를 뒤에서 꾸밈)
❷ In 1856, / he waterproofed a simple box camera, / attached it to a pole, / and (A) lowered / lowering it beneath the waves off
(V1) (V2) (= a simple box camera) (V3) (= a simple box camera)
the coast of southern England. ❸ During the 10-minute exposure, / the camera slowly flooded with seawater, / but the picture survived. ❹ Underwater photography was born. ❺ Near the surface, / (B) where / which the water
(선행사)
is clear / and there is enough light, / it is quite possible for an amateur photographer / to take great shots with
(가주어) (to take의 의미상의 주어) (진주어)
an inexpensive underwater camera. ❻ At greater depths / — it is dark and cold there — / photography is the principal way / of exploring a mysterious deep-sea world, / 95 percent of which has never (C) seen / been seen
(선행사) (주격 관계대명사)
before.

해석 ❶ 최초의 수중 사진은 William Thompson이라는 영국인에 의해 촬영되었다. ❷ 1856년에 그는 간단한 상자형 카메라를 방수 처리하고, 그것을 막대에 붙여서, 남부 England 연안의 바다 밑으로 내려 보냈다. ❸ 10분간의 노출 동안 카메라에 서서히 바닷물이 차올랐지만, 사진은 무사했다. ❹ 수중 사진술이 탄생한 것이다. ❺ 수면 근처에서는 물이 맑고, 빛이 충분해서 아마추어 사진작가도 저렴한 수중 카메라로 멋진 사진을 찍을 가능성이 상당히 높다. ❻ 더 깊은 곳에서는—그곳은 어둡고 차갑다—사진술이 신비로운 심해 세계를 탐험하는 주요한 방법이며, 그곳의 95%는 예전에는 전혀 볼 수 없었다.

정답 전략 문장의 주어와 동사, 관계부사와 관계대명사, 수동태 (A) 등위접속사 and로 waterproofed, attached와 함께 병렬 연결되어 있으며 he를 주어로 하여 문장의 동사 역할을 하는 것이 알맞다. 따라서 lowered가 적절하다.

(B) 선행사가 관계절에서 부사구 역할을 하므로 관계부사 where가 적절하다. 뒤에 완전한 절이 오는 것으로 보아서도 which는 쓸 수 없다.

(C) 선행사는 a mysterious deep-sea world인데, 이것은 '보는' 행위의 주체가 아니라 대상이므로 been seen을 써서 현재완료 수동태가 된다.

---

2 지문 한눈에 보기

❶ Though he probably was not the first / to do it, / Dutch eyeglass maker Hans Lippershey gets credit / for
(형용사적 용법) (뒤에서 언급된 '소형 망원경을 만든 일') (~로 인정을 받다)
putting two lenses on either end of a tube in 1608 / and ①creating a "spyglass." ❷ Even then, / it was not
(전치사 for의 목적어 1) (전치사 for의 목적어 2) (it ~ that(who) 강조 구문)
Lippershey / but his children / who discovered / ②that the double lenses made a nearby weathervane look
(강조 대상이 사람이므로 who를 쓸 수 있음) (discovered의 목적어절) (사역동사+O+OC(동사원형))

bigger. ❸ These early instruments were not ③much more than toys / because their lenses were not very strong.
_{비교급 강조 부사}

❹ The first person / to turn a spyglass toward the sky / was an Italian mathematician and professor [named
S | _{형용사적 용법(명사 수식)} | V | _{과거분사구}

Galileo Galilei]. ❺ Galileo, / who heard about the Dutch spyglass and began making his own, / ④realizing(→
S

realized) right away / how useful the device could be to armies and sailors. ❻ As he made better and better
V | _{realized의 목적어 명사절(간접의문문)} | _{부사절(때): ~하면서}

spyglasses, / which were later named telescopes, / Galileo decided ⑤to point one at the Moon.
_{선행사} | _{주격 관계대명사절(계속적 용법)} | _{명사적 용법} = a spyglass

해석 ❶ 비록 그가 그것을 해낸 최초의 사람은 아닐지라도, 네델란드의 안경알 제작자 Hans Lippershey는 1608년에 한 개의 관 양쪽 끝에 두 개의 렌즈를 붙여 '소형 망원경'을 만든 것에 대해 인정을 받고 있다. ❷ 심지어 그 때도, 이중의 렌즈가 근처의 풍향계를 더 크게 보이게 한다는 것을 발견한 사람은 Lippershey가 아니라 그의 아이들이었다. ❸ 그 렌즈들의 도수는 그리 높지 않았기 때문에 이런 초기 도구들은 장난감에 지나지 않았다. ❹ 소형 망원경을 하늘로 향하게 한 최초의 사람은 Galileo Galilei라는 이름을 가진 이탈리아 수학자이자 교수였다. ❺ 네델란드의 소형 망원경에 대해 듣고 자기 자신의 것을 만들기 시작한 Galileo는 그 장비가 군대와 선원들에게 얼마나 유용할 수 있을지 즉시 깨달았다.

❻ 점점 더 나은 소형 망원경들을 만들면서 그것들은 후에 망원경이라 불리게 되었고, Galileo는 망원경을 달로 향하게 하기로 결심했다.

정답 전략 문장의 주어와 동사 ④ 문장의 주어가 Galileo이고, 이를 서술할 동사가 필요하므로 realized가 적절하다. 현재분사는 문장의 본동사 역할을 할 수 없다.

왜 오답일까? ① 동명사 creating은 등위접속사 and로 putting과 병렬 연결되어 전치사 for의 목적어로 쓰였다. 동명사가 전치사의 목적어로 쓰일 수 있으므로 어법상 적절하다.
② 뒤에 완전한 절이 나오므로 that은 명사절 접속사로 쓰였으며, 이 절이 동사 discovered의 목적어 역할을 한다.
③ 비교급을 강조하는 부사로 much가 적절하다.
⑤ 동사 decided의 목적어로는 to부정사가 쓰일 수 있으며, 동명사는 쓸 수 없다.

---

❶ Leonardo da Vinci was / one of the most learned and well-rounded persons ever to live. ❷ The entire
_{형용사적 용법(명사 수식)}

universe [from the wing of a dragonfly to the birth of the earth] / (A) was / were the playground of his
S | _{from A to B(전치사구 – 앞의 명사 수식)} | V

curious intelligence. ❸ But / did Leonardo have some mystical or innate gift of insight and invention, / or
_{전치사구(명사 수식)}

was his brilliance learned and earned? ❹ Certainly / he had an unusual mind / and an uncanny ability [to see
_{형용사적 용법}

(B) that / what others didn't see]. ❺ But / the six thousand pages of detailed notes and drawings / present clear
_{see의 목적어(선행사를 포함한 관계대명사절)} | S | V

evidence / of a diligent, curious student / —a perpetual learner in laborious pursuit of wisdom / [who was
_{선행사} | _{전치사구} | _{주격 관계대명사절}

constantly exploring, questioning, and testing]. ❻ Expanding your mind / is vital to being creative. ❼ Therefore, /
_{S(동명사구)}

(C) invest / investing regularly in learning opportunities / is one of the greatest gifts / you can give yourself.
_{S(동명사구)} | V | _{선행사} | _{목적격 관계대명사 생략}

해석 ❶ Leonardo da Vinci는 지금껏 살았던 가장 박식하고 다재다능한 사람 중 한 명이었다. ❷ 잠자리 날개부터 지구의 탄생에 이르기까지 전 우주는 그의 호기심 많은 지성의 놀이터였다. ❸ 그러나 Leonardo가 어떤 신비하거나 타고난 통찰과 발명의 재능

을 가지고 있었거나, 혹은 그의 탁월함이 학습되고 획득된 것인가? ❹ 분명 그는 비범한 정신과 다른 사람들이 보지 못하는 것을 보는 예리한 능력을 가지고 있었다. ❺ 하지만 6천 쪽의 자세한 메모와 그림은 부지런하고 호기심 많은 학생, 즉 계속해서 탐구하고, 질문하고, 시험하는, 공들여 지식을 추구하는 끊임없는 학습자에 대한 분명한 증거를 보여준다. ❻ 여러분의 생각을 넓히는 것은 창의적인 것에 필수적이다. ❼ 그러므로 학습 기회에 규칙적으로 투자하

는 것은 여러분이 자신에게 줄 수 있는 가장 훌륭한 선물 중 하나이다.

정답 전략 주어와 동사의 수 일치, 접속사와 관계대명사, 동명사 (A) 주어가 The entire universe이므로 단수형인 was가 적절하다.

(B) 뒤에 목적어가 없는 불완전한 절이 오며 앞에 선행사가 없으므로, 선행사를 포함하는 관계대명사 what이 적절하다.

(C) 문장의 주어 역할을 할 수 있는 동명사구 investing ~ opportunities가 적절하다.

4 지문 한눈에 보기

❶ No matter what we are shopping for, / it is not primarily a brand / (that 생략) we are choosing, / but a culture, or rather the people associated with that culture. ❷ (A) [Whatever / Whether] you wear torn jeans or like to recite poetry, / by doing so / you make a statement / of belonging to a group of people. ❸ Who [we believe] we are / (B) [is / are] a result of the choices (that 생략) [we make about who we want to be like], / and we subsequently demonstrate this desired likeness to others / in various and often subtle ways. ❹ Artificial as this process is, / this is / what becomes our 'identity,' / an identity (C) [grounded / grounding] on all the superficial differences we distinguish between ourselves and others. ❺ This, / after all, / is what we are shopping for: / self-identity, knowledge of who we are.

no matter what ~: ~하든 간에 / not A but B: A가 아니라 B이다 / 과거분사구(명사 수식) / V1 / V2 / 삽입절 / = 찢어진 청바지를 입거나 시를 암송하는 것 / S(간접의문문) / V / (that 생략) 목적격 관계대명사절 / 형용사+as ~: 비록 …하지만 / 선행사를 포함하는 관계대명사 / 과거분사구(명사 수식) / 선행사 / 목적격 관계대명사(that이 생략) / 선행사를 포함하는 관계대명사절

해석 ❶ 우리가 무엇을 구매하든 간에, 그것은 근본적으로 우리가 선택하는 상표가 아니라 문화 혹은 오히려 그 문화와 관련된 사람들이다. ❷ 여러분이 찢어진 청바지를 입든, 시를 암송하기를 좋아하든, 그렇게 함으로써 여러분은 한 집단의 사람들에 속해 있음을 선언한다. ❸ 우리가 믿기에 우리가 누구인지는 우리가 닮고 싶어 하는 사람과 관련하여 우리가 하는 선택들의 결과이며, 결과적으로 우리는 다양하고 종종 미묘한 방식으로 (우리가) 희망한 다른 이들과의 유사성을 보여준다. ❹ 비록 이 과정이 인위적이지만, 이것은 우리의 정체성, 즉 우리가 우리 자신을 다른 사람들과 구별하는 모든 피상적인 차이들에 기초를 둔 정체성이 되는 것이다. ❺ 어쨌든 이것이 우리가 상품을 구매하는 목적이며, 그것은 자아 정체성, 즉 우리가 누구인지에 대하여 아는 것이다.

정답 전략 관계부사와 접속사, 문장의 주어와 동사, 준동사 (A) 뒤에 완전한 형태의 절이 이어지므로 Whether를 써서 「whether A or B(A든 B든 간에)」의 구조가 되는 것이 적절하다.

(B) 간접의문문 Who we believe we are는 명사절이며 단수로 취급되므로, 동사도 단수 형태인 is를 써야 한다.

(C) 「ground A on B」가 'A의 기초를 B에 두다'라는 의미이며, an identity는 동사 ground의 목적어가 되는 것이 자연스럽다. 따라서 수동 의미의 과거분사 grounded를 사용해야 한다. an identity (which is) grounded on ~과 같이 「관계대명사+be동사」가 생략된 것으로 볼 수도 있다.

창의·융합·코딩 전략

30~33쪽

1 ③ 2 ③

1 지문 한눈에 보기

❶ Historical evidence points to workers being ①exploited by employers in the absence of appropriate laws. ❷ This means / ②that workers are not always compensated for their contributions, for their increased productivity, / as economic theory would suggest. ❸ Employers will be able to exploit workers / [if they are not legally ③controlling(→ controlled)]. ❹ Thus, / the minimum wage laws may be the only way / to prevent many employees from working at wages / that ④are below the poverty line. ❺ This point of view means / that

진행형 수동태(명사 수식) / = 앞 문장의 내용 (적절한 법이 없을 때 노동자들이 고용주들에게 착취당함) / 부분 부정: 언제나 ~ 한 것은 아닌 / 부사절(조건) / 부사절: ~처럼, ~대로 / = employers / 형용사적 용법 / 선행사 / 주격 관계대명사절

minimum wage laws are a source of correcting for existing market failure, / ⑤enhancing the power of markets
분사구문, 생략된 주어는 minimum wage laws
to create efficient results.
형용사적 용법: the power of markets를 꾸밈

해석 ❶ 역사적인 증거들이 적절한 법이 부재할 때 고용주들에 의해 착취당하고 있는 노동자들을 가리킨다. ❷ 이것은, 경제 이론이 제시하는 것처럼 노동자들이 그들의 증가된 생산성에 대해, 즉 그들의 기여분에 대해 항상 보상을 받는 것이 아님을 의미한다. ❸ 만약 고용주들이 법적으로 제약을 받지 않는다면 노동자들을 착취할 수 있을 것이다. ❹ 따라서 최저임금법은 어쩌면 많은 노동자들이 빈곤선 아래의 월급으로 노동하는 것을 못하게 막는 유일한 방법일 수 있다. ❺ 이러한 관점은 최저임금법이 효율적인 결과를 창출해 내는 시장의 힘을 강화시키면서 현존하는 시장의 실패를 수정하는 원천이라는 것을 의미한다.

Words point to ~를 가리키다, 암시하다 exploit 착취하다 in the absence of ~의 부재로 compensate 보상하다 contribution 기여 productivity 생산성 legally 법적으로 minimum wage 최저임금 poverty line 빈곤선(생계 유지에 필요한 최저 소득 기준)

2 지문 한눈에 보기

❶ Much has been written and (A) [says / said] about positive self-talk / —for example, repeating to ourselves /
= has been written and (has been) said
["I am wonderful" / when we feel down,] / or ["I am getting better every day in every way" / each morning
positive pep talk의 예 1 / positive pep talk의 예 2
in front of the mirror]. ❷ The evidence that this sort of pep talk works / (B) [is / are] weak, / and there are
that절의 내용 (동격)
psychologists / who suggest / that it can actually hurt more / than it can help. ❸ Little, unfortunately, has been
suggest의 목적어 명사절
written about *real self-talk*, / acknowledging honestly / what we are feeling at a given point. ❹ When ^ feeling
분사구문 / (we are 생략)
down, / saying "I am really sad" or "I feel so torn"—to ourselves or to someone we trust— / (C) [is / to be] much
S(동명사구) / V(단수 동사)
more helpful / than declaring "I am tough" or "I am happy."
saying ~ 과 declaring을 비교

해석 ❶ 긍정적 자기 대화, 예를 들어 우리가 우울할 때 "나는 멋져"라고, 혹은 아침마다 거울 앞에서 "나는 모든 면에서 매일 더 좋아지고 있어"라고 되뇌는 것에 관해 많은 글이 쓰여 왔고, 많이 이야기되었다. ❷ 이러한 종류의 격려의 말이 효과가 있다는 증거는 빈약하며, 그것이 실제로는 도움이 될 수 있기보다 오히려 해가 될 수 있다고 말하는 심리학자들이 있다. ❸ 불행하게도, 주어진 시점에 우리가 느끼는 것을 솔직하게 인정하면서 '진짜 자신에게 하는 말'에 대해서는 거의 쓰이지 않았다. ❹ 우울할 때, 스스로에게 혹은 신뢰하는 누군가에게, "나는 정말로 슬퍼" 혹은 "나는 몹시 마음이 아파"라고 말하는 것이 "나는 강해" 혹은 "나는 행복해"라고 선언하는 것보다 훨씬 더 도움이 된다.

Words positive 긍정적인 self-talk 자기 대화 mirror 거울 evidence 증거 psychologist 심리학자 unfortunately 불행하게도 acknowledge 인정하다 trust 신뢰하다 declare 선언하다

DAY 1 개념 돌파 전략 ① CHECK | 36~39쪽

| **1** spending | **2** contacting | **3** working | **4** posting | **5** It | **6** to mow, do | **7** ringing | **8** upcoming | **9** required |
| **10** recognized | **11** pulled | **12** cleaned | **13** embarrassed | **14** Putting | **15** Having | **16** Stuck | **17** be | **18** didn't apologize |

해석 **1** 스트레스는 주로 부정적인 것에 에너지를 소비하는 데서 온다. **2** 나는 그 정보를 얻기 위해 경찰에 직접 연락할 것을 건의한다. **3** 온라인 뱅킹 시스템이 갑자기 작동을 멈췄다. **4** 지난달에 제 최근 소설에 대한 리뷰를 웹에 올린 것을 기억하시나요? **5** 20,000,000℃의 온도가 무엇을 의미하는지 이해하기는 어렵다. **6** 그녀는 나에게 잔디를 깎으라고 강요하고 나서 내가 잔대를 깎는 것을 지켜보았다. **7** 직장인들은 울리는 전화 소리 때문에 정기적으로 방해를 받는다. **8** 나는 다가오는 행사에 대한 주간 뉴스레터를 읽었다. **9** 의뢰인은 변호인이 변호를 준비하는 데 필요한 정보를 제공했다. **10** 공공 협의의 중요성이 점점 더 인식되고 있다. **11** 갑자기, 나는 내 머리카락이 뒤로 잡아당겨지는 것을 느꼈다. **12** 당신의 방 청소는 시켰나요? **13** 그녀의 여행 계획이 나를 당황하게 했다. **14** 책을 선반 위에 올려놓으며 그가 뭐라고 중얼거렸다. **15** 고래에 관한 영화를 보고 나는 고래에 대해 더 배우기로 결심했다. **16** 진흙탕에 빠진 그 차는 조금도 움직일 수 없었다. **17** 관찰 결과들은 공개 검증의 대상이 되어야 한다는 과학적 요구가 있다. **18** 당신은 그녀를 따라 나와서 미안하다고 말했어야 했다. → "당신"은 사과하지 않았다.

DAY 1 개념 돌파 전략 ② | 40~41쪽

A ③ **B** ③ **C** ③ **D** ①

A 해석 저는 이 아파트에서 십년 간 거주해 왔습니다. 저는 이 곳에 사는 것을 즐겨 왔고 계속해서 그러기를 바랍니다. 제가 처음 여기 이사 왔을 때, 저는 최근에 아파트 도색 작업을 했다고 들었습니다. 그 이후로 저는 벽이나 천장에 손 댄 적이 없습니다. 지난 한 달 동안 둘러보다 보니 도색이 얼마나 낡고 흐릿해졌는지 깨닫게 되었습니다.

해설 ③ made는 사역동사이므로 목적격 보어로 동사원형이 적절하다.

끊어 읽기로 보는 구문

저는 이곳에 사는 것을 즐겨 왔습니다　　그리고 계속해서 그러기를 바랍니다
I have enjoyed living here / and hope to continue doing so.
　　　　　　enjoy의 목적어(동명사)　　hope의 목적어(to부정사)　continue의 목적어(동명사)

지난 한 달 동안 둘러보다 보니　　　　　깨닫게 되었습니다　　　　　도색이 얼마나 낡고 흐릿해졌는지
Looking around over the past month / has made me realize / [how old and dull the paint has become].
동명사구 주어　　　　　　　　　　사역동사+목적어+목적격 보어(동사원형)　realize의 목적절(간접의문문)

B 해석 블랙 아이스는 표면 위의 반짝이는 얇은 얼음막을 지칭한다. 실제로 검은색은 아니지만, 사실상 투명하고, 아래에 있는 검은색 아스팔트 도로나 표면이 그것을 통해 보여지기에 "블랙 아이스"라고 불린다. 블랙 아이스는 흔히 운전자나 그 위를 걷는 사람에게 사실상 보이지 않는다. 따라서 갑작스러운 미끄러짐과 그에 따르는 사고의 위험이 있다.

해설 ③ stepped의 의미상 주어인 drivers or persons가 '걷고 있는'의 능동 의미이므로 현재분사 stepping을 쓰는 것이 적절하다.

끊어 읽기로 보는 구문

실제로 검은색은 아니지만,　　　　　사실상 투명하고,
While (it is) not truly black, / it is virtually transparent,
　　생략　　　　　　　　　　= black ice

아래에 있는 검은색 아스팔트 도로나 표면이 그것을 통해 보여지기에

/ allowing black asphalt roadways or the surface below to be seen through it

<u>allow +</u>　　　　　　　　　<u>목적어</u>　　　　　　　　　<u>+ 목적격 보어(to부정사의 수동태)</u> ＝ a thin coating of glazed ice

"블랙 아이스"라고 불린다.

/ — hence the term "black ice."

C 해석 많은 학생들이 기계적인 암기를 위한 반복에 시간을 더 적게 쓰고 그들의 읽기 과제의 의미에 실제로 더 주의를 기울이고 분석한다면 아마 더 이득을 얻을 수 있을 것이다. 특히 자료를 '개인적으로' 의미 있게 만드는 것이 유용하다. 학생이 자신의 교과서를 읽을 때, 정보를 자신의 경험과 연관시키는 것이 필요하다.

해설 ③ it is necessary that ~에서 요구, 권고, 소망을 나타내는 경우 that절 안의 동사는 should를 쓰거나 should를 쓰지 않으면 가정법 현재로 동사원형을 써야 하므로 relates를 relate로 고쳐야 한다.

끊어 읽기로 보는 구문

많은 학생들이 아마 더 이득을 얻을 수 있을 것이다　　　　　　　기계적인 암기를 위한 반복에 시간을 더 적게 쓰고

Many students could probably benefit / if they spent less time on rote repetition

　　　　　　　　　　　　　　　　　　　조건절(~한다면)　　　~에 시간을 덜 쓰다

　　그들의 읽기 과제의 의미에 실제로 더 주의를 기울이고 분석한다면

/ and more (time) **on** actually paying attention to and analyzing the meaning of their reading assignments.

~에 시간을 더 쓰다　　　　on의 동명사 목적어 1　　　　　on의 동명사 목적어 2

~하는 것이 필요하다　　　정보를 자신의 경험과 연관시키는

it is necessary / that she relate information to her own experience

「It is necessary/essential/urgent(필요를 의미하는 형용사)+that절,에서 that절에는 「should+동사원형,이나 「동사원형,이 온다.

D 해석 1905년과 1909년 사이에 건설된 Gunnison 터널은 서부 Colorado 일부 지역에 물을 대기 위해 설계되었고, Gunnison River에서 Uncompahgre 계곡까지 물의 방향을 바꾸었다. 공사 기간 중에 작업자들은 연약한 지반과 암석 가운데 있는 가스로 가득 찬 빈 공간을 포함한 많은 어려움에 직면했다. 그러나 그들은 한 달 만에 449피트의 화강암 사이로 길을 내는 기록을 달성하면서 상당한 진전을 이루었다.

해설 ① '1905년과 1909년 사이에 건설된'의 뜻으로 주어인 The Gunnison Tunnel을 수식하는 분사로 쓰였으며, 주어와 수동 관계이므로 constructing을 constructed로 고쳐야 한다.

끊어 읽기로 보는 구문

Gunnison 터널은　　　　　1905년과 1909년 사이에 건설된　　　　　　　서부 Colorado 일부 지역에 물을 대기 위해 설계되었고.

The Gunnison Tunnel, / constructed between 1905 and 1909, / was designed to supply water

　　　S　　　　　　앞의 명사 어구를 수식하는 과거분사(수동의 의미)　　　V　　　to부정사의 부사적 용법(목적)

　　　　　　　　　　　　　　　Gunnison River에서 Uncompahgre Valley까지 물의 방향을 바꾸었다

to parts of western Colorado, diverting water from the Gunnison River to the Uncompahgre Valley.

　　　　　　　　　　분사구문(~하면서), divert from A to B: A에서 B로 바꾸다

작업자들은 많은 어려움에 직면했다　　　　　　　　　　　공사 기간 중에

Workers encountered a number of difficulties / during the construction period,

　　S　　　V　　　O(3형식)　a number of(많은)+복수명사

연약한 지반과 암석 가운데 있는 가스로 가득 찬 빈 공간을 포함한

including soft ground and pockets of gas.

'~를 포함하여'라는 의미의 전치사

DAY
2 필수 체크 전략 ①

42~43쪽

[대표 유형] 1 ③　　2 ⑤

[대표 유형 **1**]

지 문 한 눈 에 보 기

❶ All social interactions require <u>some common ground</u> / <u>upon which the involved parties can coordinate their</u>

　　　　　　　　　　　　　　　선행사　　　　　　전치사+관계대명사절　　　　　수동 관계

behavior. ❷ In the interdependent groups / ①in which humans and other primates live, / individuals must
선행사　　　　전치사+관계대명사
have **even** greater common ground / to establish and maintain social relationships. ❸ This common ground
비교급 강조 부사　　　　　부사적 용법(목적)　　to 생략
is morality. ❹ This is why morality often is defined as a shared set of standards for ②judging right and wrong
전치사의 목적어(동명사)
in the conduct of social relationships. ❺ No matter how it is conceptualized — whether as trustworthiness,
양보의 부사절: 어떻게 ~하더라도　　　　　　　　부연 설명
cooperation, justice, or caring — morality ③to be(→ is) always [about the treatment of people in social
　　　　　　　　　　　　　　　S　　　V　　　SC　　　　전치사구
relationships]. ❻ This is likely why there is surprising agreement across a wide range of perspectives [④that a
　　　　　　　　　　　　　　　　　　　　　　　　　　　　　　　that절과 동격
shared sense of morality is necessary to social relations]. ❼ Evolutionary biologists, sociologists, and philosophers
all seem to agree with social psychologists that the interdependent relationships within groups [that humans
　　　　　　　　　　　　　　　　　　　S　　　　　　　　　전치사구　선행사　groups를 꾸며 주는
　　　관계사절
depend on] ⑤are not possible without a shared morality.
　　　　　V

해석　❶ 모든 사회적 상호 작용은 관련된 당사자들이 그들의 행동을 조정할 수 있는 어떤 공통의 기반을 요구한다. ❷ 인간과 그 외의 영장류들이 살아가는 상호의존적 집단에서, 개인은 사회적 관계를 확립하고 유지하기 위해 훨씬 더 큰 공통의 기반을 가져야 한다. ❸ 이러한 공통의 기반은 도덕성이다. ❹ 이는 도덕성이 사회적 관계의 행위에서 옳고 그름을 판단하기 위한 일련의 공유 기준으로 자주 정의되는 이유이다. ❺ 아무리 그것이 신뢰성, 협력, 정의 혹은 복지로 개념화되어도 도덕성은 항상 사회적 관계 내에서 사람을 대하는 것에 관한 것이다. ❻ 이것이 아마도 공유된 도덕관념이 사회적 관계에 필수적이라는 놀라운 일치가 광범위한 관점들에 걸쳐 존재하는 이유이다. ❼ 진화 생물학자, 사회학자와 철학자 모두가 인간이 의존하는 집단 내에서의 상호 의존적 관계가 공유된 도덕성 없이는 가능하지 않다는 사회 심리학자의 의견에 동의하는 듯하다.

정답 전략　문장의 주어와 동사 ③ No matter how(= However)는 양보의 부사절이고, 주어가 morality이므로 to be가 아니라 동사 is로 고쳐야 한다. whether as trustworthiness, cooperation, justice, or caring은 삽입구이다.

왜 오답일까?　① the interdependent groups를 선행사로 하는 「전치사+관계대명사」 구문이다. live는 자동사로 완전한 문장을 이루고 있으므로 in which가 알맞다.
② 전치사 뒤에는 목적어 역할을 할 수 있는 동명사가 와야 하므로 judging이 알맞다.
④ 앞에 나온 agreement의 내용을 구체화해서 설명해 주는 동격의 that절이다. across a wide range of perspectives는 전치사구이다.
⑤ the interdependent relationships가 주어이므로 are의 쓰임은 알맞다.

---

❶ Some researchers assumed / early human beings ate mainly the muscle flesh of animals, / as we ①do
　　　　　　　　　　　(접속사 that 생략)　　　　　　　　　　　　　　　　　ate ~ animals를 대신하는 대동사
today. ❷ By "meat," / they meant the muscle of the animal. ❸ Yet / focusing on the muscle / appears to be a
　　　　　　　　　　　　　　　　　　　　　　　　　　　　　　　　　　　　　S　　　　　　V(~인 것처럼 보이다)
②relatively recent phenomenon. ❹ In every history on the subject, / the evidence suggests / that early human
부사(형용사 수식)　　　　　　　　　　　　　　　　　　　　　　　~라는 것을 시사하다(암시하다)　　suggests의 목적어 명사절
populations ③preferred the fat and organ meat of the animal over its muscle meat. ❺ Vihjalmur Stefansson, /
prefer A to(over) B: B보다 A를 선호하다　　　　　　　　　　　　　　　　　　　동격
an arctic explorer, / found that the Inuit were careful / to save fatty meat and organs for human consumption /
　　　　　　　　found의 목적어 명사절
④while giving muscle meat to the dogs. ❻ In this way, humans ate as other large, meat-eating mammals eat.
대조의 접속사 while+분사구문　　　　　　　　　　　　　　　　　　부사절: ~하듯이　　　　　　(that 생략)
❼ Lions and tigers, / for instance, / first eat the blood, hearts, livers, and brains of the animals they kill, often
　　　　　S　　　　　　　　　　　　　　V　　　　　　　　　　　　　　　　　　　　　　목적격 관계대명사절
⑤leave(→ leaving) the muscle meat for eagles. ❽ These organs tend to be much higher in fat.
분사구문

---

❶ 몇몇 연구가들은 초기 인류가 오늘날 우리가 하듯이 주로 동물의 살코기를 먹었을 것으로 추정했다. ❷ '고기'란, 그들에게 동물의 근육을 의미했다. ❸ 하지만 근육에 중점을 두는 것은 비교적 최근의 현상으로 보인다. ❹ 이 주제에 관한 모든 역사에서, 초기 인류가 동물의 살코기보다는 비계와 내장육을 더 선호했다는 것을 시사하는 증거가 있다. ❺ 북극 탐험가 Vihjalmur Stefansson(빌햐울뮈르 스테파운손)은 이누이트족이 지방이 많은 고기와 내장육은 인간의 섭취를 위해 주의 깊게 보관하는 반면 살코기는 개에게 준다는 사실을 발견했다. ❻ 이런 식으로, 인간은 다른 대형 육식 포유동물이 먹는 것처럼 먹었다. ❼ 예를 들어, 사자나 호랑이는 그들이 죽은 동물의 피, 심장, 간, 그리고 뇌를 먼저 먹고, 살코기는 흔히 독수리에게 남겨 준다. ❽ 이런 내장은 지방이 훨씬 많은 경향이

있다.

정답 전략 분사구문 ⑤ 주어 Lions and tigers의 동사로 eat와 leave를 쓰려면 등위접속사를 써서 and를 넣거나 leave를 쓰거나 능동 관계이므로 leaving을 써야 한다.

왜 오답일까? ① do는 앞에 나온 ate mainly the muscle flesh of animals를 대신하는 대동사로 today가 왔으므로 현재형으로 쓰는 것이 알맞다.

② relatively는 recent를 수식하는 부사로 '비교적'이라는 뜻으로 쓰임이 알맞다.

③ suggest가 추천, 제안의 의미일 때에는 that절에 「(should +) 동사원형」의 가정법 현재로 쓰지만 시사, 암시의 의미일 때에는 문장의 시제에 맞도록 쓰므로 preferred가 알맞다.

④ 「while+-ing」는 「접속사+분사구문」으로 대조의 의미를 분명히 하기 위해 while을 그대로 두었다.

DAY 2 필수 체크 전략 ②

44~47쪽

1 ③	2 ①	3 ④	4 ④

1

지 문 한 눈 에 보 기

❶ Humans usually experience sound / as the result of vibrations in air or water. ❷ Although sound that humans can sense / ①is usually carried through these media, / vibrations can also travel through soil, including rocks. ❸ Thus, / sound can travel through a variety of substances / with different densities, / and the physical characteristics of the medium through which the sound travels / have a major influence on ②how the sound can be used. ❹ For instance, / it requires more energy to make water vibrate than to vibrate air, / and it requires a great deal of energy to make soil vibrate. ❺ Thus, / the use of vibrations in communication / ③depending(→ depends) on the ability of the sender / to make a substance vibrate. ❻ Because of this, / large animals such as elephants are more likely than small animals ④to use vibrations / in the soil for communication. ❼ In addition, / the speed ⑤at which sound travels / depends on the density of the medium which it is traveling through.

해석 ❶ 인간은 대개 공기 또는 물속에서의 진동의 결과로서 소리를 경험한다. ❷ 인간이 느낄 수 있는 소리가 대개 이러한 매질을 통해 전달되기는 하지만, 진동은 바위를 포함한 흙을 통해서도 이동할 수 있다. ❸ 이와 같이, 소리는 서로 다른 밀도를 가진 다양한 물질을 통해 이동할 수 있고, 그 소리가 통과하는 매질의 물리적 특성들이 그 소리가 사용될 수 있는 방식에 주된 영향을 미친다. ❹ 예를 들어, 공기를 진동시키는 것보다 물이 진동하도록 만드는 것이 더 많은 에너지를 필요로 하고, 흙이 진동하도록 만드는 것은 엄청난 양의 에너지를 필요로 한다. ❺ 따라서, 의사소통에서 진동을 사용하는 것은 물질이 진동하도록 만드는 발송자의 능력에 달려 있다.

❻ 이 때문에 코끼리와 같은 큰 동물들이 작은 동물보다 의사소통을 위해 흙의 진동을 사용하는 경향이 더 크다. ❼ 게다가 소리가 이동하는 속도는 그것이 통과하는 매질의 밀도에 달려 있다.

정답 전략 문장의 주어와 동사 ③ depending을 포함하는 절의 주어는 the use of vibrations in communication이며 동사가 없다. 따라서 depending을 depends로 고쳐 문장의 본동사 역할을 하게 해야 한다.

왜 오답일까? ① 주어는 셀 수 없는 명사인 sound로 단수 취급한다. 따라서 be동사도 단수형 is로 쓰였으므로 적절하다.

② 관계부사 how 앞에 선행사 the way가 생략된 구조로 볼 수 있다.

④ 「be likely+to부정사」 구조로, '~일 것이다, ~할 가능성이 크다'라는 의미로 쓰인 표현이다.

⑤ 「전치사+관계대명사」 뒤에는 완전한 형태의 절이 오며, 여기에서는 뒤에 1형식 절이 왔다. (→ sound travels at the speed)

❶ Like life in traditional society, but unlike other team sports, / baseball is not governed by the clock. ❷ A
전치사구(~처럼)　　　　　　　　　　　전치사구(~와 달리)

football game is comprised of exactly sixty minutes of play, / a basketball game forty or forty-eight minutes,
　　　　　　~로 구성되다　　　　　　　　　　　　　　　　　　　　　　　　(is comprised of가 생략)

/ but baseball has no set length of time within which the game must be completed. ❸ The pace of the game
　　　　　　　　　　　　　　　　　선행사　　전치사+관계대명사

is therefore leisurely and (A) [unhurried / unhurriedly], / like the world / before the discipline of measured time,
　　　　　　　　SC1(형용사)　　　　SC2(형용사)

deadlines, schedules, and wages paid by the hour. ❹ Baseball belongs to the kind of world / (B) [which / in
　　　　　　　　　　　　　　　　　　　　　　　　　　　　　~에 속하다　　　　　전치사+관계대명사(뒤에 완전한 절이 옴)

which] people did not say, "I haven't got all day." ❺ Baseball games *do* have all day to be played. ❻ But that does
　　앞 문장 Baseball games do have all day to be played.를 가리킴

not mean / that they can go on forever. ❼ Baseball, like traditional life, proceeds / according to the rhythm of
　　　　mean의 목적어 명사절　　　　　　　　　　　　　　　　　　　　　　　　　　　　　　~에 따라

nature, / specifically the rotation of the Earth. ❽ During its first half century, / games were not played at night,
주격 관계대명사(계속적 용법)

which meant that baseball games, like the traditional work day, (C) [ending / ended] when the sun set.
　　　　　　meant의 목적어 명사절

해석 ❶ 전통 사회의 삶과 마찬가지로, 그러나 다른 팀 스포츠와는 달리, 야구는 시계에 의해 좌우되지 않는다. ❷ 미식축구 경기는 정확히 60분 경기로 구성되고, 농구 경기는 40분이나 48분

으로 이루어지지만, 야구는 경기가 끝나야 하는 정해진 시간의 길이가 없다. ❸ 따라서 경기의 속도는 측정된 시간, 마감 기한, 일정, 시간 단위로 지급되는 임금의 규율이 있기 이전의 세상과 마찬가지로 여유롭고 느긋하다. ❹ 야구는 사람들이 "저는 시간이 많지 않아요."라고 말하지 않았던 종류의 세상에 속해 있다. ❺ 야구 경기는 '정말로' 온종일 이루어진다. ❻ 그러나 그것이 경기가 영원히 계속될 수 있다는 의미는 아니다. ❼ 야구는 전통적인 삶과 마찬가지로 자연의 리듬, 구체적으로 말해 지구의 자전에 따라 진행된다. ❽ 야

구의 첫 반세기 동안, 경기가 밤에는 이루어지지 않았으며, 그것은 야구 경기가 전통적인 평일과 마찬가지로 해가 졌을 때 끝났다는 의미였다.

정답 전략 주어와 동사, 전치사+관계대명사 (A) be동사 뒤에 주격 보어가 와야 하므로 앞의 형용사 leisurely와 등위접속사로 연결되는 형용사 unhurried를 써야 한다. unhurriedly는 부사이므로 주격 보어 자리에 쓸 수 없다.

(B) 뒤에 완전한 형태의 절이 왔으므로 in which를 써야 한다. which를 쓰면 앞의 선행사가 관계사절 안에서 주어나 목적어 역할을 하게 되므로 뒤에 불완전한 절이 온다.

(C) that baseball games, ~ when the sun set이 meant의 목적어 역할을 하는 명사절이다. that절의 주어는 baseball games 이고, 동사가 필요하므로 동명사 ending이 아니라 과거시제 ended를 써야 한다.

❶ Speculations about the meaning and purpose of prehistoric art / rely heavily on analogies / ①drawn with
S　　　전치사구(명사 수식)　　　　　　　　　　　　　　　　V　　　　　　　　　analogies　　　전치사구 수식

modern-day hunter-gatherer societies. ❷ Such primitive societies, / ②as Steven Mithen emphasizes in *The*
　　　　　　　　　　　　　　　　　　　　　　　S　　　　　　　삽입 부사절: ~처럼

Prehistory of the Modern Mind, / tend to view man and beast, animal and plant, organic and inorganic spheres, / as
　　　　　　　　　　　　　　　　　　　V　　　　　　　　　　　　　　　view A as B: A를 B로 여기다

participants in an integrated, animated totality. ❸ The dual expressions of this tendency / are *anthropomorphism*
　　　SC1

(the practice of regarding animals as humans) / and *totemism* (the practice of regarding humans as animals), /
　　　　전치사의 목적어(동명사)　　　　　　　　　　　　　　　SC2

regard A as B: A를 B로 여기다

both of ③which spread through the visual art and the mythology of primitive cultures. ❹ Thus the natural world is
　　관계대명사의 계속적 용법

conceptualized / in terms of human social relations. ❺ When considered in this light, / the visual preoccupation
　　　　　　　　　　　　　　　　　　　　　　　접속사+분사구문 = When (it is) considered ~.　　　　S

of early humans / with the nonhuman creatures / ④inhabited(→ inhabiting) their world / becomes profoundly
현재분사구(명사어구 수식, 능동 관계)   V
meaningful. ❻ Among hunter-gatherers, / animals / are not only good to eat, / they are also *good to think about*,
                                                not only A, (but) also B: A뿐만 아니라 B도
/ as Claude Lévi-Strauss has observed. ❼ In the practice of totemism, / he has suggested, an unlettered
부사절(~처럼, ~대로)
humanity "broods upon ⑤itself and its place in nature."
                    an unlettered humanity를 받는 재귀대명사

해석 ❶ 선사시대 예술의 의미와 목적에 대한 고찰은 현대의 수렵
채집 사회와의 사이에서 끌어낸 유사성에 크게 의존한다. ❷
Steven Mithen이 〈The Prehistory of the Modern Mind〉에서
강조하듯이, 그런 원시 사회는 인간과 짐승, 동물과 식물, 생물체의
영역과 무생물체의 영역을 통합적이고 살아 있는 총체 안의 참여자
로 보는 경향이 있다. ❸ 이런 경향의 이원적 표현이 '의인화'(동물
을 인간으로 간주하는 관행)와 '토테미즘'(인간을 동물로 간주하는
관행)인데, 이 두 가지는 원시 문화의 시각 예술과 신화에 널리 퍼져
있다. ❹ 따라서 자연의 세계는 인간의 사회적 관계 측면에서 개념
화된다. ❺ 이런 측면에서 고려될 때, 초기 인류가 자신들의 세계에
살고 있는 인간 이외의 생명체에 시각적으로 집착한 것은 대단히
의미 있다. ❻ Claude Levi-Strauss가 말해 온 것처럼, 수렵 채집
인들에게 동물은 먹기 좋을 뿐만 아니라, '생각해 보기에도 좋다.'
❼ 토템 신앙의 관습에서 무지한 인류는 "자연 속에서의 자기 자신
과 자신의 위치에 대해 곰곰이 생각한다."라고 그는 말했다.

정답 전략 현재분사와 과거분사 ④ 과거분사구 inhabited their
world는 the nonhuman creatures(인간 이외의 생명체)를 꾸미
는데, the nonhuman creatures는 '거주되는' 것이 아니라 '거주
하는' 것이 자연스러우므로 능동의 의미가 있는 현재분사 inhabit-
ing으로 고쳐야 한다.

왜 오답일까? ① 과거분사 drawn이 앞의 명사 analogies(유사성)
를 꾸미는데, analogies는 스스로 '끌어내는' 것이 아니라 '끌어내
어지는' 것이므로 수동의 의미가 있는 drawn이 적절하다.
② as는 뒤에 절이 와서 '~처럼'의 뜻인 양태의 부사절 접속사로 쓰
였다.
③ which의 선행사는 anthropomorphism and totemism으
로, both of which는 관계사절에서 주어 역할을 한다.
⑤ itself는 주어 an unlettered humanity가 목적어로 쓰인 재귀
대명사이다.

❶ Though most bees fill their days visiting flowers and collecting pollen, / some bees take advantage of the hard
양보의 부사절: ~이지만   ~을 이용하다
work of others. ❷ These thieving bees / sneak into the nest of an ①unsuspecting "normal" bee (known as the
                                        V1   현재분사
host), / lay an egg near the pollen mass being gathered by the host bee for her own offspring, / and then sneak
        V2   과거분사구(진행형)   V3
back out. ❸ When the egg of the thief hatches, / it kills the host's offspring / and then eats the pollen meant for
다시 몰래 나오다   it = 부화한 도둑벌의 새끼   ~을 위해 마련된
②its victim. ❹ Sometimes / ③called brood parasites, / these bees are also referred to as cuckoo bees, / because
its victim = the host's offspring   these bees are를 생략하여 만든 수동태 분사구문   lay와 병렬 구조이므로 leave를 씀
they are similar to cuckoo birds, / which lay an egg in the nest of another bird / and ④leaves(→ leave) it for that
                   선행사   주격 관계대명사   V1   V2   의미상
bird to raise. ❺ They are more technically called cleptoparasites. ❻ *Clepto* means "thief" in Greek, / and the term
S와 V 의 관계
cleptoparasite refers specifically to an organism ⑤that lives off another by stealing its food. ❼ In this case / the
                ~을 지칭하다   선행사   주격 관계대명사   ~에 기생하다
cleptoparasite feeds on the host's hard-earned pollen stores.
            ~을 먹고 살다   애써서 얻은

해석 ❶ 대부분의 벌은 꽃을 찾아가
꽃가루를 모으면서 하루를 보내지
만, 몇몇 벌은 다른 벌의 힘든 노동
을 이용한다. ❷ 이러한 도둑질하는
벌은 이상한 낌새를 못 챈 (숙주라
고 알려진) '보통' 벌의 집에 슬쩍 들어가 숙주 벌이 자기 새끼를 위
해 모으고 있는 꽃가루 덩어리 근처에 알을 낳고, 그러고 나서 다시

슬쩍 나온다. ❸ 그 도둑벌의 알이 부화하면 그것은 숙주의 새끼를
죽이고 나서 자기의 희생자를 위해 마련된 꽃가루를 먹는다. ❹ 때
때로 탁란동물로 불리는 이 벌은 뻐꾸기 벌이라고 불리기도 하는데,
그들이 뻐꾸기와 비슷하기 때문이다. 뻐꾸기는 다른 새의 둥지에 알
을 낳고 그 새가 알을 기르게 한다. ❺ 그들은 더 전문적으로는
cleptoparasite(절취기생생물)라 불린다. ❻ 'clepto'는 그리스어
로 '도둑'을 의미하며 'cleptoparasite'라는 용어는 구체적으로 먹

이를 훔침으로써 다른 것에 기생하는 생물을 가리킨다. ❼ 이 경우 그 절취기생생물은 숙주가 애써서 얻은 꽃가루 비축물을 먹고 산다.

정답 전략 **주어와 동사** ④ 동사 leaves의 주어는 관계대명사 which 의 선행사 cuckoo birds로 복수명사이다. 따라서 leave로 고쳐 써야 한다. 앞의 동사 lay와 등위접속사 and로 연결되어 있다는 점에도 유의해야 한다.

왜 오답일까? ① unsuspecting이 명사구인 "normal" bee를 수식하고 있으므로, 현재분사 unsuspecting의 쓰임은 적절하다.
② 부화한 '도둑'의 새끼 벌(the egg of the thief hatches)을 3인

칭 단수 인칭대명사 it으로 썼고, 그것의 소유격으로 its를 쓴 것이므로 적절하다.

③ 과거분사로 시작하는 분사구문으로 앞에 being이 생략된 수동태 분사구문이다. 분사구문의 생략된 주어가 주절의 these bees이며, 이 벌들이 때로 탁란동물이라 '불리는' 것이므로 수동태가 적절하다.

⑤ that이 주격 관계대명사로 쓰여 선행사 an organism을 꾸미는 관계대명사절을 이끌고 있다.

[대표 유형]　**1** ③　　**2** ④

[대표 유형] **1**　　　　　　　　　　　　　　　　　지문 한눈에 보기

❶ One of the keys to insects' successful survival in the open air / ①lies in their outer covering —a hard waxy layer / that helps prevent their tiny bodies from dehydrating. ❷ To take oxygen from the air, / they use narrow breathing holes in the body-segments, / which take in air ②passively and can be opened and closed as needed. ❸ Instead of blood ③containing(→ contained) in vessels, / they have free-flowing hemolymph, / [which helps keep their bodies rigid, aids movement, and assists the transportation of nutrients and waste materials to the appropriate parts of the body]. ❹ The nervous system is modular / —in a sense, each of the body segments has ④its own individual and autonomous brain— / and some other body systems show a similar modularization.

❺ These are just a few of the many ways / ⑤in which insect bodies are structured and function completely differently from our own.

해석 ❶ 야외에서 곤충의 성공적인 생존의 열쇠 중 하나는 그들의 외피, 즉 그들의 작은 몸이 탈수되는 것을 막도록 돕는 단단한 밀랍 같은 층에 있다. ❷ 공기로부터 산소를 흡수하기 위해 곤충은

몸의 마디에 있는 좁은 숨구멍들을 사용하는데, 이들은 공기를 수동적으로 흡입하고 필요할 때 열리고 닫힐 수 있다. ❸ 혈관 안에 담긴 피 대신, 그들에게는 자유롭게 흐르는 혈림프를 가지고 있는데, 이것은 그들의 몸이 단단하게 유지되도록 돕고, 움직임을 거들며, 영양분과 노폐물이 몸의 적절한 부위로 이동하는 것을 돕는다. ❹ 신경 체계는 모듈식인데, 어떤 의미에서는 각각의 몸의 마디가 그 자체의 개별적이고 자율적인 뇌를 갖고 있으며, 몇몇 다른 몸의 체계도 유사한 모듈화를 보여 준다. ❺ 이것들은 곤충의 몸이 우리의 몸과는 완전히 다르게 구조화되어 있고 기능하는 많은 방식들 중

일부일 뿐이다.

정답 전략 **현재분사와 과거분사** ③ containing in vessels가 앞의 명사 blood를 꾸미는 구조로, '혈관 내에 담겨져 있는 혈액'이 자연스러우므로 현재분사 containing 대신 수동의 과거분사 contained로 고치는 것이 적절하다.

왜 오답일까? ① 주어부 One of the keys to insects' successful survival in the open air에서 핵심 주어는 One of the keys이므로 3인칭 단수동사인 lies의 쓰임은 알맞다.
② take in air는 '공기를 흡입하다'로 passively는 동사를 수식하는 부사로 쓰였다.
④ each of the body segments를 가리키므로 its가 적절하다. each는 단수로 취급한다.
⑤ 뒤에 완전한 형태의 절이 왔으므로 「전치사+관계대명사」인 in which가 알맞다.

❶ The Internet allows information to flow / more ①freely than ever before. ❷ We can communicate / and
allow+목적어+목적격 보어(to부정사)　　　*flow를 수식하는 부사*

share ideas / in unprecedented ways. ❸ These developments are revolutionizing our self-expression / and
전례없는 방법으로

enhancing our freedom. ❹ But there's a problem. ❺ We're heading toward a world / ②where an extensive trail
선행사　*관계부사절(장소)*

of information fragments about us will be forever preserved on the Internet, [displayed instantly in a search
수동의 분사구문

result]. ❻ We will be forced to live with a detailed record ③beginning with childhood [that will stay with us for
복합관계부사 = at any place where we go　　　*a detailed record를 수식하는 현재분사*　　*a detailed record를 선행사로 하는 주격 관계대명사절*

life wherever we go], searchable and accessible from anywhere in the world. ❼ This data can often be of dubious
　　　　　　(being 생략) a detailed record를 수식하는 형용사구

reliability; it can be false; or it can be true but deeply ④humiliated(→ humiliating). ❽ It may be increasingly
= this data　　*=this data*　　*형용사처럼 쓰이는 분사*　　　*가주어*

difficult to have a fresh start or a second chance. ❾ We might find ⑤it harder to engage in self-exploration
진주어　　　　　　　　　　*가목적어*　　*진목적어*

if every false step and foolish act is preserved forever in a permanent record.
부사절(조건)

해석 ❶ 인터넷은 정보가 이전의 그 어느 때보다 더 자유롭게 흐르도록 해 준다. ❷ 우리는 전례 없는 방법으로 의사소통을 하고 아이디어를 공유할 수 있다. ❸ 이러한 발전들은 우리의 자기표현을 혁신하고 우리의 자유를 증진시키고 있다. ❹ 그러나 문제가 있다. ❺ 우리는 우리에 관한 단편적 정보의 광범위한 흔적이 인터넷상에 영원히 보존되어 검색 결과에서 즉시 전시될 세상으로 향하고 있다. ❻ 우리는 어디에 가든 평생 우리와 함께 할, 전 세계 어느 곳에서나 검색 가능하고 접근 가능한, 어린 시절부터 시작하는 상세한 기록과 함께 살아야만 하게 될 것이다. ❼ 이러한 정보는 종종 확실성이 의심스러울 수도 있고, 틀릴 수도 있고, 혹은 사실이지만 매우 창피한 것일 수도 있다. ❽ 새 출발을 하거나 새로운 기회를 갖기가 점점 더 어려워질지도 모른다. ❾ 만약 모든 실수와 어리석은 행위가 영구적인 기록으로 영원히 보존된다면, 우리는 자기 탐구를 하는 것이 더 어려움을 알게 될지도 모른다.

정답 전략 현재분사와 과거분사의 의미 ④ humiliated는 주격 보어로 쓰였으며 주어는 it, 즉 This data이다. '이 정보'는 '창피함을 느끼는' 것이 아니라 다른 대상에게 '창피함을 느끼게 하는' 주체이므로, 수동의 의미가 있는 과거분사 humiliated가 아닌 현재분사 humiliating을 써야 한다.

왜 오답일까? ① 동사 flow를 수식하므로 부사 freely가 적절하다.
② 선행사가 a world이고, 뒤에 완전한 절이 왔으므로 장소를 선행사로 하는 관계부사 where의 쓰임이 알맞다.
③ 명사구 a detailed record를 뒤에서 수식하고 있고, '어린 시절부터 시작하는 상세한 기록'이라는 의미에서 보듯이 능동의 의미 관계이므로 현재분사 beginning이 적절하다.
⑤ 「find+가목적어(it)+목적격 보어(형용사)+진목적어(to부정사)」의 5형식 문장으로 it은 가목적어이고, to engage in self-exploration은 진목적어인 구조이므로 it은 적절하다.

DAY 3 필수 체크 전략 ②　　　　　　　　　　　　　　　50~53쪽

1 ④　　2 ②　　3 ④　　4 ③

1　　　　　　　　　　　　　　　　　　　　　　지문 한 눈 에 보 기

❶ The most dramatic and significant contacts / between civilizations / were /①when people from one
S　　　　　　　　　　　　　*V*　*선행사 the time 생략*　*C(관계부사절)*

civilization conquered and eliminated the people of another. ❷ These contacts normally were / not only
not only A but (also) B:

violent but brief, / and ②they occurred only occasionally. ❸ Beginning in the seventh century A.D., / relatively
A뿐만 아니라 B도　*= these contacts*　　*분사구문(주절에 대한 부연 설명)*

③sustained and at times intense / intercivilizational contacts / did develop / between Islam and the West and
S　　*강조의 do*　*between A and B: A와 B 사이에*

Islam and India. ❹ Most commercial, cultural, and military interactions, / however, / were within civilizations.

❺ While India and China, / for instance, / were on occasion invaded and subjected / by other peoples (Moguls,
부사절: ~하는 동안　*S*　　　　　*V*　　　　*(were 생략)*

Mongols), / both civilizations / ④having(→ had) / extensive times of "warring states" / within their own
civilization as well. ❻ Similarly, the Greeks fought each other and traded with each other / far more often / than
they ⑤did with Persians or other non-Greeks.

대동사(= fought and traded)

해석 ❶ 문명 간의 가장 극적이고 중대한 접촉은 한 문명의 사람들이 또 다른 문명의 사람들을 정복하고 제거할 때였다. ❷ 이러한 접촉은 보통 폭력적일 뿐만 아니라 짧았으며, 가끔씩만 발생했다. ❸ 서기 7세기에 시작하여, 비교적 지속적이고 때로는 격렬한 문명 간의 접촉이 이슬람과 서양 사이와 이슬람과 인도 사이에 발생했다. ❹ 그러나 대부분의 상업적, 문화적, 군사적 상호작용은 문명 내에서 이루어졌다. ❺ 예를 들어, 인도와 중국이 가끔 다른 민족들(모굴족, 몽골족)에 의해 침략당하고 지배당했을 때, 두 문명 모두 자신들의 문명 내에서도 "전쟁 중인 국가들"이었던 긴 시대가 있었다. ❻ 비슷하게, 그리스인들은 페르시아인들이나 다른 비(非)그리스인들과 그랬던 것보다 훨씬 더 자주 자기들끼리 싸우고 무역을 했다.

정답 전략 문장의 주어와 동사 ④ 부사절이 While ~ (Moguls, Mongols)까지이며, 주절이 both civilizations부터 시작된다. 밑줄 친 having의 주어가 both civilizations이며 다른 동사가 없으

므로 having을 had로 고쳐 문장의 본동사로 만들어야 한다.

왜 오답일까? ① 관계부사 when 앞에 때를 나타내는 선행사가 생략된 구조이며 명사절 역할을 하고 있다. 뒤에 완전한 형태의 절이 나오므로 관계부사의 쓰임이 알맞다.
② 대명사 they가 가리키는 대상은 의미상 앞의 These contacts이다. 복수 명사이므로 they로 쓰는 것이 적절하다.
③ 과거분사 sustained가 명사구 intercivilizational contacts를 꾸민다. 문명 간의 접촉이 '지속되는' 것이므로 수동의 의미가 있는 sustained의 쓰임이 적절하다. sustained는 형용사처럼 쓰여 '지속적인, 일관된'의 의미가 있다.
⑤ did는 대동사로 쓰여 앞의 동사 fought와 traded를 대신한다. 일반동사를 대신하며 내용상 같은 시제로 쓰는 것이 적절하므로 did가 알맞다.

---

❶ The lack of real, direct experience in and with nature / has caused many children to regard the natural world
／ as mere abstraction, that fantastic, beautifully filmed place / ①filled with endangered rainforests and polar
bears in peril. ❷ This overstated, often fictionalized version of nature / is no more real — / and yet no less real —
to them / than the everyday nature right outside their doors, / ②waits(→ waiting) to be discovered / in a child's
way, at a child's pace. ❸ Consider the University of Cambridge study / which found / that a group of eight-year-
old children was able to identify / ③substantially more characters from animations / than common wildlife
species. ❹ One wonders / whether our children's inherent capacity to recognize, classify, and order information
about their environment — / abilities once essential to our very survival — / is slowly devolving to facilitate
life / in ④their increasingly virtualized world. ❺ It's all part of / ⑤what Robert Pyle first called "the extinction of
experience."

해석 ❶ 자연 속에서 그리고 자연과 함께하는 실제적이고 직접적인 경험의 부족은 많은 아이들이 자연 세계를 단지 추상적인 개념, 멸종 위기의 열대 우림과 위험에 처한 북극곰으로 가득 찬 그렇게 환상적이고, 아름답게 영화화된 장소로 여기도록 만들어 왔다. ❷ 이

과장되고 종종 허구화된 버전의 자연은 바로 그들의 문 밖에서 아이들의 방식, 아이들의 속도로 발견되기를 기다리는 일상의 자연보다 그 아이들에게 더 현실적이지 않지만, 덜 현실적이지도 않다. ❸ 한 모둠의 여덟 살 아이들이 흔한 자연생물 종보다 애니메이션의 캐릭터를 상당히 더 많이 구별해 낼 수 있다는 것을 발견한 케임브리지 대학의 연구를 생각해 보라. ❹ 사람들은 우리 아이들이 자신들의 환경에 대한 정보를 인식하고, 분류하며, 체계화할 내재적 능력, 즉, 한때 바로 우리의 생존에 필수적이었던 능력이 서서히 퇴화하여 점

점 더 가상현실화된 세계에서의 삶을 용이하게 하는지 궁금해 한다. ❺ 그것은 모두 Robert Pyle이 처음으로 '경험의 멸종'이라고 불렀던 것의 일부이다.

정답 전략 본동사와 준동사 ② 문장에 주어와 동사(This overstated, often fictionalized version of nature is)가 있으므로 waits는 the everyday nature right outside their doors를 꾸미는 분사로 바꾸는 것이 알맞다. 직접 꾸밈을 받는 명사구 the everyday nature와 wait의 관계가 능동이므로 현재분사 waiting이

적절하다.

왜 오답일까? ① 앞의 명사 place를 꾸미는 과거분사로, '채워진'이라는 수동의 의미가 자연스러우므로 filled가 적절하다.
③ 형용사 more를 꾸미는 부사로 썼다.
④ 흐름상 their는 앞에 있는 our children을 가리키는 소유격으로 적절히 쓰였다.
⑤ 선행사를 포함하는 관계대명사로 관계사절에서는 called의 목적어가 비어 있다.

3

❶ Sometimes perfectionists find / that they are troubled / because (A) [what / ~~whatever~~] they do it never

find의 목적어 명사절 ／ 이유의 부사절을 이끄는 접속사 ／ 복합 관계부사절(양보): ~하든지
seems good enough. ❷ If I ask, / "For whom is it not good enough?" / they do not always know the answer.

부분 부정: 항상 ~인 것은 아니다
❸ After giving it some thought / they usually conclude / that it is not good enough for them / and not good

앞 문장의 질문을 가리키는 대명사 ／ conclude의 목적어 명사절
enough for other important people / in their lives. ❹ This is a key point, / because it suggests / [that the standard

[suggests의 목적어절] ／ S 선행사
you may be struggling to (B) [meet / be met] may not actually be your own]. ❺ Instead, the standard you have set

목적격 관계대명사절 ／ 부사적 용법: ~하기 위해 ／ V ／ 목적격 관계대명사절
for yourself / may be the standard of some important person in your life, / such as a parent or a boss or a spouse.

~와 같은
❻ (C) [Live / Living] your life in pursuit of someone else's expectations / is a difficult way to live. ❼ If the

S(동명사구) ／ ~을 추구하여 ／ V ／ 형용사적 용법
standards you set were not yours, it may be time to define your personal expectations for yourself / and make

목적격 관계대명사절 ／ it is time to: ／ 형용사적 용법 ／ to define과 병렬 구조

~할 시간이다
self-fulfillment your goal.

해석 ❶ 때때로 완벽주의자들은 무엇을 하든지 그것이 결코 충분히 좋아 보이지 않기 때문에 자신들이 괴롭다는 것을 알게 된다. ❷ 만일 내가 "그것이 누구에게 만족스럽지 않은가?"라고 물으면, 그들이 항상 대답을 아는 것은 아니다. ❸ 그것에 대해 생각을 해본 뒤, 그들은 대개 자신들에게 만족스럽지 못하고, 자신들 인생의 다른 중요한 사람들에게 만족스럽지 못하다는 결론을 내린다. ❹ 이것이 중요한 점인데, 왜냐하면 그것은 여러분이 충족시키려고 애쓰고 있을지도 모를 기준이 실은 여러분 자신의 것이 아닐 수도 있다는 것을 암시하기 때문이다. ❺ 대신, 여러분이 스스로를 위해 세운 기준이 부모, 상사, 혹은 배우자와 같은 여러분의 삶에서 중요한 어떤 사람의 기준일 수도 있다. ❻ 다른 누군가의 기대를 추구하며 여러분의 삶을 사는 것은 힘든 삶의 방식이다. ❼ 만약 여러분이 세운 기준이 자신의 것이 아니라면, 아마도 지금이 여러분 개인의 기대를

스스로 정의 내리고 자기실현을 여러분의 목표로 삼아야 할 때일 것이다.

정답 전략 복합 관계부사, 준동사 (A) because가 이끄는 부사절 안에서 it never seems good enough가 주절을 이루므로, 그 앞에 있는 부분은 부사절이 되는 것이 적절하다. what이 이끌면 명사절이 되고, whatever가 이끌면 양보의 의미를 갖는(~이든지, ~일지라도) 부사절이 되므로 whatever를 쓰는 것이 적절하다.
(B) to부정사는 부사적 용법이며, the standard가 의미상 to meet의 목적어, you가 의미상 to meet의 주어이므로 능동태가 알맞다.
(C) 문장에 동사 is가 있고 주어는 없으므로 동명사 Living이 와서 주어 역할을 하는 것이 적절하다.

4

❶ English speakers / have / one of the simplest systems for describing familial relationships. ❷ Many African

진목적어 1 ／ 전치사 for의 목적어(동명사구)
language speakers would consider it absurd to use a single word / like "cousin" to describe both male and

consider+O(가목적어)+OC(형용사): ~을 …하다고 여기다 (5형식) ／ 부사적 용법(목적)
female relatives, or not to distinguish whether the person (A) [described / describing] is related by blood to the

진목적어 2 ／ the person을 수식하는 분사(수동 의미)
speaker's father or to his mother. ❸ To be unable to distinguish a brother-in-law as the brother of one's wife

S (to부정사 주어)

or the husband of one's sister would **seem confusing** within the structure of personal relationships existing in
_V seem+형용사: ~처럼 보이다
many cultures. ❹ Similarly, how **is it possible to make** sense of a situation (B) which / in which a single word
가주어 진주어 선행사 전치사+관계대명사+완전한 절
"uncle" applies to the brother of one's father and to the brother of one's mother? ❺ The Hawaiian language uses
the same term / to refer to one's father and to the father's brother. ❻ People of Northern Burma, / **who think in**
부사적 용법(목적) S(선행사) 주격 관계대명사
the Jinghpaw language, / (C) has / have eighteen basic terms / for describing their kin. ❼ **Not one** of them can
V 전체 부정(None)
be directly translated into English.

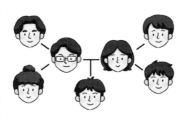

해석 ❶ 영어 사용자들은 친족 관계를 묘사하는 것에 있어 가장 단순한 체계들 중 하나를 갖고 있다. ❷ 많은 아프리카 언어 사용자들은 남성과 여성 친척 양쪽 모두를 묘사하기 위해 "cousin"과 같은 하나의 단어를 사용하는 것이나, 묘사되는 사람이 말하는 사람의 아버지와 혈연관계인지 아니면 어머니와 혈연관계인지 구별하지 않는 것을 이상하다고 여길 것이다. ❸ brother-in-law를 아내의 남자 형제인지 여자 형제의 남편인지 구별할 수 없다는 것은 많은 문화에 존재하는 인간관계의 구조 내에서 혼란스럽게 보일 것이다. ❹ 마찬가지로, "uncle"이라는 한 단어가 아버지의 형제와 어머니의 형제에게 적용되는 상황을 이해하는 것이 어떻게 가능하겠는가? ❺ 하와이 언어는 아버지와 아버지의 남자 형제

를 지칭하기 위해 동일한 용어를 사용한다. ❻ Jinghpaw 언어로 사고하는 Northern Burma 사람들은 그들의 친족을 묘사하기 위한 18개의 기본 용어를 갖고 있다. ❼ 그것들 무엇도 영어로 바로 번역될 수 없다.

정답 전략 현재분사와 과거분사, 전치사+관계대명사, 주어와 동사의 수 일치 (A) 현재분사 또는 과거분사가 the person을 꾸미는 구조이며, 내용상 the person이 '묘사되는' 것이므로 수동의 의미가 있는 과거분사 described를 써야 한다.
(B) 뒤에 완전한 절이 왔고, 앞에 '상황'이라는 의미의 명사 situation이 쓰였으므로 「전치사+관계대명사」 또는 관계부사가 필요하다. 따라서 in which가 적절하다.
(C) 주어가 복수인 People of Northern Burma이므로 have를 써야 한다.

누구나 합격 전략

54~57쪽

1 ④ 2 ⑤ 3 ③ 4 ②

1 지문 한눈에 보기

┌ 과거분사구가 명사를 뒤에서 꾸밈
❶ I hope / you remember our discussion / last Monday / about the servicing of the washing machine ①**supplied**
과거분사구
to us three months ago. ❷ I regret to say the machine / is no longer working. ❸ **As we agreed during the**
regret+to부정사(명사적 용법): (수동 의미)
~하게 되어 유감이다 더 이상 ~하지 않다 부사절: ~대로, ~처럼
meeting, / please send a service engineer / as soon as possible to repair it. ❹ The product warranty says [②**that**
가능한 한 빨리 부사적 용법(목적) say that: ~라고 씌어 있다
you provide spare parts and materials for free, / but charge for the engineer's labor]. ❺ This sounds ③**unfair.**
[says의 목적어 명사절] (you 생략) 감각동사 sound+보어(형용사)
❻ I believe / the machine's failure is caused by a manufacturing defect. ❼ Initially, it made a lot of noise, / and
believe의 목적어절(접속사 that 생략)
later, it stopped ④to operate(→ operating) entirely. ❽ As it is wholly the company's responsibility to correct the
stop+동명사 가주어 진주어
defect, I hope / you will not make us ⑤pay for the labor component of its repair.
5형식: 사역동사+O+OC(동사원형)

해석 ❶ 저는 3개월 전에 저희에게 공급된 세탁기의 서비스에 대한 지난 월요일 우리의 논의를 귀사가 기억하고 있기를 바랍니다. ❷ 그 기계가 더 이상 작동하지 않는다고 말하게 되어 유감입니다. ❸ 만났을 때 합의한 바와 같이 가능한 한 빨리 그것을 수리할 서비스

기사를 보내 주시기 바랍니다. ❹ 제품 보증서에는 귀사에서 여분의 부품과 재료들은 무료로 제공하지만, 기사의 노동에 대해서는 비용을 부과한다고 되어 있습니다. ❺ 이것은 부당한 것 같습니다. ❻ 저는 기계의 고장이 생산 결함에 의해 발생한 것이라고 믿습니다.

❼ 처음에 세탁기는 많은 소음을 냈으며, 나중에는 완전히 작동을 멈추었습니다. ❽ 결함을 고치는 것은 전적으로 회사의 책임이므로, 수리의 노동력 부분에 대해 우리에게 비용을 지불하게 하지 마시기를 바랍니다.

정답 전략 **to부정사와 동명사** ④ 문맥상 '작동을 멈추다'의 의미가 되어야 하므로 to operate를 operating으로 바꾸어야 한다. 동사 stop은 동명사를 목적어로 쓰며, to부정사가 오면 부사적 용법이 되어 stopped to operate는 '작동하기 위해 멈추다'라는 의미가 된다.

왜 오답일까? ① 과거분사 supplied가 앞의 명사 the washing machine을 꾸미고 있으며, 세탁기가 공급하는 것이 아니라 '공급된' 것이므로 수동 의미인 과거분사를 쓰는 것이 적절하다.
② that은 동사 says의 목적어인 명사절을 이끄는 접속사로 쓰였다.
③ 감각동사인 sounds 뒤에는 형용사 주격 보어가 온다. 따라서 형용사 unfair가 적절하게 쓰였다.
⑤ 여기에서 make는 사역동사로 쓰여 목적격 보어로 동사원형이 와야 한다. 따라서 pay의 쓰임이 적절하다.

2
지문 한눈에 보기

❶ Baylor University researchers investigated / ①whether different types of writing could ease people into sleep. (┌~인지 아닌지 / investigated의 목적어 명사절) ❷ To find out, / they had 57 young adults spend five minutes before bed ②writing / either a to-do list (부사적 용법 / 5형식: 사역동사 had+O+OC(동사원형) / either A or B: A와 B 중 하나) for the days ahead / or a list of tasks / they'd finished over the past few days. (선행사┌ 목적격 관계대명사절) ❸ The results confirm / that not all (confirm의 목적어 명사절) pre-sleep writing is created equally. (not all(부분 부정): 모두 ~인 것은 아니다) ❹ Those who made to-do lists before bed ③were able to fall asleep nine (S(선행사) 주격 관계대명사절 / V) minutes faster / than those who wrote about past events. (선행사 주격 관계대명사절) ❺ The quality of the lists mattered, too; / the more (the 비교급 ~, the 비교급 ...: ~할수록 …하다) tasks and the more ④specific the to-do lists were, / the faster the writers fell asleep. (동사 were의 보어로 쓰인 형용사) ❻ The study authors figure that writing down future tasks ⑤unloading(→ unloads) the thoughts / so you can stop turning them over in (figure의 목적어 명사절 / S / V) your mind. ❼ You're telling your brain / that the tasks will get done — just not right now. (V / IO / DO(명사절))

해석 ❶ Baylor 대학의 연구자들은 다양한 종류의 글쓰기가 사람들을 편하게 하여 잠들게 할 수 있는지 여부를 조사했다. ❷ 알아내기 위해, 그들은 젊은 성인 57명에게 잠자리에 들기 전 5분 동안 앞으로 며칠 동안 해야 할 일의 목록이나 지난 며칠 간 끝낸 일의 목록 중 하나를 쓰도록 했다. ❸ 그 결과는 취침 전 글쓰기가 모두 동일하게 이루어지지 않는다는 것을 확인해 준다. ❹ 잠자리에 들기 전에 할 일의 목록을 만드는 사람들은 지나간 일에 관해 쓰는 사람들보다 9분 더 빨리 잠들 수 있었다. ❺ 목록의 질 또한 중요했는데, 과업이 더 많고 해야 할 일의 목록이 더 구체적일수록, 작성자는 더 빨리 잠들었다. ❻ 그 연구의 저자들은 미래의 과업을 쓰는 것이 생각을 내려놓게 만들기 때문에 여러분이 그것을 곰곰이 생각하는 것을 멈출 수 있다고 판단한다. ❼ 여러분은 자신의 뇌에게 그 과업은 처리될 것이지만 단지 지금은 아니라고 말하는 것이다.

정답 전략 **문장의 주어와 동사** ⑤ that이 이끄는 절에서 주어는 writing down future tasks이고, 동사가 없는 상태이다. 따라서 unloading을 unloads로 고쳐 동사 역할을 하게 해야 한다.

왜 오답일까? ① whether는 '~인지 아닌지'라는 의미로 의문사절을 이끄는 접속사이다. 동사 investigated의 목적어 역할을 하는 명사절을 이끄는 역할을 하고 있다.
② 「spend+시간+(in)+동명사」는 '~하는 데 (시간)을 쓰다'라는 의미이다.
③ 주어가 복수 대명사 Those이므로 were가 알맞다.
④ 문장 구조상 주어는 the to-do lists, 동사는 were이고, 형용사 비교급 more specific이 주격 보어가 되므로 적절하게 쓰였다.

3
지문 한눈에 보기

❶ Take time to read the comics. ❷ This is worthwhile / not just because they will make you laugh / but ①because (┌5형식: 사역동사+O+OC(동사원형) / not just because A but (also) because B: A 때문일 뿐만 아니라 B 때문이기도 하다) they contain wisdom about the nature of life. ❸ Charlie Brown and Blondie are part of my morning routine / and help me ②to start the day with a smile. ❹ When you read the comics section of the newspaper, / ③cutting(→ (5형식: help+O+OC(to부정사 or 동사원형) / 부사절(시간))

cut) out a cartoon that makes you laugh. ❺ Post it / wherever you need it most, / such as on your refrigerator or

명령문   선행사   주격 관계대명사절   복합관계부사절(장소)   ~와 같은

at work, / so that every time you see it, / you will smile and feel your spirit ④lifted. ❻ Share your favorites / with

컴마 뒤의 so that ~: 부사절(결과)   5형식: 지각동사+O+OC(과거분사), 수동, 완료의 의미 관계이므로 과거분사 사용

your friends and family / so that everyone can get a good laugh, too. ❼ Take your comics with you when you go

so that ~ can: 부사절(목적)   부사절(시간)

to visit sick friends ⑤who can really use a good laugh.

선행사   주격 관계대명사절

해석 ❶ 시간을 내서 만화란을 읽어라. ❷ 만화는 그저 여러분을 웃게 만들기 때문일 뿐만 아니라 그것이 삶의 본질에 관한 지혜를 담고 있기 때문에 이것(만화를 읽는 것)이 가치가 있다. ❸ 'Charlie Brown'과 'Blondie'는 나의 아침 일과의 일부이고 내가 미소로 하루를 시작할 수 있게 도와준다. ❹ 신문의 만화란을 읽을 때, 여러분을 웃게 하는 만화를 잘라 내라. ❺ 그것을 여러분이 가장 필요로 하는 곳, 냉장고든 직장에든, 어디에든지 붙여라. 그래서 여러분이 그것을 볼 때마다 미소를 짓고 기분이 고양되는 것을 느낄 것이다. ❻ 모든 사람들 역시 크게 웃을 수 있도록 여러분이 좋아하는 것을 친구들과 가족과 공유해라. ❼ 크게 웃는 것을 정말 잘 활용할 수 있는 아픈 친구들을 방문하러 갈 때 여러분의 만화를 가져가라.

정답 전략 문장의 주어와 동사 ③ When이 이끄는 부사절 뒤의 주절에 동사가 없으므로, 동명사 cutting을 cut으로 고쳐 주어가 생

략된 명령문으로 만들어야 한다.

왜 오답일까? ① 접속사 because가 포함된 두 개의 부사절이 「not just because ~ but (also) because ... (~ 때문일 뿐만 아니라 …때문에)」 구문으로 연결되어 있는 구조이다.
② help는 준사역동사이며 목적격 보어로 동사원형이나 to부정사를 쓸 수 있다. 「사역동사(help)+목적어(me)+목적격 보어(to start)」의 5형식 문장 구조이다.
④ lifted는 목적격 보어로 쓰인 과거분사이다. 분사가 목적격 보어로 쓰일 때 목적어와의 관계가 능동이면 현재분사를, 수동이면 과거분사를 쓴다. 기분이 '고양되는' 것이므로 과거분사가 알맞다.
⑤ 앞에 사람을 나타내는 선행사가 있고 관계대명사절에서 주어 역할을 하므로 주격 관계대명사 who가 바르게 쓰였다.

4

❶ Each species of animals can detect / a different range of odours. ❷ No species can detect all the molecules

선행사

/ that are present in the environment / ①in which it lives — there are some things / that we cannot smell / but

주격 관계대명사절   선행사   전치사+관계대명사+완전한 문장   that과 which는 some things를 선행사로 하는 목적격 관계대명사임

which some other animals can, and vice versa. ❸ There are also differences between individuals, / relating to [the

(smell 생략)   현재분사구   to의

ability to smell an odour], or [how ②pleasantly(→ pleasant) it seems]. ❹ For example, some people like the taste

목적어 1   to의 목적어 2   seem+형용사: ~처럼 보이다

of coriander — known as cilantro in the USA — / while others find ③it soapy and unpleasant. ❺ This effect has an

반면에   5형식: find+O(it = the taste of coriander)+OC(형용사)

underlying genetic component / due to differences in the genes / ④controlling our sense of smell. ❻ Ultimately,

현재분사(명사 수식)   ~로 인한   현재분사구

the selection of scents detected by a given species, / and how that odour is perceived, / will depend upon

S   V

the animal's ecology. ❼ The response profile of each species will enable it ⑤to locate sources of smell that are

enable to: ~하는 것을 가능하게 하다   병렬 1(목적격 보어)

relevant to it /and to respond accordingly.

병렬 2(목적격 보어)

해석 ❶ 각 종의 동물들은 서로 다른 범주의 냄새를 감지할 수 있다. ❷ 어떤 종도 그것이 살고 있는 환경에 존재하는 모든 분자를 감지할 수는 없으며, 우리는 냄새를 맡을 수 없지만 몇몇 다른 동물들이 냄새를 맡을 수 있는 것들이 있고, 그 반대도 마찬가지이다. ❸ 어떤 냄새를 맡을 수 있는 능력이나 그것이 얼마나 좋은 느낌을 주는지와 관련하여 각 개체 사이에도 차이가 있다. ❹ 예를 들어, 어떤 사람들은 미국에서 cilantro(실란트

로, 고수)라고 알려진 coriander (코리앤더, 고수)의 맛을 좋아하는 반면, 다른 사람들은 그것이 비누 맛이고 불쾌하다고 여긴다. ❺ 이러한 결과에는 우리의 후각을 조절하는 유전자에서의 차이로 인한 내재되어 있는 유전적 요소가 있다. ❻ 궁극적으로, 특정 종에 의해 감지된 냄새들의 집합, 그리고 그 냄새가 어떻게 인식되는가는 그 동물의 생태에 달려 있을 것이다. ❼ 각 종의 반응 개요는 그 종이 자신과 관련된 냄새의 원천이 있는 위치를 파악하고 그에 따라 반응하는 것을 가능하게 할 것이다.

정답 전략 형용사와 부사 ② 부사가 하는 역할은 형용사, 동사, 부사,

또는 문장 전체를 꾸미는 것이다. 동사 seem으로 보아 주격 보어가 필요한 위치이므로 부사 pleasantly를 형용사 pleasant로 고쳐야 한다.

왜 오답일까? ① 「전치사+관계대명사」 뒤에 완전한 형태의 절(1형식)이 왔으므로 쓰임이 적절하다. in which는 관계부사 where로도 바꿀 수 있다.

③ 대명사 it이 가리키는 것은 흐름상 앞에 나온 the taste of coriander이다. 셀 수 없는 명사이므로 단수 대명사로 받는 것이 적절하다.

④ 현재분사 controlling이 앞에 있는 명사 the genes를 꾸미고 있다. 유전자가 후각을 '조절하는' 것이므로 능동의 현재분사가 알맞다.

⑤ enable은 to부정사를 목적격 보어로 쓰는 동사이다.

창의·융합·코딩 전략

| 58~61쪽

1 ④   2 ③

1

지 문 한 눈 에 보 기

❶ Recent research suggests / that evolving humans' relationship with dogs changed the structure of
（suggests의 목적어 명사절 / S / V）
both species' brains. ❷ One of the various physical changes (A) [causes / caused] by domestication / is
（과거분사구 수식）
a reduction in the size of the brain: 16 percent for horses, 34 percent for pigs, and 10 to 30 percent for dogs.
（C / 콜론(예시를 열거)）
❸ This is because once humans started to take care of these animals, / they no longer needed various brain
（이것은 ~ 때문이다. / 부사절: 일단 ~하면 / 명사적 용법 / 더 이상 ~하지 않다）
functions / in order to survive. ❹ Animals who were fed and protected by humans / did not need many of the
（부사적 용법(in order to: ~하기 위해) / S / 주격 관계대명사절 / V1）
skills required by their wild ancestors / and (B) [lost / losing] the parts of the brain related to those capacities.
（과거분사구 수식 / V2 / 과거분사구 수식）
❺ A similar process occurred for humans, who seem to (C) [have / have been] domesticated by wolves. ❻ About
（선행사 / 주격 관계대명사 who）
10,000 years ago, when the role of dogs was firmly established in most human societies, / the human brain also
（관계부사(때)）
shrank by about 10 percent.
（약, 대략(부사)）

해석 ❶ 최근의 연구는 진화하는 인간의 개와의 관계가 두 종 모두의 뇌 구조를 바꿨다는 것을 시사한다. ❷ 사육으로 인해 야기된 다양한 신체적 변화들 중 하나는 뇌 크기의 감소인데, 말은 16%, 돼지는 34% 그리고 개는 10에서 30% 감소했다. ❸ 이는 일단 인간이 이 동물들을 돌보기 시작하면서 그것들이 생존하기 위해 다양한 뇌 기능을 더는 필요로 하지 않았기 때문이다. ❹ 인간이 먹이를 주고 보호해 주는 동물들은 그것들의 야생 조상들에 의해 요구된 기술 중 많은 것들을 필요로 하지 않았고 그러한 능력들과 관련된 뇌의 부분들을 잃어버렸다. ❺ 유사한 과정이 인간에게 나타났는데, 그들은 늑대에 의해 길들여진 것으로 보인다. ❻ 약 만 년 전, 개의 역할이 대부분 인간 사회에서 확실하게 정해졌을 때, 인간의 뇌도 약 10% 줄어들었다.

Words suggest ~을 시사하다 evolving 점진적으로 발전해 나가는 physical 신체적인, 신체의 domestication (동물의) 사육, 길들이기 reduction 감소 function 기능 survive 생존하다, 살아남다 feed(-fed-fed) 먹이를 주다 protect 보호하다 required 요구된 ancestor 조상, 선조 capacity 능력 shrink 줄어들다

2

지 문 한 눈 에 보 기

❶ The 'Merton Rule' was devised / in 2003 / by Adrian Hewitt, a local planning officer / in Merton, southwest
（동격）
London. ❷ The rule, which Hewitt created with a couple of colleagues and persuaded the borough council to
（S(선행사) / 목적격 관계대명사절(계속적 용법) / persuade+O+OC(to부정사)）
pass, / ①was that any development beyond a small scale would have to include the capacity to generate ten
（V / C (명사절) / S1 / V1 / 형용사적 용법）

percent of that building's energy requirements, / or the developers would be denied permission ②to build.
_{S2} _{V2} 형용사적 용법

❸ The rule sounded sensible and quickly caught on, with over a hundred other local councils ③followed(→
sound+형용사: ~하게 들리다 「with+명사(구)+현재분사/과거분사」 구문

following) it within a few years. ❹ In London, the mayor at the time, Ken Livingstone, introduced 'Merton Plus,'
동격

/ which raised the bar to twenty percent. ❺ The national government then introduced the rule more ④widely.
주격 관계대명사절(계속적 용법) 동사 introduced를 수식하는 부사

❻ Adrian Hewitt became a celebrity in the small world of local council planning, / and Merton council started
start+동명사

winning awards for ⑤its environmental leadership.
= Merton council's

해석 ❶ 'Merton 법안'은 런던 남서부에 있는 Merton의 지역 기획관인 Adrian Hewitt에 의해 2003년에 고안되었다. ❷ Hewitt이 몇몇 동료들과 만들고 자치구 의회가 통과시키도록 설득했던 그 법은 소규모를 넘는 어떤 개발(공사)도 그 건물이 필요로 하는 에너지의 10퍼센트는 자가 발전할 능력을 갖추어야 하며, 그렇지 않으면 개발업자에게 건축 허가가 주어지지 않을 거라는 것이었다. ❸ 그 법은 타당한 것으로 여겨졌고 몇 년 안에 백 개가 넘는 다른 지역 의회가 그 법을 따르며 빠르게 인기를 얻었다. ❹ 런던에서 그 당시 시장이던 Ken Livingstone은 'Merton Plus'를 도입했고, 그것은 20퍼센트로 기준을 높였다. ❺ 그러자 중앙 정부는 그 법을 더 널리 도입했다. ❻ Adrian Hewitt은 지역 의회 기획이라는 작은 세계에서 유명 인사가 되었고, Merton 의회는 환경 리더십으로 상을 받기 시작했다.

Words devise 고안하다 persuade 설득하다 borough 자치구 sensible 타당한, 현명한 catch on 인기를 얻다 introduce 도입하다
celebrity 유명 인사 local council planning 지역 의회 기획(부서)

신유형·신경향 전략

64~67쪽

1 ③   2 ②   3 ④   4 ③

──────────────────────────────────── 지 문 한 눈 에 보 기

❶ Not just information but also people may move between societies, / (A) take(→ taking) their knowledge and
not just A but also B: A뿐만 아니라 B도 = and take / 동시동작을 나타내는 분사구문: ~하면서

cultural practices with them. ❷ Like war, / migration is an ancient phenomenon / and very common throughout

history. ❸ Although it is often regarded with suspicion, / immigration tends to confer benefits on the host
부사절(양보) ~하는 경향이 있다

group. ❹ In recent history, / countries with the highest net inward migration / have also had the highest growth
S V

rates, / the two factors clearly being linked in harmony. ❺ The complaint that immigrants take people's jobs
the two factors를 의미상 주어로 하는 독립 분사구문 S = 동격절

(B) be(→ is), / like similar complaints about technology, / based on an erroneously static view of the world. ❻
V 삽입구 be based on: ~에 근거하다

In fact, immigrants increase the size of the market / and thus create jobs. ❼ Furthermore, they arrive as already
~로서(자격)

productive adults / (C) have(→ having) never been dependent on the host country. ❽ They also tend to be
현재분사구(완료형)

motivated and intelligent individuals with a talent for the creation of economic organization.
보어 수식(형용사구) be동사의 보어 보어를 수식하는 전치사구

해석 ❶ 그저 정보뿐만 아니라 사람들 또한 사회들 간에 이동하면서 자신들의 지식과 문화적 관습을 함께 가져갈 수 있다. ❷ 전쟁처럼, 이주는 아주 오래된 현상이고 역사를 통틀어 매우 흔한 일이다. ❸ 종종 의심스럽게 여겨진다 해도, 이민은 그 수용 집단에게 혜택을 부여하는 경향이 있다. ❹ 최근 역사에서, 순 유입이 가장 높은 나라들이 또한 가장 높은 성장률을 보였는데, 그 두 가지 요소는 분명 서로 조화를 이루며 연결되어 있다. ❺ 이민자들이 사람들의 일자리를 가져간다는 불평은 기술에 관한 비슷한 불평처럼 잘못된 고정적 세계관에 근거하고 있다. ❻ 사실,

이민자들은 시장의 크기를 늘리고 그럼으로써 일자리를 창출한다. ❼ 게다가, 그들은 수용국에 전혀 의존한 적이 없는, 이미 생산력을 갖춘 성인으로 들어온다. ❽ 그들은 또한 경제 조직 창출에 대한 재능이 있는, 의욕적이고 총명한 개인인 경향이 있다.

정답전략 (A) 앞에 본동사 may move가 있고 접속사로 연결되어 있지 않으므로 분사구문이 와야 한다. 분사구문에서 생략된 주어는 흐름상 주절의 people로, 지식과 문화적 관습을 '가지고 가는' 주체이다. 따라서 능동의 현재분사 taking이 알맞다.

(B) 주어가 The complaint이므로 그에 맞는 동사를 써야 한다. 전체 문장이 현재 시제로 서술되어 있고 주어 The complaint가 단수이므로 is가 알맞다.

(C) 흐름상 앞에 쓰인 as는 '~로서'라는 의미의 전치사로 쓰여 have가 adults를 꾸미는 분사 형태가 되어야 한다. 따라서 adults와 능동 의미 관계인 현재분사 having이 알맞다.

2
지 문 한 눈 에 보 기

❶ In a survey published earlier this year, / seven out of ten parents said / they would never let their children
_{a survey를 수식하는 과거분사구} _{사역동사 let+O+OC(동사원형)}
(A) play with toy guns. ❷ Yet / the average seventh grader / spends at least four hours a week / playing video
_{spend+시간+-ing: ~하는 데 시간을 보내다}
games, / and about half of those games have violent themes. ❸ Clearly, / parents make a distinction / between
violence on a screen and violence (B) acted out with plastic guns. ❹ However, psychologists point to decades
_{between A and B: A와 B 사이에} _{violence를 수식하는 과거분사구}
of research / and more than a thousand studies / that demonstrate a link / between media violence and real
_{선행사} _{주격 관계대명사절}
aggression.

해석 ❶ 올해 초 출판된 한 연구 조사에서 부모 열 명 중 일곱은 자녀들이 결코 장난감 총으로 놀게 하지 않을 것이라고 말했다. ❷ 그러나 평균적으로 7학년생들은 일주일에 최소 4시간을 비디오 게임을 하며 보내고, 그 게임들 중 절반가량은 주제가 폭력적이다. ❸ 확실히, 부모들은 스크린상의 폭력과 플라스틱 총으로 행해지는 폭력을 구별한다. ❹ 그러나 심리학자들은 미디어 상의 폭력과 실제 공격성 간의 연관성을 증명하는 수십 년에 걸친 조사와 천 건 이상의 연구를 지적한다.

정답전략 (A) 기본 형태는 동사 play이며, 빈칸에 play의 어떤 형태가 필요한지 파악해야 한다. 사역동사 let과 목적어 their children이 있으므로 목적격 보어인 동사원형이 필요할 것이다. 따라서 play가 적절하다.

(B) 문장 구조로 보아 빈칸 바로 앞의 명사 violence가 앞의 violence on a screen과 병렬 구조를 이룬다. 따라서 빈칸에 들어갈 말은 앞의 violence를 꾸미는 수식어 역할을 하는 것이 알맞다. 기본 형태인 동사 act를 분사 형태로 바꾸는 것이 적절하며 폭력이 직접 '행하는' 것이 아니라 '행해지는' 것이므로 과거분사 acted로 써야 한다.

3
지 문 한 눈 에 보 기

❶ Although it is obvious that part of our assessment of food is its visual appearance, / it is perhaps ①surprising /
_{부사절(양보)} _{it ~ that ...: 가주어 – 진주어 구문} _{가주어}
how visual input can override taste and smell. ❷ People find it very ②difficult / to correctly identify fruit-
_{진주어(의문사절)} _{5형식: find+O(it은 가목적어)+OC(형용사)} _{to correctly 이하는 진목적어}
flavoured drinks / if the colour is wrong, / for instance an orange drink / that is coloured green. ❸ Perhaps / even
_{예를 들어} _{선행사} _{주격 관계대명사절}
more striking / ③is / the experience of wine tasters. ❹ One study of Bordeaux University students of wine and
_{C(보어 강조를 위한 도치)} _V _S
wine making / revealed / that they chose tasting notes appropriate for red wines, / such as 'prune and chocolate',
_{revealed의 목적어 명사절} _{~와 같은}
/ when they ④gave(→ were given) white wine coloured with a red dye. ❺ ⑤Experienced New Zealand wine
_{부사절(때)} _{숙련된(형용사)} _S
experts were similarly tricked into thinking / that the white wine Chardonnay was in fact a red wine, when it had
_{thinking의 목적어 명사절} _{때의 부사절}
been coloured with a red dye.

해석 ❶ 음식에 대한 우리의 평가의 일부가 음식의 시각적 외관인 것은 분명하지만, 어떻게 시각적인 입력 정보가 맛과 냄새에 우선할 수 있는지는 아마 놀라울 것이다. ❷ 만약 예를 들어 초록색이 나는 오렌지 음료와 같이 색깔이 잘못되어 있다면, 사람들은 과일 맛 음료를 정확하게 알아내는 것이 매우 어렵다는 것을 알게 된다. ❸ 아마 훨씬 더 놀라운 것은 포도주 감정가들의 경험일 것이다. ❹ 포도주와 포도주 제조 전공의 Bordeaux University 학생들 대상의 한 연구는 그들이 붉은색 색소로 색을 낸 백포도주를 받았을 때, '자두와 초콜릿'과 같은 적포도주에 적합한 시음표를 선택했다는 사실을 드러냈다. ❺ 숙련된 뉴질랜드 포도주 전문가들도 마찬가지로 백포도주 Chardonnay를 붉은색 색소로 물들였을 때, 속아서 그것이 실제로 적포도주라고 생각하게 되었다.

정답 전략 ④ 주어 they는 앞에 나온 Bordeaux University students of wine and wine making을 가리키며, 이들은 실험에서 포도주를 '받은' 것이므로 동사를 수동태로 써야 한다. 따라서 gave를 were given으로 고쳐야 한다.

왜 오답일까? ① it은 가주어이고, 뒤의 how가 이끄는 절이 진주어이다. how가 이끄는 절의 내용이 사람들을 놀라게 하는 것이므로 능동의 surprising이 적절하다.

② it은 가목적어, 뒤의 to부정사가 진목적어인 구조이며, very difficult가 목적격 보어 역할을 한다. 형용사 difficult는 목적격 보어로 쓸 수 있다.

③ 보어를 강조하기 위해 문두로 보내고 뒤에 오는 주어와 동사가 도치된 문장으로 주어는 뒤의 the experience of wine tasters이다. 단수 명사이므로 단수 동사 is가 알맞다.

⑤ experienced는 '숙련된, 경험이 있는'이라는 의미의 분사형 형용사로 명사 New Zealand wine experts를 수식한다.

---

❶ Katherine Schreiber and Leslie Sim, experts on exercise addiction, / recognized / that smartwatches and fitness
— 동격 — / recognized의 목적어 명사절

trackers / have probably inspired sedentary people to take up exercise, / and (A) encouraged / to encourage
현재완료의 병렬 구문 1 / 주로 앉아서 하는 / 현재완료의 병렬 구문 2(have 생략)

people / who aren't very active to exercise more consistently. ❷ But they were convinced / the devices were also
선행사 / 주격 관계대명사절 / (that 생략) convinced의 목적어 명사절

quite dangerous. ❸ Schreiber explained / that focusing on numbers separates people (B) to be / from being
explained의 목적어 명사절 / S(동명사) / V / separate A from B: A를 B로부터 분리하다

in tune with their body. ❹ Exercising becomes mindless, / which is 'the goal' of addiction. ❺ This 'goal' / that
be in tune with: ~와 조화를 이루다 / 선행사 / 주격 관계대명사의 계속적 용법 / 선행사 / 목적격

she mentioned is a sort of automatic mindlessness, the outsourcing of decision making to a device. ❻ She
관계대명사절 / — 동격 —

recently sustained a stress fracture in her foot / because she refused to listen to her overworked body, / (C)
부사절(이유) / 명사적 용법

instead / instead of continuing to run toward an unreasonable workout target. ❼ Schreiber has suffered from
대신에(부사) / 분사구문(부대상황) / ~의 고통을 겪다

addictive exercise tendencies, / and vows not to use wearable tech when she works out.
to부정사의 부정(명사적 용법) / 부사절(때)

해석 ❶ 운동 중독에 관한 전문가인 Katherine Schreiber와 Leslie Sim은 아마도 스마트워치와 운동 추적기가 주로 앉아서 지내는 사람들이 운동을 시작하도록 격려해 왔고 별로 활동적이지 않은 사람들이 더 지속적으로 운동을 하도록 장려해 왔음을 인정했다. ❷ 하지만 그들은 그 장치들이 또한 상당히 위험하다고 확신했다. ❸ Schreiber는 숫자에 집중하는 것이 사람들을 자신의 몸과 조화를 이루는 것으로부터 분리시킨다고 설명했다. ❹ 아무 생각 없이 운동하게 되는데, 그것이 중독의 '목표'이다. ❺ 그녀가 언급한 이 '목표'는 일종의 무의식적 무분별, 즉 의사 결정을 장치에 위임하는 것이다. ❻ 그녀는 혹사당한 몸에 귀 기울이는 것을 거부하고 대신에 터무니없는 운동 목표를 향해 계속 달렸기 때문에 최근 발에 피로 골절을 입었다. ❼ Schreiber는 중독적인 운동 성향으로 고통을 겪었고, 운동할 때 웨어러블 기기를 사용하지 않기로 맹세한다.

정답 전략 ③ (A) 앞의 등위접속사 and가 연결하는 것이 무엇인지 찾는다. 문맥상 and는 have inspired와 (A)를 연결하고 있으므로 동사로 쓰이는 (have) encouraged가 적절하다.

(B) 문맥상 사람들을 몸과 조화를 이루는 '것으로부터' 분리하는 것이므로 from being이 적절하다.

(C) instead continuing이면 '대신 뛰는 것을 계속했다'라는 의미이고, instead of continuing이면 '계속해서 뛰는 것 대신'이라는 의미가 된다. 문맥상 「접속부사+분사구문」의 형태인 instead continuing이 적절하다.

1 ④　　**2** ③　　**3** ⑤　　**4** ④

1
지문 한눈에 보기

❶ There is a reason / why so many of us are attracted to recorded music these days, / especially considering
　　선행사　　　관계부사절(이유)

personal music players are common / and people are listening to music through headphones a lot. ❷

Recording engineers and musicians / have learned to create special effects / that tickle our brains / by exploiting
　　　　　　　　　　　　　　　　　명사적 용법　　　선행사　　　　주격 관계대명사절

neural circuits / [that evolved ①to discern important features of our auditory environment]. ❸ These special
선행사　　　　주격 관계대명사　　부사적 용법(목적)

effects are similar in principle to 3-D art, motion pictures, or visual illusions, / none of ②which have been around
　　　└── be similar to: ~와 비슷하다 ──┘　　　　　선행사　　　　　　　　└──── 주격 관계대명사(절)

/ long enough for our brains / to have evolved / special mechanisms to perceive them. ❹ Rather, 3-D art, motion
형용사+enough+for+의미상 주어+to부정사(완료)　　　　　　└──── 형용사적 용법

pictures, and visual illusions leverage / perceptual systems / that ③are in place / to accomplish other things.
　　　　　　　　　　　(지렛대로) 활용하다　　선행사　　└─ 주격 관계대명사　　부사적 용법: ~하기 위해

❺ Because they use these neural circuits in novel ways, / we find them especially ④interested(→ interesting).
　　　　　　　　　　　　　　　　　　　　　　5형식: find+O(3-D art, motion pictures, and visual illusions)+OC(형용사)

❻ The same is true of the way ⑤that modern recordings are made.
　　　　　　　　　the way는 관계부사 how와 함께 쓰지 않음

해석　❶ 개인용 음악 플레이어가 흔하고 사람들이 헤드폰으로 음악을 많이 듣는 것을 특히 고려할 때, 요즘 우리들 중 그렇게나 많은 사람이 녹음된 음악에 끌리는 이유가 있다. ❷ 녹음 엔지니어와 음악가들은 우리 청각 환경의 중요한 특징들을 알아차리도록 진화한 신경회로를 이용함으로써 우리의 뇌를 자극하는 특수 효과를 만들어 내는 것을 익혔다. ❸ 이러한 특수 효과들은 원리상 3-D 아트, 모션 픽처, 또는 착시와 비슷하지만, 그것들 중 어느 것도 우리의 뇌가 그것들을 인식하기 위한 특수한 구조를 발달시킬 만큼 충분히 오랫동안 주변에 존재하지는 않았다. ❹ 오히려 3-D 아트, 모션 픽처, 그리고 착시는 다른 것들을 성취하기 위해 자리 잡고 있는 인식 체계를 이용한다. ❺ 그것들이 이러한 신경회로를 새로운 방식으로 사용하기 때문에, 우리는 그것들이 특히 흥미롭다고 여긴다. ❻ 현대의 녹음물이 만들어지는 방법에도 같은 것이 적용된다.

정답 전략　④ 목적어 them이 가리키는 것은 3-D art, motion pictures, and visual illusions이다. 밑줄 친 interested는 목적격 보어로 쓰였는데, 3-D 아트, 모션 픽처, 그리고 착시는 사람이 흥미를 느끼게 하는 주체이므로 능동의 현재분사 interesting으로 고쳐야 한다.

왜 오답일까?　① to discern은 that 이하의 관계대명사절에서 부사적 용법으로 쓰였고, 동사 evolved를 수식한다.

② which는 선행사 3-D art, motion pictures, or visual illusions를 부연 설명하는 계속적 용법의 주격 관계대명사이다.

③ be동사 are의 주어가 무엇인지 찾아야 한다. 주격 관계대명사절의 동사이므로 주어에 해당하는 것은 선행사인데, 복수 perceptual systems이므로 복수형인 are가 적절하게 쓰였다.

⑤ the way that은 '~하는 방법'이라는 의미로 that은 관계부사이다.

Words　considering (that) ~을 고려하면　tickle 간지럽히다, 자극하다　exploit 이용하다, 착취하다　neural circuit 신경 회로　evolve 진화하다 discern 알아차리다, 포착하다　principle 원리　visual illusion 착시　perceive 감지하다　leverage (지렛대로) 활용하다　perceptual 지각의 accomplish 성취하다　novel 새로운, 신기한; 소설

2
지문 한눈에 보기

❶ The modern adult human brain / weighs only 1/50 of the total body weight / but uses up to 1/5 of the total
　　　　　　　　　　　　　　　　S　　V1　　　　　　　　　　　　　　　　　　　　　　V2

energy needs. ❷ The brain's running costs / are about eight to ten times as high, / per unit mass, / as ①those of
　　　　　　　　　　　　　　　　　　　　　　대략　　└──── 배수사+as+원급+as: ~보다 …배 더 ~한 ────┘　　= running costs

the body's muscles. ❸ And around 3/4 of that energy / is expended on neurons, the ②specialized brain cells
└ the specialized ~ behaviours와 동격   선행사
that communicate in vast networks / to generate our thoughts and behaviours. ❹ An individual neuron
↑주격 관계대명사절   부사적 용법(목적)   S
③sends(→ sending) a signal in the brain / uses as much energy as a leg muscle cell running a marathon. ❺ Of
└An individual neuron을 수식하는 현재분사   V   현재분사구
course, / we use more energy overall / when we are running, / but we are not always on the move, / whéreas
                                        부사절(시간)   부분 부정   반면에
our brains never switch off. ❻ Even though the brain is metabolically greedy, / it still outclasses any desktop
                                        부사절(양보)   does this = performs the calculations┐
computer / both in terms of the calculations it can perform / and the efficiency ④at which it does this. ❼ We
            전치사 of의 목적어1 └ 목적격 관계대명사절   전치사 of의 목적어2 └ 목적격 관계대명사절
may have built computers that can beat our top Grand Master chess players, / but we are still far away from
may have p.p.: ~했을런지도 모른다
designing one / that is capable of recognizing and picking up one of the chess pieces / as ⑤easily as a typical
            = computer┘ └주격 관계대명사절
three-year-old child can.

해석 ❶ 현대 성인의 뇌는 무게가 전체 체중의 50분의 1에 불과하지만, 총 에너지 필요량의 최대 **5분의 1**까지 사용한다. ❷ 단위 질량당, 뇌의
유지 비용은 신체 근육의 유지 비용의 약 8배에서 10배이다. ❸ 그리고 그 에너지의 약 4분의 3은 뉴런에 사용되는데, 뉴런은 우리의 생각과
행동을 발생시키기 위해 광대한 연결망 안에서 소통하는 전문화된 뇌세포다. ❹ 뇌에서 신호를 보내고 있는 개개의 뉴런은 마라톤을 하고 있는
다리 근육 세포만큼 많은 에너지를 사용한다. ❺ 물론, 우리는 전반적으로 달리고 있을 때 더 많은 에너지를 사용하지만, 우리가 항상 움직이고
있는 것은 아닌 반면 우리의 뇌는 절대 꺼지지 않는다. ❻ 비록 뇌가 신진대사 작용에서 탐욕스럽기는 해도, 수행할 수 있는 계산과 이를 수행
하는 효율 양쪽 측면 모두에서 그것은 여전히 어떤 데스크톱 컴퓨터보다 훨씬 낫다. ❼ 우리가 최고의 그랜드 마스터 체스 선수들을 이길 수 있
는 컴퓨터를 만들었을지는 몰라도, 일반적인 세 살 아이가 할 수 있는 것만큼 쉽게 체스의 말 중 하나를 인식하고 그것을 집어들 수 있는 컴퓨
터를 설계하는 것과는 여전히 거리가 멀다.

정답 전략 ③ 주어 An individual neuron의 동사는 뒤에 나오는 uses이다. 문장에 본동사가 있으므로 sends는 현재분사 sending으로 고
쳐 주어를 꾸미는 것이 자연스럽다.

왜 오답일까? ① 대명사 that이나 those는 문장 앞에 나온 같은 어구의 반복을 피하기 위해 사용된다. those가 대신하는 것이 문맥상 앞에 나
온 running costs이므로, 복수 those로 쓰는 것이 적절하다.
② specialize는 '전문화하다'라는 의미이므로, brain cells는 이 행위의 대상이 되어 '전문화된' 것이 자연스럽다. 따라서 수동의 의미가 있는
과거분사의 꾸밈을 받는 것이 적절하다.
④ 뒤에 완전한 형태의 절이 나오므로 관계대명사 앞에 전치사가 있는 것이 자연스럽다. (→ it does this at the efficiency)
⑤ 문장 구조상 부사 easily가 is capable of recognizing and picking up ~을 꾸미고 있으므로 자연스럽다.

Words up to ~까지   running cost 유지비용   unit 단위   mass 질량, 덩어리   expend (돈, 시간, 에너지를) 쏟다, 들이다   specialized 전문화된
vast 광대한   generate 발생시키다, 만들어내다   overall 전반적으로   metabolically 신진대사로, 대사 작용으로   outclass 능가하다

3   지 문 한 눈 에 보 기

❶ When people face real adversity — / disease, unemployment, or the disabilities of age — / affection from a
        부사절(때)   역경(adversity)의 예시   S
pet takes on new meaning. ❷ A pet's continuing affection becomes crucially important / for ①those enduring
        V   └ become+형용사: ~해지다 ─┘   └현재분사구
hardship / because it reassures them / that their core essence has not been damaged. ❸ Thus pets are important
            부사절(이유)   reassures의 목적어 명사절
/ in the treatment of ②depressed or chronically ill patients. ❹ In addition, pets are ③used to great advantage
                        patients를 꾸미는 형용사구└   수동태   매우 유익하게
with the institutionalized aged. ❺ In such institutions / it is difficult for the staff to retain optimism / when all
                                                            가주어   의미상 주어   진주어   부사절(때)
the patients are declining in health. ❻ Children who visit cannot help but remember / ④what their parents or
                                                    └ 주격 관계대명사절 └~할 수밖에 없다 V1   remember의 목적어 명사절
grandparents once were / and be depressed by their incapacities. ❼ Animals, however, have no expectations /
                    V2

about mental capacity. ❽ They do not worship youth. ❾ They have no memories / about what the aged once
⑤was(→ were) and greet them as if they were children. An old man holding a puppy can relive a childhood
moment / with complete accuracy. His joy and the animal's response / are the same.

해석 ❶ 사람들이 진짜 역경, 즉 질병, 실직, 혹은 연령으로 인한 장애에 직면할 때, 애완동물로부터의 애정
은 새로운 의미를 띤다. ❷ 애완동물의 지속적인 애정은 고난을 견디고 있는 사람들에게 그들의 핵심적인
본질이 손상되지 않았다고 안심시켜 주기 때문에 결정적으로 중요해진다. ❸ 그러므로 애완동물은 우울증
이 있거나 만성적인 질병이 있는 환자들의 치료에 중요하다. ❹ 게다가, 애완동물은 시설에 수용된 노인들
에게 매우 유익하게 이용된다. ❺ 그런 시설에서 모든 환자가 건강이 쇠퇴하고 있을 때 직원들은 낙관주의
를 유지하기가 힘들다. ❻ 방문하는 자녀들은 부모나 조부모가 예전에 어떠했는지를 기억하고 그들이 정상
생활을 유지할 수 없음에 의기소침해할 수밖에 없다. ❼ 그러나 동물은 정신적 능력에 대한 기대를 하지 않
는다. ❽ 그들은 젊음을 숭배하지 않는다. ❾ 그들은 노인들이 예전에 어떠했는지에 대한 기억이 전혀 없어서 그들이(노인들이) 마치 어린이인 것처럼 그들을 반긴다. 강아지를 안
고 있는 노인은 완전히 정확하게 어린 시절을 다시 체험할 수 있다. 그의 기쁨과 그 동물의 반응은 동일하다.

정답 전략 ⑤ 주어인 the aged는 「the+형용사」의 형태로 aged people을 의미하며, 복수 명사처럼 쓰인다. 따라서 동사도 복수로 써야 하므
로 was를 were로 고쳐야 한다.

왜 오답일까? ① 대명사 those는 '사람들'의 의미를 나타내며, 뒤에서도 이를 their, them 등 복수 인칭대명사로 받고 있으므로 적절하다.
② depressed는 뒤에 나오는 patients를 꾸미는 분사형 형용사로 쓰였다. 꾸밈을 받는 명사 patients가 depress(우울하게 만들다)라는 행
위의 주체가 아니라 그 대상이므로 수동의 과거분사가 알맞다.
③ 주어 pets가 use라는 행위의 주체가 아니라 그 대상이므로 수동태를 만드는 과거분사 used가 적절하다.
④ what someone is는 그 사람의 인품, 성격을 나타내는 표현이다.

Words adversity 고난, 역경   disability 장애   affection 애정   crucially 결정적으로   endure 견디다   reassure 안심시키다   core 핵심의
chronically 만성적으로   to advantage 유리하게   institutionalized 보호 시설로 보내진   retain 유지하다   optimism 낙관주의   decline 쇠퇴
하다   incapacity 무능, 무력, 정상 생활 불가 상태   worship 숭배하다   accuracy 정확성

---

4 지문 한눈에 보기

❶ The formats and frequencies of traditional trade / encompass a spectrum. ❷ At the simplest level / ①are the
occasional trips / made / by individual !Kung and Dani / to visit their individual trading partners in other bands
or villages. ❸ ②Suggestive of our open-air markets and flea markets were the occasional markets / at
which Sio villagers living on the coast of northeast New Guinea / met / New Guineans from inland villages. ❹ Up
to a few dozen people from each side / ③sat down / in rows facing each other. ❺ An inlander pushed forward
a net bag / containing between 10 and 35 pounds of taro and sweet potatoes, / and the Sio villager / sitting
opposite responded / by offering a number of pots and coconuts ④judging(→ judged) equivalent in value to
the bag of food. ❻ Trobriand Island canoe traders conducted similar markets on the islands / ⑤that they visited,
exchanging utilitarian goods (food, pots, and bowls) by barter, / at the same time as they and their individual
trade partners gave each other reciprocated gifts of luxury items (shell necklaces and armbands).

해석 ❶ 전통적인 거래의 형식과 빈도는 전 범위를 망라한다. ❷ 가장 단순한 단계에서 !Kung족과 Dani족 일원이 다른 무리나 마을에 있는
그들 각자의 거래 상대를 방문하기 위해 이따금 하는 왕래가 있다. ❸ 뉴기니 북동쪽 해안에 사는 Sio 마을 사람들이 내륙 마을에서 온 뉴기니
사람들을 만났던 비정기 시장은 우리의 노천 시장과 벼룩시장을 연상시켰다. ❹ 각각의 편에서 온 수십 명에 이르는 사람들이 마주 보고 줄지

어 앉았다. ❺ 한 내륙인이 10에서 35파운드 사이의 타로토란과 고구마가 든 그물 가방을 앞으로 내밀면, 맞은편에 앉은 Sio 마을 사람은 그 음식물 가방과 동등한 가치라고 판단되는 몇 개의 단지와 코코넛을 제시함으로써 응수했다. ❻ Trobriand 섬의 카누 상인들은 자신들이 방문하는 섬에서 비슷한 시장을 운영했는데, 물물교환으로 실용적인 물품(음식물, 단지, 그릇)을 교환했고, 동시에 그들과 그들의 개별 거래 상대들은 서로에게 사치품(조개목걸이와 팔찌)을 답례 선물로 주었다.

정답 전략 ④ 현재분사 judging이 앞의 명사구 a number of pots and coconuts를 꾸미고 있다. 단지와 코코넛은 '판단하는(judge) 행위'의 대상이므로 현재분사가 아닌 과거분사 judged를 쓰는 것이 적절하다.

왜 오답일까? ① 부사구 At the simplest level이 문장 첫 머리에 쓰인 도치 구문이다. 이 경우 be동사 are의 주어는 뒤에 나오는 복수 명사 the occasional trips이므로 수가 일치한다.

② 지나치게 긴 주어를 뒤로 보내고 상대적으로 짧은 보어가 문장 앞으로 나온 도치 구문이다. Suggestive of our open-air markets and flea markets가 보어, were가 동사, the occasional markets at which ~ from inland villages 전체가 주어인 구조이다. 형용사 suggestive가 보어 역할을 하므로 어법상 적절하게 쓰였다.

③ 주어는 Up to a few dozen people from each side이고, 동사가 sat인 1형식 문장이다.

⑤ 목적격 관계대명사로 쓰여 that이 이끄는 that they visited가 the islands를 꾸민다.

Words format 형식 frequency 빈도(수) encompass 망라하다, 포함하다 spectrum 전 범위, 영역 occasional 이따금의, 비정기적인 band 무리 suggestive 연상시키는 open-air 야외의, 노천의 inland 내륙의 in rows 줄지어 net bag 그물 가방, 망태기 respond 응답하다 equivalent 같은, 동등한 conduct 운영하다, 관리하다 utilitarian 실용적인 barter 물물교환 luxury 사치, 사치품

1·2등급 확보 전략 2회

| 72~75쪽

1 ④   **2** ③   **3** ⑤   **4** ④

1　　　　　　　　　　　　　　　　　　　　　　　　지 문 한 눈 에 보 기

❶ Cutting costs can improve profitability / but only up to a point. ❷ If the manufacturer cuts costs so deeply ①that doing so harms the product's quality, / then the increased profitability will be short-lived. ❸ A better approach is to improve productivity. ❹ If businesses can get more production from the same number of employees, / they're ②basically tapping into free money. ❺ They get more product to sell, / and the price of each product falls. ❻ As long as the machinery or employee training ③needed for productivity improvements / costs less than the value of the productivity gains, it's an easy investment for any business to make. ❼ Productivity improvements are as important to the economy / as they ④do(→ are) to the individual business that's making them. ❽ Productivity improvements generally raise the standard of living for everyone / and ⑤are a good indication of a healthy economy.

해석 ❶ 비용 절감은 수익성을 향상시킬 수 있지만 어느 정도까지다. ❷ 만약 제조자가 비용을 너무 많이 절감해서 그렇게 하는 것이 제품의 질을 손상시키면, 그 증가된 수익성은 단기적일 것이다. ❸ 더 나은 접근법은 생산성을 향상시키는 것이다. ❹ 만약 기업이 똑같은 수의 직원들로부터 더 많은 생산을 얻을 수 있다면 그들은 기본적으로 거저 얻게 되는 것이다. ❺ 그들은 판매할 상품을 더 많이 얻고, 각 상품의 가격은 떨어진다. ❻ 생산성 향상에 필요한 기계 또는 직원 훈련이 생산성 향상의 가치보다 비용이 적게 드는 한, 그것은 어느 기업이든 할 수 있는 쉬운 투자이다. ❼ 생산성 향상은 그것을 만드는 개별 기업에 중요한 만큼 경제에도 중요하다. ❽ 일반적으로 생산성 향상은 모두에게 생활수준을 올려 주고 건강한 경제의 좋은 지표가 된다.

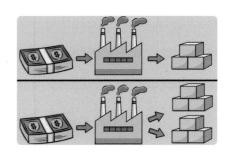

④ 대동사 do가 앞의 are important를 대신하는 것이므로 적절하지 않다. 주어 they의 수에 맞는 be동사 are로 고쳐야 한다.

① '너무 ~해서 …하다'라는 의미의 so ~ that ... 구문에 쓰인 that이다. that절의 주어는 doing so, 동사는 harms이다.

② 부사가 동사 are tapping을 꾸미고 있으므로 적절하게 쓰였다.

③ 꾸밈을 받는 명사 the machinery or employee training은 생산성 향상을 위해 기업이 필요로 하는 것이므로 need라는 행위의 대상이 된다. 따라서 과거분사 needed가 알맞다.

⑤ are는 앞의 동사 raise와 접속사 and로 연결되어 문장의 본동사 역할을 한다. 주어가 복수 Productivity improvements이므로 are가 알맞다.

Words profitability 수익성   short-lived 단기적인, 오래 가지 못하는   productivity 생산성   tap into ~을 이용하다   gain 개선, 이점
indication 지표, 조짐

2

❶ Mathematical practices and discourses / should be situated / within cultural contexts, student interests, and

real-life situations / ①where all students develop positive identities as mathematics learners. ❷ Instruction in

mathematics skills / in isolation and devoid of student understandings and identities renders them ②helpless

/ to benefit from explicit instruction. ❸ Thus, we agree that explicit instruction benefits students / but

propose that [incorporating / culturally relevant pedagogy and / consideration of nonacademic factors that

③promoting(→ promote) learning and mastery] must enhance explicit instruction in mathematics instruction.

❹ Furthermore, teachers play a critical role in developing environments ④that encourage student identities,

agency, and independence through discourses and practices in the classroom. ❺ Students who are actively

engaged in a contextualized learning process are in control of the learning process / and are able to make

connections with past learning experiences ⑤to foster deeper and more meaningful learning.

❶ 수학 연습과 담론은 모든 학생이 수학 학습자로서의 긍정적인 정체성을 발달시키는 문화적 맥락, 학생의 관심사, 그리고 실생활 상황 속에 들어 있어야 한다. ❷ 수학 기술을 별개로 분리하여 학생들의 이해와 정체성이 결여된 채 지도하는 것은 학생들이 명시적 교수로부터 득을 보는 데 무력하게 만든다. ❸ 따라서 우리는 명시적 교수가 학생들에게 유익하다는 데에는 동의하지만, 문화적으로 적합한 교수법과 학습 및 숙달을 촉진하는 비학습적 요인에 대한 고려를 포함하는 것이 수학 지도에서의 명시적 교수를 강화시킬 것이라고 제안한다. ❹ 뿐만 아니라 교사는 교실에서의 담론과 연습을 통해 학생의 정체성, 주체성, 그리고 독립심을 장려하는 환경을 개발하는 데 매우 중요한 역할을 한다. ❺ 맥락화된 학습 과정에 적극적으로 참여하는 학생들은 학습 과정을 통제하며 과거 학습 경험과 연관 지어 더 깊고 더 의미 있는 학습을 촉진할 수 있다.

③ 앞에 있는 that은 nonacademic factors를 선행사로 취하는 관계대명사이다. 따라서 promoting은 관계대명사절의 동사가 되어야 하므로 promote로 고쳐 써야 한다.

① 뒤에 완전한 형태의 절이 나오며 앞에 '상황'이라는 의미의 선행사 situation이 있으므로 관계부사 where는 적절하게 쓰였다.

② 「render+목적어+목적격 보어(형용사)」는 '목적어를 ~하게 만들다'라는 의미이다. 형용사 helpless가 보어로 쓰였으므로 적절하다.

④ that은 주격 관계대명사로 쓰여 선행사 environments를 꾸미고 있다. 뒤에 주어가 없는 불완전한 절이 나오므로 어법상 적절하다.

⑤ 이 문장에서는 두 개의 are가 접속사 and로 연결되어 동사 역할을 하고 있고, to foster는 결과를 나타내는 부사적 용법의 to부정사로 쓰였다.

Words discourse 담론, 담화   situate 위치시키다   context 맥락   positive 긍정적인   identity 정체성   instruction 지도   isolation 고립
devoid of ~이 결여된   render 만들다, 주다   benefit from ~로부터 이득을 얻다   explicit instruction 명시적 교수
incorporate 포함시키다   relevant 적절한, 관련 있는   mastery 숙달, 통달   enhance 강화하다   agency 주체성   be engaged in ~에 참여하다
contextualized 맥락화된   foster 조성하다, 촉진하다

❶ Human beings do not enter the world / as competent moral agents. ❷ Nor ①does everyone leave the world in that state. ❸ But somewhere in between, / most people acquire a bit of decency / that qualifies them for membership in the community of moral agents. ❹ Genes, development, and learning all / contribute to the process of becoming a decent human being. ❺ The interaction between nature and nurture is, / however, / highly complex, / and developmental biologists are only just beginning ②to grasp just how complex it is. ❻ Without the context ③provided by cells, organisms, social groups, and culture, / DNA is inert. ❼ Anyone who says that people are "genetically programmed" to be moral / ④has an oversimplified view / of how genes work. ❽ Genes and environment interact in ways that make it nonsensical [to think that the process of moral development in children, or any other developmental process, can be discussed in terms of nature *versus* nurture]. ❾ Developmental biologists now know / that it is really both, or nature *through* nurture. ❿ A complete scientific explanation / of moral evolution and development in the human species / ⑤are(→ is) a very long way off.

해석 ❶ 인간은 유능한 도덕적 행위자로서 세상에 들어오지 않는다. ❷ 또한 모든 이가 그 상태로 세상을 떠나지도 않는다. ❸ 하지만 (태어나서 죽는) 그 사이의 어딘가에서, 대부분의 사람들은 그들에게 도덕적 행위자 공동체의 구성원 자격을 주는 얼마간의 예의를 습득한다. ❹ 유전자, 발달, 그리고 학습은 모두 예의 바른 인간이 되는 과정에 기여한다. ❺ 하지만 천성과 양육 사이의 상호 작용은 매우 복잡하며, 발달 생물학자들은 그저 그것이 얼마나 복잡한지를 간신히 이해하기 시작하고 있을 뿐이다. ❻ 세포, 유기체, 사회 집단, 그리고 문화에 의해 제공되는 맥락이 없으면, DNA는 비활성이다. ❼ 사람들이 도덕적이도록 '유전적으로 프로그램이 짜여 있다'고 말하는 모든 사람들은 유전자가 작동하는 방식에 대한 지나치게 단순화된 견해를 가지고 있다. ❽ 유전자와 환경은 아이들의 도덕적 발달 과정, 또는 다른 어떤 발달 과정이, 천성 '대' 양육이라는 견지에서 논의될 수 있다고 생각하는 것을 무의미하게 만드는 방식으로 상호 작용한다. ❾ 발달 생물학자들은 이제 그것이 진정 둘 다, 즉 양육을 '통한' 천성이라는 것을 안다. ❿ 인간 종의 도덕적 진화와 발달에 대한 완전한 과학적 설명은 까마득히 멀다.

정답 전략 ⑤ A complete scientific explanation of moral evolution and development in the human species가 주어이고 핵심 주어는 explanation이므로 동사 are는 단수 동사인 is로 바꿔야 한다.

왜 오답일까? ① 부정어 Nor가 문두에 와서 주어와 동사가 도치된 문장으로 everyone이 주어이고 동사 leave 대신 조동사 does를 쓴다. everyone이 3인칭 단수 주어이므로 does를 쓴 것은 어법상 적절하다.

② begin의 목적어로 to부정사가 와야 하므로 to grasp는 어법상 적절하다.

③ '~에 의해 제공되는 맥락'이라는 뜻에서 알 수 있듯이 the context와 동사 provided는 수동 관계이므로 provided의 쓰임은 적절하다.

④ 주어가 Anyone으로 3인칭 단수 주어이므로 본동사 has는 알맞게 쓰였다.

Words   competent 유능한, 능력 있는   agent 행위자   qualify 자격을 주다   decent 예의 바른   nurture 양육
grasp 이해하다, 파악하다   genetically 유전적으로   oversimplified 지나치게 단순화된   nonsensical 무의미한

---

❶ The skeletons ①found in early farming villages in the Fertile Crescent / are usually shorter than those of neighboring foragers, / which suggests [that their diets were less varied]. ❷ Though farmers could produce more food, / they were also more likely to starve, / because, / unlike foragers, / they relied on a small number of crops, / and / [if those crops failed,] / they were in serious trouble. ❸ The bones of early farmers show / evidence

of vitamin deficiencies, / probably ②caused by regular
<u>명사를 수식하는 과거분사구</u>
periods of starvation between harvests. ❹ They also show

signs of stress, / [associated, perhaps, with the intensive
[과거분사구]
labor / ③required for plowing, harvesting crops, felling
과거분사구
trees, maintaining buildings and fences, and grinding grains]. ❺ Villages also produced refuse, / which attracted
앞 문장이 선행사   관계대명사(계속적 용법)
vermin, / and their populations were large enough to spread diseases / that could not have survived / in smaller,
enough to부정사: ~할 만큼 충분히   선행사   주격 관계대명사절
more nomadic foraging communities. ❻ All this evidence of declining health / ④suggest(→ suggests) / that the
suggests의
first farmers were pushed / into the complex and increasingly ⑤interconnected farming lifeway / rather than
목적어절   V1   V2
⑤pulled by its advantages.
(were 생략) V3

해석 ❶ 비옥한 초승달 지대의 초기 농경 마을들에서 발견된 유골은 이웃하고 있는 수렵채집인의 것들보다 대체로 작았는데, 이는 그들의 식단이 덜 다양했다는 것을 암시한다. ❷ 비록 농경인이 좀 더 많은 식량을 생산할 수 있었지만 그들은 굶주렸을 가능성 또한 더 높았는데, 왜냐하면 수렵채집인과는 달리 그들은 적은 수의 작물들에 의존했고, 그러한 작물들이 실패하면 심각한 곤경에 처했기 때문이다. ❸ 초기 농경인의 뼈들은 아마도 수확기 사이의 정기적인 기근의 시기에 의해 발생했을 비타민 결핍의 흔적을 보여 준다. ❹ 그것들은 어쩌면 쟁기질, 작물 수확, 나무 베기, 건물과 울타리 유지 보수하기, 그리고 곡식 빻기를 하는 데 요구되는 강도 높은 노동과 관련이 있는 스트레스의 징후 또한 보여 준다. ❺ 마을은 또한 쓰레기를 만들었는데 이는 해충을 끌어들였고, 마을의 인구가 많아서 더 작고, 더 유목 생활을 하는 수렵채집 집단에서는 지속되지 못했을 병을 퍼뜨리기에 충분했다. ❻ 쇠약해지는 건강에 대한 이러한 모든 증거는 초기 농경인이 농경의 장점에 끌리기보다는 복잡하고 점차 서로 연결된 농경 생활 방식으로 떠밀렸음을 암시한다.

정답 전략 ④ 주어인 All this evidence of declining health에서 evidence는 불가산명사로 쓰이므로 단수 동사를 쓰는 것이 알맞다. 따라서 suggest는 suggests로 고쳐 써야 한다.

왜 오답일까? ① The skeletons가 주어이긴 하지만 동사는 뒤에 나오는 are이다. found는 수동 의미의 과거분사로 주어를 수식하고 있다.
② caused ~ harvest가 vitamin deficiencies를 부연 설명하는 분사구문이다. vitamin deficiencies와 수동 의미 관계이므로 과거분사 caused가 적절하다.
③ required는 동사가 아니라 the intensive labor를 수식하는 과거분사로 쓰였다. 명사와 수동 관계이므로 required가 어법상 적절하다.
⑤ 수식되는 명사 farming lifeway가 interconnect되는 대상이므로 수동 의미의 과거분사 interconnected의 쓰임은 알맞다.

Words skeleton 골격, 해골   fertile 비옥한   crescent 초승달   deficiency 결핍, 부족   starvation 기근   intensive 집중적인
plow 쟁기질하다   grind 갈다   grain 곡물, 알갱이   nomadic 유목하는   interconnected 서로 연결된   lifeway 생활방식

DAY 1 개념 돌파 전략 ① CHECK

8~11쪽

1 who　2 whose　3 What　4 which　5 when　6 where　7 Whoever　8 that　9 that　10 that　11 that
12 whether　13 so that　14 during　15 headed　16 remembered　17 hiring

[해석] 1 우리는 다른 사람들과 우리의 문제를 논의할 필요가 있는 사회적 동물이다.　2 그는 로마 역사 연구에 중점을 두는 역사가이다.　3 당신과 당신의 배우자에게 필요한 것은 대화할 수 있는 좋은 시간이다.　4 감정 그 자체는 그것이 기원하는 상황에 묶여 있다.　5 당신은 그 소식을 들은 정확한 시간을 기억하나요?　6 이것은 참가자들에게 지역 산책로를 안내하는 등산 프로그램이다.　7 나를 만나고 싶은 사람이 누구든지 그들은 자유롭게 와서 나를 만난다.　8 그 배우가 영화에서 주요 배역을 연기할 것이라고 예상된다.　9 우리는 우리 프로젝트를 계속할 수 있을 것이라고 생각했다.　10 주된 문제는 메모리 공간이 부족하다는 점이다.　11 나는 그녀가 퇴사했다는 회신을 받았다.　12 박물관이 오늘 문을 여는지 알 방법이 있나요?　13 목수는 두 살짜리 아들이 가지고 놀 수 있도록 작은 나무 동물들을 조각했다.　14 나는 대화 중에는 전화를 받지 않는다.　15 나는 서둘러 택시를 잡고 버스 정류장으로 돌아갔다.　16 Plumb는 자신이 그 선원을 알아보지도 못하고 이름도 기억하지 못해 미안함을 느꼈다.　17 안타깝게도 그들은 현재 채용하거나 지원을 받지 않는다.

DAY 1 개념 돌파 전략 ②

12~13쪽

A (a) that　(b) whether　(c) whose
C (a) T　(b) F　(c) T　(d) F

B (a) what　(b) so that
D (a) F　(b) T　(c) T

A [해석] 어떤 야구장들은 다른 야구장들보다 홈런을 치기 더 좋다는 것이 잘 알려져 있다. 중요한 것이 야구장의 크기만은 아니다. 바람과 습도와 같은 다른 야구장 조건들도 야구공이 펜스를 넘어가는지에 영향을 미친다. 따라서 어떤 선수가 자신의 현재 홈경기장보다 홈런을 치는데 더 유리한 조건을 갖춘 야구장이 있는 팀으로 이적하면 어떤 일이 생길까? 이를테면, (홈런을 치는 횟수가) 28퍼센트 향상될까? 한 분석은 그 선수가 60퍼센트 더 많은 홈런을 친다는 것을 알아냈다.

[해설] (a) 가주어-진주어 구문으로 쓰인 「It ~ that ...」 구문이므로 that을 쓰는 것이 어법상 알맞다.

(b) 뒤에 완전한 절이 오므로 affect의 목적절 whether를 쓴다. what은 뒤에 불완전한 절이 와야 한다.

(c) 선행사 a team을 수식하고 뒤에 명사를 수식하는 소유격 관계대명사가 와야 하므로 whose를 써야 한다.

끊어 읽기로 보는 구문

잘 알려져 있다　　　　　어떤 야구장들은 홈런을 치기 더 좋다는 것이　　　　　　　　　　　다른 야구장들보다
It is well known / that some baseball parks are better for hitting home runs / than others.
It ~ that ...은 가주어-진주어 구문　　　　　　　　전치사 for의 동명사 목적어

야구장의 크기만은 아니었다　　　　　　중요한 것이
It is not just the size of the park / that matters.
It ~ that 강조 구문

어떤 일이 생길까　　　　　　어떤 선수가 팀으로 이적하면　　　　　　　홈런을 치는 데 더 유리한 조건을 갖춘 야구장이 있는
So what happens / when a player is moved to a team / [whose baseball park has better conditions for
S(의문사)　V　　　　때의 부사절　　　　　　　선행사 ↑┘　소유격 관계대명사

자신의 현재 홈경기장보다　　　　　이를테면, (홈런을 치는 횟수가) 28퍼센트 향상될까?
home runs / than his current one] — / say, 28 percent better?

B 해석 야구가 그렇듯 사업과 삶에서도 우리의 인식이 펜스를 향해 스윙을 할지 말지에 영향을 미칠 수 있다. 야구 연구는 중요한 것은 펜스까지의 실제 거리가 아니라 우리의 뇌가 그 거리를 어떻게 인식하느냐라는 것을 보여준다. 당신의 일과 현재의 삶을 고려해 봐라. 홈런을 치기엔 펜스가 너무 멀어 보이는가? 그것이 더 쉬워 보이도록 단순히 펜스를 조정해 보아라.

해설 (a) matters의 주어 역할을 하는 주격 관계대명사가 와야 하고 앞에 선행사가 없는 것으로 보아 선행사를 포함하고 있는 관계대명사 what이 어법상 알맞다.

(b) '~하도록 펜스를 조정해라'의 뜻이므로 뒤에 목적의 부사절 접속사 so that이 오는 것이 자연스럽다.

끊어 읽기로 보는 구문

야구 연구는 우리에게 보여 준다 / 중요한 것은 / 펜스까지의 실제 거리가 아니라 / 우리의 뇌가 ~라는 것을
The baseball research shows us / that [what matters] is / not the actual distance to the fence / but what our brains ~.
　　　　　　　　　　　　show의 직접목적어절　　S(관계대명사절)　V　└── not A but B: A가 아니라 B이다 ──┘

단순히 펜스를 조정해 보아라 / 그것이 더 쉬워 보이도록
Simply adjust the fences / so that it seems easier.
명령문　　　　　　　　　~하도록(목적의 부사절)　seem+형용사: ~처럼 보이다

C 해석 의사는 Jim이 오른팔을 완전히 사용하지 못할 수도 있다고 결론지었다. 그의 부상 때문에 Jim은 그 해의 나머지 기간 동안 농구 팀에서 경기를 할 수 없었지만, 코치는 그가 와서 연습할 수 있도록 그를 장비 관리자로 만들었다. 1997년 여름 내내 그는 매일 밤 왼손으로 농구공을 넣는 연습을 했다.

해설 (a) concluded의 목적절로 명사절을 이끄는 접속사로 쓰인 것이므로 that이 알맞다.

(b) '~ 때문에'라는 뜻의 이유를 나타낼 때에는 뒤에 문장이 오면 접속사 because를 쓰고, 명사구가 올 때에는 because of를 쓰므로 이 경우 because of를 써야 한다.

(c) '~하는 동안에'라는 뜻의 특정한 기간을 나타낼 때에는 전치사 during을 쓰므로 어법상 알맞다.

(d) 등위접속사 and, but, or 등의 앞뒤에는 같은 형태가 와야 하므로 come and practice를 쓰는 것이 알맞다.

끊어 읽기로 보는 구문

그러나 / 코치는 / 그를 장비 관리자로 만들었다 / 그가 와서 연습할 수 있도록
~ but / the coach / did make him equipment manager / so that he could come and practice.
　　　　　　　　　　강조의 do　└ make+O+OC(명사구) ┘　~할 수 있도록(목적의 부사절)

D 해석 무화과나무는 지속적으로 열매를 맺지만, 열대 우림의 열매를 먹는 척추동물은 무화과를 주로 먹지 않는다. 그러나 무화과나무는 1년 중 다른 열매가 덜 열리는 시기에는 열매를 먹는 척추동물을 유지하는 데 중요한 역할을 한다. 만약 무화과나무가 사라진다면, 대부분의 동물들은 사라질 것이다. 그렇기 때문에 이러한 열대우림에서 무화과나무를 보호하는 것이 우리의 중요한 보존 목표이다.

해설 (a) despite는 전치사이므로 뒤에 절이 올 수 없고, 절이 올 경우에는 '~임에도 불구하고'라는 뜻의 although가 알맞다.

(b) the time of year를 선행사로 하는 관계부사절로 때를 나타내므로 when을 쓴 것이 어법상 알맞다.

(c) That's why ~.는 '그것이 ~한 이유이다.'라는 뜻의 관용 표현이므로 문맥상 알맞다.

끊어 읽기로 보는 구문

시기에는 / 다른 열매가 덜 열리는 / 그러나 / 무화과나무는 중요해진다 /
During the time of year / when other fruits are less plentiful, / however, / fig trees become important /
　　　　선행사　　　　　└ 관계부사(때)　　　V　　　문장 중간에 많이 쓰임

열매를 먹는 척추동물을 유지하는 데에
in sustaining fruit-eating vertebrates.
전치사+목적어(동명사)

그것이 / 이유이다 이러한 열대우림에서 무화과나무를 보존하는 것이 / 우리의 중요한 보존 목표인
That's / why protecting fig trees in such rainforests / is our important conservation goal.
　　　선행사 the reason이 생략된 관계부사절(이유)　S　　　V　　　　　C

[대표 유형] **1** ③　　**2** ③

[대표 유형 **1**]　　　　　　　　　　　　　　　　　　　　　　　　지 문　한 눈 에　보 기

❶ The competition to sell manuscripts to publishers / ①is / fierce. ❷ I would estimate / that less than one percent of the material ②sent to publishers / is ever published. ❸ Since so much material is being written, / publishers can be very selective. ❹ The material / they choose to publish / must not only have commercial value, but ③being(→ be) very competently written and free of editing and factual errors. ❺ Any manuscript / that contains errors stands ④little chance at being accepted for publication. ❻ Most publishers will not want to waste time with writers / ⑤whose material contains too many mistakes.

해석　❶ 출판사에 원고를 팔려는 경쟁은 치열하다. ❷ 내가 추산하기로는 출판사에 보내진 자료 중 1% 미만이 지금까지 출판되었다. ❸ 그토록 많은 글이 집필되므로, 출판사는 매우 선택적일 수 있다. ❹ 그들이 출판하기 위해 선택하는 글은 상업적 가치가 있어야 할 뿐 아니라 아주 만족할 만하게 쓰여서 편집 및 사실 오류가 없어야 한다. ❺ 오류를 포함하는 어떤 원고도 출판을 위해 받아들여질 가능성은 거의 없다. ❻ 대부분의 출판사는 자료에 너무 많은 오류를 포함하고 있는 글의 집필자에게 시간을 낭비하고 싶어 하지 않을 것이다.

정답 전략　상관접속사의 병렬 구조 ③ 「not only A but (also) B」 구문으로, 상관접속사가 연결하는 어구는 조동사 must 뒤의 동사원형인 것이 자연스럽다. 따라서 but 뒤의 being을 be로 고쳐야 한다.

왜 오답일까?　① The competition이 주어이므로 동사는 is가 알맞다.

② the material을 수식하는 말로 '보내진'의 수동의 뜻이므로 과거분사 sent는 알맞은 표현이다.

④ little은 '거의 ~가 없는'의 뜻으로 셀 수 없는 명사를 수식한다.

⑤ writers가 선행사이고 '작가의 원고'의 뜻이므로 소유격 whose를 쓰는 것이 알맞다.

[대표 유형 **2**]　　　　　　　　　　　　　　　　　　　　　　　　지 문　한 눈 에　보 기

❶ When it comes to medical treatment, / patients see choice / as both a blessing and a burden. ❷ And the burden falls primarily on women, / who are ①typically the guardians / not only of their own health, / but that of their husbands and children. ❸ "It is an overwhelming task / for women, and consumers in general, / [②to be able to sort through the information they find and make decisions]," says Amy Allina, program director of the National Women's Health Network. ❹ And what makes it overwhelming is / not only that the decision is ours, but that the number of sources of information ③which(→ from which) we are to make the decisions / has exploded. ❺ It's not just a matter of listening to your doctor lay out the options / and ④making a choice. ❻ We now have encyclopedic lay-people's guides to health, / "better health" magazines, / and the Internet. ❼ So now the prospect of medical decisions ⑤has become everyone's worst nightmare of a term paper assignment, / with stakes infinitely higher than a grade in a course.

해석 ❶ 의학 치료에 있어서 환자들은 선택을 축복이자 부담으로 본다. ❷ 그리고 그 부담은 주로 여성들에게 주어지는데, 그들은 일반적으로 자기 자신의 건강뿐만 아니라 남편과 아이들의 건강의 수호자이다. ❸ "자신이 찾은 정보를 자세히 살펴보고 결정을 내릴 수 있다는 것은, 여성들에게 그리고 일반적으로 소비자들에게 매우 힘든 과업이다."라고 국립 여성 건강 네트워크의 프로그램 편성자 Amy Allina는 말한다. ❹ 그리고 그것을 매우 힘든 것으로 만드는 것은 그 결정을 우리가 해야 한다는 것뿐만 아니라, 우리가 결정을 내리는 데 근거가 되는 정보의 원천의 수가 폭발적으로 증가해 왔다는 것이다. ❺ 그것은 단지 여러분의 주치의가 선택 사항들을 펼쳐 놓는 것을 듣고 선택을 하는 문제가 아니다. ❻ 지금 우리에게는 비전문가들의 백과사전과 같은 건강에 대한 안내, '더 나은 건강' 잡지들과 인터넷이 있다. ❼ 그래서 이제 의학적 결정의 가능성은 모두에게 기말 보고서 과제와 같은 최악의 악몽이 되었는데, 한 강좌에서의 성적보다 걸려있는 것이 훨씬 더 많다.

정답 전략 전치사+관계대명사 ③ 뒤에 완전한 문장이 왔으므로 관계대명사 which 앞에 전치사 from이 와서 부사구(from information) 역할을 하는 것이 자연스럽다.

왜 오답일까? ① 부사 typically는 동사 are를 수식하는 것이므로 어법상 알맞다.
② 「It ~ to부정사 구문」으로 to be able to ~ make decisions 가 진주어로 쓰인 to부정사이므로 자연스럽다.
④ a matter of의 동명사 목적어로 쓰인 listening과 병렬 구조를 이루도록 making을 쓴 것이므로 자연스럽다.
⑤ 주어가 the prospect이므로 3인칭 단수 현재형 has를 써서 현재완료를 만든 것이 어법상 알맞다.

DAY 2 필수 체크 전략 ②

16~19쪽

1 ④ **2** ④ **3** ② **4** ⑤

1

지문 한눈에 보기

❶ Humans are / so averse to feeling / that they're being cheated / ①that they often respond in ways / that seemingly make little sense. ❷ Behavioral economists — the economists / who actually study / ②what people do / as opposed to the kind / who simply assume / [the human mind works like a calculator] — have shown again and again / that people reject unfair offers / even if ③it costs them money to do so. ❸ The typical experiment uses / a task called the ultimatum game. ❹ It's pretty straightforward. One person in a pair is given some money — say $10. ❺ She then has / the opportunity to offer some amount of it / to her partner. ❻ The partner only has two options. ❼ He can take what's offered / or ④refused(→ refuse) to take anything. ❽ There's no room for negotiation; that's why it's called the ultimatum game. ❾ What typically happens? ❿ Many people offer / an equal split to the partner, / ⑤leaving both individuals happy and willing to trust each other in the future.

해석 ❶ 인간은 속고 있다고 느끼는 것을 매우 싫어해서 종종 보기에는 거의 말이 되지 않는 방식으로 반응한다. ❷ 행동 경제학자들은 인간의 마음이 계산기처럼 작동한다고 단순히 가정하는 부류들과는 반대로 사람들이 하는 행동을 실제로 연구하는 경제학자들인데, 그들은 사람들이 불공정한 제안을 거부하는 것에 자신이 돈을 써야 한다고 해도 그렇게 한다는 것을 반복해서 보여 주었다. ❸ 전형적인 실험은 최후통첩 게임이라고 불리는 과업을 이용한다. ❹ 그것은 매우 간단하다. 짝을 이루는 두 사람 중 한 사람이 약간의 돈, 가령 10달러를 받는다. ❺ 그리고 나서 그 사람은 자기 짝에게 그 돈의 일부를 주는 기회를 가진다. ❻ 그 짝에게는 두 가지의 선택권만 있다. ❼ 그는 주어지는 것을 받거나, 아무것도 받지 않겠다고 거절할 수 있다. ❽ 협상의 여지는 없는데, 그것이 최후통첩 게임이라 불리는 이유이다. ❾ 대체로 어떤 일이 일어나는가? ❿ 많은 사람들은 짝에게 동등하게 나눈 몫을 제안하며, 두 사람을 모두 행복하게 하고 장래에 서로를 기꺼이 신뢰하게 한다.

정답 전략 병렬 구조 ④ 흐름상 refused는 조동사 can에 이어지는 take와 접속사 or로 연결되어 병렬 구조를 이룬다. 따라서 동사원형 refuse로 고쳐야 한다.

왜 오답일까? ① '매우 ~해서 …하다'라는 의미의 「so ~ that …」 구문이다.

② study의 목적어 역할을 하는 명사절을 이끌어야 하며 뒤에 do의 목적어가 빠진 불완전한 절이 나오고 있으므로 선행사를 포함하는 관계대명사 what이 쓰이는 것이 적절하다.

③ it이 가주어이고, 뒤의 to do so가 진주어로 쓰인 구문이다.
⑤ 바로 앞에 주어와 동사가 있는 완전한 절이 있고, 접속사 없이 연결되고 있으므로 leaving은 분사구문을 이끄는 현재분사이다.

2

❶ The present moment feels special. It is real. ❷ **However much you may remember the past or anticipate**
복합관계부사절(아무리 ~할지라도)
the future, / you live in the present. ❸ Of course, / the moment ① **during which you read that sentence** / is
S(선행사) └전치사+관계대명사┘
no longer happening. ❹ This one is. ❺ In other words, it feels **as though time flows,** / in the sense / **that the present**
더 이상 ~하지 않다   = moment   다시 말해서   부사절: ~인 것처럼   └─── 동격 ───┘
is constantly updating ② itself. ❻ We have a deep intuition / **that the future is open until it becomes present** /
직관   동격(직관1)
and ③ **that the past is fixed.** ❼ **As time flows,** this structure of fixed past, immediate present and open future
동격(직관2)   부사절(시간)   S
/ gets carried / forward in time. ❽ Yet as ④ **naturally(→ natural) as this way of thinking is,** / you will not find it
「as」+형용사+as+주어+동사」: 비록 ~가 …하더라도   find+O+OC(과거분사)
reflected / in science. ❾ The equations of physics do not tell us **which events are occurring right now** — they are
tell+간접목적어+직접목적어(의문사절 which ~ now)
/ like a map / without the "you are here" symbol. ❿ The present moment does not exist in them, / and therefore
~와 같은 ┌does = exist in them   = the equations of physics
neither ⑤ **does the flow of time.**
부정어 neither가 문두에 오면 주어 the flow of time과 동사 does가 도치됨

해석 ❶ 현재의 순간은 특별하게 느껴진다. 그것은 실제이다. ❷ 여러분이 얼마나 많이 과거를 기억하거나 미래를 예상하든지, 여러분은 현재에 살고 있다. ❸ 물론, 여러분이 그 문장을 읽은 순간은 더 이상 일어나지 않고 있다. ❹ 이 순간은 그렇다(일어나고 있다). ❺ 다시 말해, 현재가 끊임없이 그 자체를 갱신하고 있다는 점에서 시간은 흐르는 것처럼 느껴진다. ❻ 우리는 미래는 그것이 현재가 될 때까지 열려 있고 과거는 정해져 있다는 깊은 직관을 가지고 있다. ❼ 시간이 흐르면서 정해진 과거, 즉각적인 현재 그리고 열린 미래라는 이 구조가 시간 속에서 앞으로 밀려간다. ❽ 그러나 이런 식의 사고가 자연스러울지라도 여러분은 그것이 과학 안에서 반영된 것은 찾지 못할 것이다. ❾ 물리학의 방정식은 우리에게 어떤 사건들이 지금 당장 일어나고 있는지를 말해 주지 않는다. 그것들은 '현재 위치' 표시가 없는 지도와 같다. ❿ 현재의 순간은 그것들 안에 존재하지 않으며, 그러므로 시간의 흐름도 그렇지 않다.

정답 전략 주어와 보어 ④ 「(as)+형용사+as+주어+동사」의 형태로 '비록 ~가 …하더라도'의 양보의 의미를 나타내는 구문이다. naturally가 뒤의 this way of thinking is에 연결되어 보어 역할을 할 수 있어야 한다. 따라서 부사 naturally가 아닌 형용사 natural로 고쳐야 한다.

왜 오답일까? ① 선행사 the moment가 전치사 during의 목적어가 될 수 있으며 사람이 아닌 대상이므로 관계대명사 which로 받을 수 있다.
② 흐름상 재귀대명사 itself가 가리키는 것은 주어인 the present이므로 어법상 자연스럽다.
③ 바로 앞의 접속사 and로 that이 이끄는 두 개의 명사절이 병렬 구조로 연결되어 있다.
⑤ 부정의 주절 뒤에서 쓰인 「neither+(조)동사+주어」 구문으로 '~도 또한 … 아니다'의 뜻을 나타낸다. 즉, does의 주어는 뒤에 나오는 the flow of time이므로 3인칭 단수형으로 쓰인 것이 자연스럽다.

3

❶ The old maxim "I'll sleep when I'm dead" / is / unfortunate. ❷ (A) Adopt / **Adopting** this mind-set, / and you
└─── 동격 ───┘   명령문, and ~: …해라, 그러면 ~할 것이다
will be dead sooner / and the quality of that life will be worse. ❸ The elastic band of sleep deprivation can stretch
/ only so far **before it snaps.** ❹ Sadly, / human beings are in fact the only species / **that will deliberately deprive**
부사절(시간)   선행사 └주격 관계대명사절
(B) **them** / themselves **of sleep** / **without legitimate gain.** ❺ Every component of wellness, / and countless
seams of societal fabric, are being eroded / by our costly state of sleep neglect: / human and financial alike. ❻
현재진행 수동태

So much so that the World Health Organization(WHO) has now declared / a sleep loss epidemic / throughout
~할 정도이다
industrialized nations. ❼ It is no coincidence / that countries (C) where / which sleep time has declined most
가주어–진주어 it~ that 구문 — S(선행사) 관계부사절(장소)
dramatically / over the past century, / such as the US, the UK, Japan, and South Korea, and several in Western
~와 같은
= countries
Europe, / are also those suffering the greatest increase / in rates of physical disease and mental disorders.
V suffering ~ disorders는 those를 수식하는 현재분사구

해석 ❶ "잠은 죽어서나 자는 것
이다."라는 옛 격언은 유감스럽
다. ❷ 이런 사고방식을 채택하
면, 여러분은 더 빨리 죽게 될 것
이고 그 삶의 질은 더 나빠질 것
이다. ❸ 수면 부족이라는 고무줄

은 그것이 툭하고 끊어지기 전까지만 늘어날 수 있다. ❹ 슬프게도,
인간은 사실 합당한 이득 없이 의도적으로 잠을 자제하는 유일한
종이다. ❺ 건강의 모든 요소와 사회 구조의 수없이 많은 접합선은
인간적으로도 재정적으로도 손실이 큰 우리의 수면 소홀 상태에 의
해 손상되고 있다. ❻ 이제는 세계 보건 기구(WHO)에서 산업화된
국가 전역에 수면 부족 유행병을 선언할 정도였다. ❼ 지난 세기에
걸쳐 수면 시간이 가장 급격하게 감소한 미국, 영국, 일본, 한국, 그

리고 몇몇 서유럽 나라들과 같은 국가들이 신체 질환과 정신 질환
비율에서 가장 많은 증가를 겪고 있는 국가들이기도 한 것은 우연
의 일치가 아니다.

정답 전략 본동사와 준동사, 재귀대명사, 관계부사 (A) 「명령문
+and ~」의 형태로 '…해라, 그러면 ~할 것이다'의 의미를 나타낸
다. 따라서 Adopt가 쓰여 명령문이 되는 것이 자연스럽다.
(B) 문맥상 인간이라는 '종'이 잠을 자지 않는 것이며, 이를 '스스로
에게서 잠을 박탈하는' 것으로 표현할 수 있다. 따라서 재귀대명사
themselves가 자연스럽다.
(C) 뒤에 완전한 형태의 절이 나오므로 관계부사 where가 알맞다.
which는 관계사절에서 주어나 목적어 역할을 하므로, 뒤에 불완전
한 형태의 절이 온다.

---

❶ Regulations / covering scientific experiments on human subjects / are strict. ❷ Subjects must give their
S 앞의 명사를 수식하는 현재분사구
informed, written consent, / and experimenters must submit their proposed experiments / to thorough
뒤의 명사를 수식하는 과거분사 뒤의 명사를 수식하는 과거분사
examination / by overseeing bodies. ❸ Scientists who experiment on themselves / can, / functionally if not
S(선행사) 주격 관계대명사절 V 삽입구
legally, / avoid the restrictions / ①associated with experimenting on other people. ❹ They can also sidestep /
V the restrictions를 수식하는 과거분사구 = avoid
most of the ethical issues involved: nobody, / presumably, / is more aware of an experiment's potential hazards
과거분사 = an experiment 비교급 more A than B: B보다 더 A한
than the scientist who devised ②it. ❺ Nonetheless, experimenting on oneself / remains ③deeply problematic.
선행사 주격 관계대명사절 그럼에도 불구하고 remain+형용사: ~한 채로 있다
❻ One obvious drawback is / the danger involved; knowing that it exists / ④does nothing to reduce it. ❼ A less
S(동명사구) know의 목적절 V = the danger
obvious drawback / is / the limited range of data / that the experiment can generate. ❽ Human anatomy and
선행사 목적격 관계대명사절
physiology / vary, / in small / but significant ways, / according to gender, age, lifestyle, and other factors. ❾
작지만 의미 있는 방식으로 ~에 따라서
Experimental results derived from a single subject are, / therefore, / of limited value; there is no way to know
S 과거분사구 형용사적 용법
⑤what(→ whether) the subject's responses are typical or atypical of the response of humans as a group.
know의 목적어 의문사절

해석 ❶ 인간 피험자에 대한 과학 실험을 다루는 규정은 엄격하다.
❷ 피험자는 충분히 설명되고, 서면으로 된 동의를 해야 하고, 실험
자는 감독 기관에 의한 철저한 조사를 받도록 자신들의 실험 계획
을 제출해야 한다. ❸ 스스로에게 실험하는 과학자들은, 법률적으로
는 아니라도 직무상으로는 다른 사람들을 실험하는 것과 관련된 규
제를 피할 수 있다. ❹ 그들은 또한 관련된 윤리적인 문제도 대부분

피할 수 있는데, 실험을 고안한 과학자보다 그것의 잠재적인 위험을
더 잘 알고 있는 사람은 아마 없을 것이기 때문이다. ❺ 그럼에도
불구하고, 자신을 실험하는 것은 여전히 매우 문제가 된다. ❻ 한 가
지 명백한 문제점은 (실험에) 수반되는 위험인데, 위험이 존재한다
는 것을 아는 것이 위험을 줄이는 데 도움이 되는 것은 전혀 아니
다. ❼ 덜 명백한 문제점은 그 실험이 만들어 낼 수 있는 제한된 범

위의 데이터이다. ❽ 인체의 해부학적 구조와 생리적 현상은 성별, 나이, 생활 방식, 그리고 다른 요소에 따라 사소하지만, 의미 있는 방식으로 다양하다. ❾ 따라서 단일 피험자로부터 얻어진 실험 결과는 가치가 제한적이며, 그 피험자의 반응이 집단으로서의 인간 반응을 대표하는지 또는 이례적인지 알 길이 없다.

[정답 전략] 접속사와 관계사 ⑤ 동사 know 뒤에 나오는 절은 know의 목적어 역할을 하는 명사절이어야 한다. what 뒤에 완전한 형태의 절이 나오며, 문맥상 '~인지 …인지'의 의문을 나타내므로 what을 whether로 고치는 것이 적절하다.

[왜 오답일까?] ① 과거분사 associated가 꾸미고 있는 the restrictions는 associate가 나타내는 동작의 대상이므로 과거분사의 쓰임은 적절하다.

② 글의 흐름상 대명사 it이 가리키는 것은 단수 명사 an experiment이므로 적절하다.

③ 형용사 problematic이 주격 보어이고, deeply는 problematic을 꾸미는 부사로 쓰이고 있으므로 적절하다.

④ 동명사구인 knowing that it exists가 문장의 주어이므로 단수 동사인 does의 쓰임은 적절하다.

DAY 3 필수 체크 전략 ①

| 20~21쪽

[대표 유형] 1 ⑤   2 ⑤

[대표 유형 1]   지 문 한 눈 에 보 기

❶ If there's one thing / koalas are good at, / it's sleeping. (which 생략) — 목적격 관계대명사절(which 생략)
❷ For a long time / many scientists suspected / that — suspected의 목적어 명사절(접속사)
koalas were so lethargic / ①because the compounds in eucalyptus leaves kept the cute little animals in a
부사절(이유) — S — V keep+O+OC(형용사구)
drugged-out state. ❸ But more recent research has shown / that the leaves are simply so low in nutrients ②that
has shown의 목적어 명사절(접속사) — so ~ that …: 너무 ~해서 …하다
koalas have almost no energy. ❹ Therefore they tend to move as little as possible — / and when they ③do move,
~하는 경향이 있다 — 부사절(시간) — 강조의 조동사 do
/ they often look as though they're in slow motion. ❺ They rest sixteen to eighteen hours a day / and spend
= as if: ~인 것처럼
most of that unconscious. ❻ In fact, / koalas spend little time thinking; their brains actually appear to ④have
to부정사의
shrunk over the last few centuries. ❼ The koala is the only known animal / ⑤its(→ whose) brain only fills half of
완료형(주절의 시제보다 앞선 동작) — 선행사 — 소유격 관계대명사절
its skull.

[해석] ❶ 코알라가 잘하는 것이 한 가지 있다면, 그것은 자는 것이다. ❷ 오랫동안 많은 과학자들은 유칼립투스 잎 속의 화합물이 그 작고 귀여운 동물들을 몽롱한 상태에 있게 해서 코알라들이 그렇게도 무기력한 것이라고 의심했다. ❸ 그러나 더 최근의 연구는 그 잎들이 단순히 영양분이 너무 적어서 코알라들이 에너지가 거의 없는 것임을 보여 주었다. ❹ 그래서 코알라들은 가능한 한 적게 움직이는 경향이 있다. 그리고 그것들이 정말 움직일 때에는, 종종 슬로 모션으로 움직이는 것처럼 보인다. ❺ 그것들은 하루에 16시간에서 18시간 동안 휴식을 취하며, 그 시간의 대부분을 의식이 없는 상태로 보낸다. ❻ 사실, 코알라는 생각을 하는 데에 시간을 거의 사용하지 않는데, 그것들의

뇌는 실제로 지난 몇 세기에 걸쳐 줄어든 것으로 보인다. ❼ 코알라는 뇌가 두개골의 겨우 절반만 채운다고 알려진 유일한 동물이다.

[정답 전략] 소유격 관계대명사 ⑤ 앞뒤로 접속사 없이 두 개의 절이 이어지므로, its를 소유격 관계대명사 whose로 바꿔 접속사 역할과 소유격 역할을 동시에 하게 해야 한다.

[왜 오답일까?] ① 이유의 접속사 because 다음에는 「주어+동사」의 절이 오므로 어법상 알맞다. because of 다음에는 명사(구)가 오는 것에 유의한다.

② '너무 ~해서 …하다'라는 의미의 부사절은 「so ~ that …」 구문을 쓰므로 that의 쓰임이 자연스럽다.

③ 동사를 강조할 때 do동사를 주어의 수에 일치시켜 쓰고 뒤에 동사원형을 쓴다.

④ 코알라의 뇌가 몇 세기에 걸쳐 줄어들어 왔으므로 현재 이전의 시점을 나타내는 to부정사의 완료형의 쓰임은 자연스럽다.

❶ Every farmer knows / [that the hard part is getting the field ①prepared]. ❷ Inserting seeds and watching
                              knows의 목적어 명사절   get+O+OC(과거분사): O을 ～되게 하다   S(Inserting ～ grow)
②them grow / is easy. ❸ In the case of science and industry, / the community prepares the field, / yet society
watch+O+OC(5형식)
tends to give all the credit to the individual / who happens to plant a successful seed. ❹ Planting a seed / does
～하는 경향이 있다   선행사   └──┘ 주격 관계대명사
not necessarily require / overwhelming intelligence; creating an environment / that allows seeds to prosper /
부분 부정   intelligence를 수식하는 현재분사 └──┘   선행사   └──┘ 주격 관계대명사절
③does. ❺ We need to give more credit / to the community in science, politics, business, and daily life. ❻ Martin
=requires overwhelming intelligence └ 명사적 용법
Luther King Jr. was a great man. ❼ Perhaps his greatest strength was / his ability / ④to inspire people to work
                                                                              └──┘ 형용사적 용법
together / to achieve, / against all odds, / revolutionary changes / in society's perception of race / and in the
         부사적 용법(～하기 위해)   achieve의 목적어
fairness of the law. ❽ But to really understand ⑤that(→ what) he accomplished / requires / looking beyond the
                    S(to부정사구 주어)   선행사를 포함한 관계대명사 what절   V   O(동명사구)
man. ❾ Instead of treating him as the manifestation of everything great, / we should appreciate his role / in
         ～ 대신에   treat ～ as ...: ～을 ...로 여기다
allowing America to show that it can be great.
                      show의 목적어절

해석 ❶ 모든 농부들은 어려운 부분이 밭이 준비되도록 하는 것임을 안다. ❷ 씨앗을 심고 그것들이 자라는 것을 보는 것은 쉽다. ❸ 과학과 산업의 경우, 공동체가 밭을 준비하지만, 사회는 우연히 성공적인 씨앗을 심은 개인에게 모든 공로를 돌리는 경향이 있다. ❹ 씨를 심는 것에 반드시 엄청난 지능이 필요한 것은 아니지만, 씨앗이 번성하게 해 주는 환경을 만드는 것은 그러하다(엄청난 지능이 필요하다). ❺ 우리는 과학, 정치, 사업, 그리고 일상생활에서 공동체에 좀 더 많이 공을 돌릴 필요가 있다. ❻ Martin Luther King Jr.는 위대한 사람이었다. ❼ 아마도 그의 가장 뛰어난 점은 모든 역경에 맞서, 사회의 인종에 대한 인식과 법의 공정성에 있어 혁명적인 변화를 성취하기 위해 사람들이 함께 일하도록 고무시키는 능력이었을 것이다. ❽ 그러나 그가 성취한 것을 진정으로 이해하는 것은 그 사람을 넘어서 보는 것을 요구한다. ❾ 그를 모든 위대한 것들의 구현으로 여기는 대신 우리는 미국이 위대해질 수 있음을 보

여주도록 한 그의 역할을 인정해야 한다.

정답 전략 that과 what ⑤ 접속사 that 뒤에 불완전한 절인 he accomplished가 왔다. that을 선행사를 포함하는 관계대명사 what으로 고쳐 what he accomplished를 동사 understand의 목적어로 쓰는 것이 자연스럽다.

왜 오답일까? ① getting the field prepared는 「get+목적어+목적격 보어」의 5형식 문장으로 목적어와 목적격 보어는 수동 의미의 관계이므로 과거분사로 쓰는 것이 적절하다.
② them이 가리키는 것이 seeds이므로 them의 쓰임은 알맞다.
③ creating an environment가 주어이고 그에 따른 동사이므로 3인칭 단수형 does를 쓰는 것이 적절하다. does는 requires overwhelming intelligence를 받는다.
④ 명사 his ability를 수식하는 형용사적 용법의 to부정사로의 쓰임이 자연스럽다.

DAY 3 필수 체크 전략 ② | 22~25쪽

1 ⑤   2 ①   3 ⑤   4 ③

❶ Most historians of science / point to / the need for a reliable calendar / to regulate agricultural activity /
                              ～을 지적하다   └──┘ 형용사적 용법
as the motivation for learning / about what we now call astronomy, / the study of stars and planets. ❷ Early
～로서   전치사의 목적격 관계대명사절   └── 동격 ──┘
astronomy provided / information about when to plant crops / and gave humans ①their first formal method
            V1   전치사의 목적어(동명사구) when+to부정사: ～해야 할 때   V2 give A B: A에게 B를 주다 └ = humans'
of recording the passage of time. ❸ Stonehenge, the 4,000-year-old ring of stones in southern Britain, ②is /
전치사의 목적어(동명사구)   S   └── 동격 ──┘   V
perhaps / the best-known monument / to the discovery of regularity and predictability in the world we inhabit.
                  C   └─┘ 관계부사절(that 생략)
❹ The great markers of Stonehenge / point to / the spots on the horizon ③where the sun rises at the solstices
                                                              선행사   관계부사(장소)

and equinoxes — the dates we still use to mark the beginnings of the seasons. ❺ The stones may even have
④been used / to predict eclipses. ❻ The existence of Stonehenge, built by people without writing, bears silent
testimony both to the regularity of nature and to the ability of the human mind to see behind immediate
appearances and ⑤discovers(→ discover) deeper meanings in events.

해석 ❶ 대부분의 과학 역사가들은 별과 행성에 대한 연구, 즉 우리가 현재 천문학이라 부르는 것에 관해 배우고자 하는 동기로 농업 활동을 조절하기 위한 신뢰할

만한 달력의 필요성을 지적한다. ❷ 초기 천문학은 언제 작물을 심을지에 대한 정보를 제공했고 인간에게 시간의 흐름을 기록하는 그들 최초의 공식적인 방법을 제공했다. ❸ 스톤헨지는 영국 남부에 있는 4,000년 된 돌로 이루어진 고리로, 아마도 우리가 살고 있는 세계에서 규칙성과 예측 가능성 발견의 가장 잘 알려진 기념비일 것이다. ❹ 스톤헨지의 거대한 표식은 우리가 계절의 시작을 표시하기 위해 여전히 사용하는 날짜인 지점(至點)과 분점(分點)에 태양이 뜨는 지평선 위의 위치를 가리킨다. ❺ 그 돌들은 심지어 (해·달의) 식(蝕)을 예측하는 데 사용되었을지도 모른다. ❻ 문자가 없던 사람들이 세운 스톤헨지의 존재는 자연의 규칙성뿐만 아니라 바로

보이는 모습의 이면을 보고 사건에서 더 깊은 의미를 발견하는 인간 정신의 능력을 소리 없이 입증한다.

정답 전략 병렬 구조 ⑤ the ability of the human mind를 수식하는 to부정사들이 and로 연결된 구문이다. 앞에 쓰인 to see와 같은 기능을 갖는 병렬 구조로 연결하기 위해 (to) discover로 써야 한다.

왜 오답일까? ① their가 가리키는 대상은 바로 앞의 복수명사 humans이므로 적절하게 쓰였다.
② 단수 형태의 be동사 is의 주어는 문장 맨 앞의 Stonehenge이므로 적절하게 쓰였다. Stonehenge와 동격을 이루는 어구에서도 중심이 되는 대상은 단수 명사 ring이므로 Stonehenge는 단수로 보는 것이 알맞다.
③ 뒤에 완전한 형태의 절이 왔고 앞에 위치를 나타내는 명사가 있으므로 관계부사 where의 쓰임이 적절하다.
④ 주어 The stones는 식(蝕)을 예측하게 위해 '사용된' 것이므로 동사가 수동태로 쓰이는 것이 알맞다.

❶ Competitive activities can be more than just performance showcases / ①which(→ where) the best is
recognized / and the rest are overlooked. ❷ The provision / of timely, constructive feedback to participants
on performance / ②is / an asset / that some competitions and contests offer. ❸ In a sense, / all competitions
give feedback. ❹ For many, / this is restricted to information about / whether the participant is an award-
or prizewinner. ❺ The provision of that type of feedback can be interpreted / as shifting the emphasis to
demonstrating superior performance / but not ③necessarily excellence. ❻ The best competitions promote
excellence, / not just winning or "beating" others. ❼ The emphasis on superiority is what we typically see as
④fostering a detrimental effect of competition. ❽ Performance feedback requires / that the program go beyond
the "win, place, or show" level of feedback. ❾ Information about performance can be very helpful, / not only to
the participant who does not win or place / but also to those who ⑤do.

해석 ❶ 경쟁적 활동은 최고는 인정받고 나머지는 무시되는, 단지 기량 수행을 보여 주는 공개 행사 이상이 될 수 있다. ❷ 참가자에게 수행에 대한 시기적절하고 건설적인 피드백을 공급하는 것이 몇몇 대회와 경연이 제공하는 자산이다. ❸ 어떤 의미에서는, 모든 대

회가 피드백을 제공한다. ❹ 많은 경우에, 이것은 참가자가 상을 받는지에 관한 정보에 제한된다. ❺ 그런 유형의 피드백을 제공하는 것은 반드시 탁월함은 아닌, 우월한 수행 기량을 보여주는 것으로 강조점을 이동하는 것으로 해석될 수 있다. ❻ 최고의 대회는 단지

승리하거나 다른 사람을 '패배시키는 것'이 아니라, 탁월함을 장려한다. ❼ 우월성에 대한 강조는 우리가 일반적으로 경쟁의 유해한 영향을 조장하는 것이라고 간주하는 것이다. ❽ 수행 기량에 대한 피드백은 프로그램이 '이기거나, 입상하거나, 또는 보여주는' 수준의 피드백을 넘어설 것을 요구한다. ❾ 기량 수행에 관한 정보는 우승하거나 입상하지 못한 참가자뿐만 아니라 그렇게 한(우승하거나 입상한) 참가자에게도 매우 도움이 될 수 있다.

정답 전략 관계대명사와 관계부사 ① which 뒤에 완전한 절의 형태인 the best is recognized와 the rest are overlooked가 등위접속사 and로 연결되어 나오므로, 관계대명사 which를 관계부사로 고치는 것이 알맞다. 선행사 performance showcases에 어울리는 장소의 관계부사는 where이다.

왜 오답일까? ② be동사 is의 주어는 단수인 The provision이므로

어법상 적절하게 쓰였다. 뒤의 of timely, constructive feedback to participants on performance는 The provision을 꾸미고 있다.

③ not necessarily는 '반드시 ~은 아닌'이라는 부분 부정의 의미로 쓰인다. 의미상 not necessarily와 excellence 사이에 동명사 demonstrating이 생략된 구조이므로, 부사 necessarily가 동명사를 꾸미는 것은 적절하다.

④ see as는 '~을 …이라고 간주하다'라는 의미이며 이때 as는 전치사로 쓰인다. 전치사 뒤에 동명사가 목적어로 나오는 것은 어법상 적절하다.

⑤ 대동사 do가 대신하는 동사를 찾아야 한다. 바로 앞에 나온 일반동사 win or place를 대신하고 있으며 주어인 선행사도 복수 those이므로 어법상 적절한 형태이다.

3

❶ While reflecting on the needs of organizations, leaders, and families today, / we realize that one of the unique
접속사 while(시간)+분사구문   realize의 목적어절

characteristics ①is inclusivity. ❷ Why? Because inclusivity supports / ②what everyone ultimately wants from
     supports의 목적어절(선행사를 포함한 관계대명사 what절)

their relationships: / collaboration. ❸ Yet the majority of leaders, organizations, and families are still using the
└ 콜론(:)은 부연 설명

language of the old paradigm in which one person [— typically the oldest, most educated, and/or wealthiest
선행사   └전치사+관계대명사절 └ S1   삽입구로 one person에 대한 부연 설명

—] makes all the decisions, / and their decisions rule with little discussion or inclusion of others, ③[resulting in
V1   S2   V2   분사구문

exclusivity]. ❹ Today, / this person could be a director, CEO, or other senior leader of an organization. ❺ There is

no need for others to present their ideas / because they are considered ④inadequate. ❻ Yet research shows that
to present의 의미상 주어   └ 형용사적 용법   = their ideas   show의 목적어 명사절

exclusivity in problem solving, even with a genius, is not as effective as inclusivity, ⑤which(→ where) everyone's
선행사(장소)   where 이하는 관계부사절 └ S1

ideas are heard and a solution is developed through collaboration.
V1   S2   V2

해석 ❶ 오늘날 조직, 지도자, 그리고 가족의 요구에 관해 곰곰이 생각할 때 우리는 독특한 특성 중 하나가 포용성이라는 것을 깨닫는다. ❷ 왜일까? 포용성은 모든 사람이 그들의 관계에서 궁극적으로 원하는 것, 즉 협력을 뒷받침하기 때문이다. ❸ 그러나 대다수의 지도자, 조직, 그리고 가족은 오래된 패러다임의 언어를 여전히 사용하고 있고, 거기에서는 일반적으로 가장 연장자, 가장 교육을 많이 받은 사람, 그리고 혹은 가장 부유한 한 사람이 모든 결정을 내리며, 그들의 결정이 토론이나 타인을 포함시키는 일이 거의 없이 지배하고 결과적으로 배타성을 초래한다. ❹ 오늘날 이 사람은 한 조직의 관리자, 최고 경영자, 또는 다른 상급 지도자일 수 있다. ❺ 다른 사람들은 자신의 의견을 표현할 필요가 없는데 왜냐하면 그것이 부적절하게 여겨지기 때문이다. ❻ 그러나 연구에 따르면 문제 해결에 있어서 배타성은, 심지어 천재와 함께하는 것이더라도, 포용성만큼 효과적이지 않으며, 포용성이 있는 경우에는 모든 사람의 생각을 듣게 되고 협력을 통해 해결책이 발전된다.

정답 전략 관계대명사와 관계부사 ⑤ 계속적 용법의 관계대명사 which 뒤에 문장의 요소를 모두 갖춘 완전한 절이 오므로, 관계대명사를 장소의 관계부사 where로 고치는 것이 적절하다.

왜 오답일까? ① be동사 is의 주어는 one of the unique characteristics에서 one이므로 단수 동사로 쓰는 것이 적절하다. 「one of+복수명사」는 단수 취급한다.

② 관계대명사 what 뒤에 목적어가 없는 불완전한 절이 오며 what 앞에 선행사가 없으므로, 선행사를 포함하는 관계대명사 what의 쓰임은 어법상 적절하다.

③ 배타성을 '초래하는' 주체가 분사구문에서 생략된 주어 their decisions로 볼 수 있으므로 능동의 의미가 있는 현재분사가 적절하다.

④ 형용사가 목적격 보어로 쓰인 5형식 문장의 수동태이므로 형용사 inadequate의 쓰임은 적절하다.

❶ Getting in the habit of asking questions / (A) transform / transforms you into an active listener. ❷ This
　　S (동명사구 주어)　　　　　　　　　　　　　　　　　　　동명사 주어+단수 동사

practice forces you to have a different inner life experience, / since you will, / in fact, / be listening more
　　　　force+O+OC(to부정사): O을 억지로 ~하게 하다 (5형식)　　　부사절(이유)　　삽입구

effectively. ❸ You know / that sometimes when you are supposed to be listening to someone, / your mind starts
　　　　　　　　　know의 목적어 명사절　　　　부사절: ~할 때

to wander. ❹ All teachers know / that this happens frequently with students in classes. ❺ It's what goes on inside
명사적 용법　　　　　　　　　　　　know의 목적어 명사절　　　　　　　convert의 목적어(관계대명사절)　　　It ~ that 강조 구문(what ~ head 강조)

your head that makes all the difference in [how well you will convert (B) what / that you hear into something
　　　　　　　　　　　　　　　　　　　　　　　　　　convert A into B: A를 B로 바꾸다　　　　선행사 ↑

you learn]. ❻ Listening is not enough. ❼ If you are constantly engaged in asking yourself questions about things
관계대명사절(that 생략)　　　　　　　　　　　　　　부사절(조건): ~한다면

you are hearing, / you will find / that even boring lecturers become a bit more (C) interesting / interested, /
관계대명사절(that 생략)　　　　　　　　find의 목적어 명사절　　　　become+형용사: ~하게 되다, ~해지다

because much of the interest will be coming from / what you are generating / rather than / what the lecturer is
부사절(이유): ~ 때문에　　　　　　　　　　　　　　　　　　　　　　　　　　A rather than B: B라기보다는 A이다

offering. ❽ When someone else speaks, / you need to be thought provoking!
　　　　　부사절: ~할 때　　　　　　　　　　명사적 용법

[해석] ❶ 질문하는 습관을 들이는 것은 여러분을 능동적인 청자로 변화시킨다. ❷ 사실 여러분은 더 효과적으로 듣게 될 것이기 때문에 이 연습은 여러분이 다른 내면의 삶의 경험을 하도록 만든다. ❸ 여러분은 때로 누군가의 말을 의무적으로 들어야만 할 때 여러분의 정신이 산만해지기 시작한다는 것을 알고 있다. ❹ 모든 교사들은 이것이 수업 중 학생들에게 빈번히 일어난다는 것을 알고 있다. ❺ 여러분이 듣는 것을 배우는 것으로 얼마나 잘 전환시키는지에 있어서 전적으로 차이를 만드는 것은 바로 여러분의 머릿속에서 벌어지는 것이다. ❻ 듣는 것만으로는 충분치 않다. ❼ 여러분이 듣고 있는 것에 대해 끊임없이 스스로 의문을 제기하는 것에 몰두한

다면, 지루한 강의조차 약간 더 흥미로워진다는 것을 알게 될 것이다. 왜냐하면 흥미의 대부분은 강연자가 제공하는 것보다는 여러분이 만들어내고 있는 것에서부터 오기 때문이다. ❽ 다른 누군가가 말한다면 여러분은 생각을 불러일으킬 필요가 있다!

[정답 전략] 주어와 동사의 수 일치, 관계대명사, 현재분사와 과거분사 (A) 동사의 수를 판별해야 하므로, 주어의 수를 확인한다. 주어는 동명사구 Getting ~ questions이므로 단수로 취급한다. 따라서 transforms가 알맞다.
(B) 뒤에 hear의 목적어가 빠진 불완전한 절이 나오고 앞에 선행사 역할을 할 명사가 없으므로 선행사를 포함한 관계대명사 what이 알맞다.
(C) 주어 boring lectures가 여러분에게 흥미로움을 느끼게 하는 주체이므로 현재분사 interesting이 적절하다.

누구나 합격 **전략**　　　　　　　　　　　　　　　　　　　　　　　　　| 26~29쪽

1 ③　　2 ④　　3 ④　　4 ③

---

❶ Your parents may be afraid / that you will not spend your allowance wisely. ❷ You may make some foolish
　　　　　　　　　~을 걱정하다　be afraid의 목적어절

spending choices, / but if you ①do, / the decision to do so is your own / and hopefully / you will learn from
　　= make some foolish spending choices　　　　　　　형용사적 용법

your mistakes. ❸ Much of learning ②occurs / through trial and error. ❹ Explain to your parents / [that money
　　　　　　　　Much of+단수명사+단수동사　　　　시행착오　　　　　　　　　　explain의 목적어절

is something / you will have to deal with for the rest of your life]. ❺ It is better / ③what(→ that) you make your
선행사 ↑　(that 생략)　목적격 관계대명사절　　　　　　　　　It ~ that(가주어 – 진주어 구문)

mistakes early on rather than later in life. ❻ Explain / that you will have a family someday / and you need to
　　　　　　　　　　　　　　　　　　　　　　　　　explain의 목적어절 1　　　　　　　　　　(that 생략)) 목적어절 2

know [how ④to manage your money]. ❼ Not everything ⑤is taught at school!
　　　know의 목적어(의문사+to부정사)　　　　　　　　　　단수 취급

해석 ❶ 여러분의 부모는 여러분이 용돈을 현명하게 쓰지 않을 것을 걱정할 수도 있다. ❷ 여러분이 돈을 쓰는 데 몇 가지 어리석은 선택을 할 수도 있지만, 만일 여러분이 그렇게 한다면 그 결정은 여러분 자신의 결정이고 바라건대 여러분은 자신의 실수로부터 배울 것이다. ❸ 배움의 많은 부분이 시행착오를 거쳐서 일어난다. ❹ 돈은 여러분이 평생 동안 처리해 나가야 할 어떤 것임을 여러분의 부모에게 설명해라. ❺ 삶에서 나중보다 이른 시기에 실수를 저지르는 것이 더 낫다. ❻ 여러분이 언젠가는 가정을 갖게 될 것이라는 것과, 자신의 돈을 관리하는 법을 알 필요가 있다는 것을 설명해라. ❼ 모든 것을 다 학교에서 가르쳐 주는 것은 아니다!

정답 전략 접속사와 관계대명사 ③ what 뒤의 절이 완전한 형태이므로, 관계대명사 what은 적절하지 않다. 진주어인 명사절을 이끄는 접속사 that으로 고쳐야 한다.

왜 오답일까? ① do는 앞에 나온 make some foolish spending choices를 대신하므로 어법상 적절하다.
② 주어 Much of learning은 단수 취급해야 하므로 동사도 단수형으로 쓴다.
④ 「how+to부정사」는 '~하는 방법'이라는 의미로 know의 목적어로 쓰인다.
⑤ 주어 everything이 teach의 대상이므로 수동태로 쓴다. everything은 단수 취급하므로 be동사 is의 쓰임이 적절하다.

❶ Architecture is generally conceived, designed, and realized / in response to an existing set of conditions.
~의 반응으로서

❷ These conditions may be ①purely functional in nature, / or they may also reflect / in varying degrees the
형용사 수식하는 부사 = these conditions
social, political, and economic climate. ❸ In any case, / it is assumed / that the existing set of conditions is
어쨌든, 아무튼 assumed의 목적어 명사절1
②much less satisfactory / and that a new set of conditions would be desirable. ❹ The initial phase of any design
비교급 강조 부사 assumed의 목적어 명사절2 S 명사를 수식하는 전치사구
process is the recognition of a problematic condition / and the decision ③to find a solution to it. ❺ Design is
SC1 명사를 수식하는 전치사구 SC2 형용사적 용법
above all a purposeful endeavor. ❻ A designer must first document / the existing conditions of a problem and
무엇보다도 V1 명사를 수식하는 현재분사 명사를 수식하는 전치사구
④collecting(→ collect) / relevant data to be analyzed. ❼ This is the critical phase of the design process / [since
V2 형용사 용법(to부정사의 수동태) [부사절(이유)]
the nature of a solution is related to how a problem ⑤is defined].
전치사+to의 목적어인 의문사절

해석 ❶ 건축은 일반적으로 기존에 있는 조건의 집합에 대한 반응으로서 구상되고, 설계되고, 실현된다. ❷ 이러한 조건들은 현실적으로 순수하게 기능적이거나, 사회적, 정치적, 경제적 상황을 다양하게 반영하기도 한다. ❸ 어떤 경우에든, 기존의 조건이 훨씬 덜 만족스럽고, 새로운 조건이 바람직할 것이라고 여겨진다. ❹ 모든 설계 과정의 초기 단계는 문제 상황의 인식과 그에 대한 해결책을 찾아내려는 결정이다. ❺ 설계는 무엇보다도 의도적인 노력이다. ❻ 설계자는 먼저 현재의 문제 상황을 기록하고, 분석되어야 할 관련 자료를 수집해야 한다. ❼ 이것이 설계 과정의 가장 중요한 단계인데,

해결책의 본질은 문제가 어떻게 정의되는가와 관련되기 때문이다.

정답 전략 동사의 병렬 구조 ④ 문맥상 collecting은 접속사 and로 동사 document와 연결되므로 조동사 must에 병렬 구조로 이어진다. 따라서 collecting을 동사원형 collect로 고치는 것이 적절하다.

왜 오답일까? ① 부사 purely가 형용사 functional을 꾸미고 있으므로 어법상 적절하다.
② 부사 much는 형용사나 부사의 비교급을 강조한다.
③ to부정사가 앞의 명사 the decision을 꾸미는 형용사적 용법으로 쓰였다.
⑤ 문제(a problem)는 스스로 '정의하는' 것이 아니라 '정의되는' 것이므로 수동태 is defined가 어법상 적절하다.

❶ Before the washing machine was invented, / people used washboards to scrub, /or they carried their laundry
부사절: ~ 전에 부사적 용법: ~하기 위해 = people
to riverbanks and streams, ①where they beat and rubbed it against rocks. ❷ Such backbreaking labor is still
선행사 관계부사절 주격 관계대명사절
commonplace / in parts of the world, / but for most homeowners / the work is now done by a machine that
선행사
②automatically regulates water temperature, measures out the detergent, washes, rinses, and spin-dries. ❸
V1 V2 V3 V4 V5

With ③its electrical and mechanical system, / the washing machine is one of the most technologically advanced
＿＿＿＿＿　　　　　　　　　　　　　　　　　　　　　　　　　　　　　　　　부사(형용사 수식)　　　　ᒻ형용사(명사 수식)
examples of a large household appliance. ❹ It not only cleans clothes, but it ④is(→ does) so / with far less water,
＿＿＿＿＿　　　　　　not only A절 but (also) B절: A하는 것만이 아니라 B도 하다　　ᒻ= cleans clothes
detergent, and energy / than washing by hand requires. ❺ ⑤Compared with the old washers that squeezed
　　　　　　　　　　　유사관계대명사　　　S　　　V　　　　　～와 비교해서
out excess water by feeding clothes through rollers, / modern washers are indeed an electrical-mechanical
phenomenon.

4

　　　　　　　　　　　　　　　　　　　　　　　　　ᒻ되돌아가다, 회고하다
❶ What comes to mind / when we think about time? ❷ Let us go back / to 4,000 B.C. / in ancient China where
　　　　　　　　　　　부사절: ~할 때에　　　　　　5형식: let+O+OC(동사원형)　　　　선행사(장소)　　관계부사
some early clocks were invented. ❸ ①To demonstrate the idea of time to temple students, / Chinese priests
　　　　　　　　　　　　　　　　　　부사적 용법: ~하기 위해
used to dangle a rope / from the temple ceiling / with knots representing the hours. ❹ They would light it / with
　　　　　　　　　　　　　　　　　　　　　　　　　　　　　ᒻ knots를 수식하는 현재분사구
a flame from the bottom / so that it burnt evenly, / [②indicating the passage of time]. ❺ Many temples burnt
　　　　　　　　　　　~할 수 있도록(목적)　　　　　현재분사 구문: ~하면서
down / in those days. ❻ The priests were obviously not too happy about that until someone invented a clock
　　　　　　　　　　　　　　　　　　　　　　　　　　　　　　　　　　　부사절: ~할 때까지
③was made(→ made) of water buckets. ❼ It worked / by punching holes in a large bucket ④full of water, / with
　　명사 a clock을 수식하는 과거분사　　= the clock　　　　　　　　　　　(which was 생략)
markings representing the hours, / to allow water to flow out at a constant rate. ❽ The temple students would
　　　　　　　　　　　　　to allow: 부사적 용법(~하도록)　　5형식: allow+O+OC(to부정사)
then measure time / by how fast the bucket drained. ❾ It was much better than burning ropes for sure, / but
　　　　　　　　　　전치사의 목적어(의문사절)　　= the clock　　비교급　　　　　　　　　확실히
more importantly, it taught the students ⑤that once time was gone, it could never be recovered.
　　　　　　　4형식: teach+직접목적어+간접목적어(명사절 that절)

창의·융합·코딩 전략

30~33쪽

1 ②   2 ⑤

1

지 문 한 눈 에 보 기

❶ Some people have defined wildlife damage management / ①as the science and management of overabundant species, / but this definition is too narrow. ❷ All wildlife species act / in ways / ②how(→ that) harm human interests. ❸ Thus, all species cause wildlife damage, / not just overabundant ones. ❹ One interesting example of this / involves endangered peregrine falcons in California, / ③which prey on another endangered species, the California least tern. ❺ Certainly, / we would not consider peregrine falcons as being overabundant, but we wish ④that they would not feed on an endangered species. ❻ In this case, one of the negative values [associated with a peregrine falcon population] / is / that its predation reduces the population of another endangered species. ❼ The goal of wildlife damage management / in this case / would be to stop the falcons from eating the terns without ⑤harming the falcons.

해석 ❶ 어떤 사람들은 야생 동물 피해 관리를 과잉 종들에 대한 과학과 관리로 정의했지만, 이 정의는 너무 좁다. ❷ 모든 야생 동물 종들은 인간의 이익에 해를 끼치는 방식으로 행동한다. ❸ 따라서 단지 과잉 종뿐만 아니라 모든 종이 야생 동물 피해를 야기한다. ❹ 이것의 흥미로운 한 사례는 캘리포니아의 멸종 위기에 처한 송골매인데, 그것들은 캘리포니아 작은 제비갈매기라는 또 다른 멸종 위기 종을 먹이로 한다. ❺ 분명히 우리는 송골매를 과잉이라고 생각하지 않겠지만, 우리는 그것들이 멸종 위기에 처한 종들을 먹고 살지 않기를 바란다. ❻ 이런 경우에, 송골매 개체 수와 관련된 부정적인 가치들 중 하나는 그것의 포식이 또 다른 멸종 위기 종들의 개체 수를 감소시킨다는 것이다. ❼ 이런 경우에 야생 동물 피해 관리의 목표는 송골매에 해를 끼치지 않고 송골매가 작은 제비갈매기를 잡아먹지 못하게 하는 것일 것이다.

Words define 정의하다   management 관리   overabundant 과잉의, 과다한   species 종(種)   definition 정의   harm 해치다   involve 포함하다, 수반하다   endangered 멸종 위기에 처한   prey on ~을 먹이로 하다   associate 관련짓다   predation 포식

2

지 문 한 눈 에 보 기

❶ Along the coast of British Columbia / lies / a land of forest green and sparkling blue. ❷ This land is / the Great Bear Rainforest, / ①which measures 6.4 million hectares — about the size of Ireland or Nova Scotia. ❸ It is home /

to a wide variety of wildlife. ❹ One of the unique animals / living in the area / is the Kermode bear. ❺ It is a rare

현재분사구

kind of bear / ②known to be the official mammal of British Columbia. ❻ Salmon are also found here. ❼ They

과거분사구(known to: ~로 알려져 있는)

play a vital role in this area's ecosystem / ③as a wide range of animals, as well as humans, consume them. ❽ The

~에 지대한 역할을 하다   부사절을 이끄는 이유의 접속사 as(= because)   A as well as B: B뿐만 아니라 A도   = salmon

Great Bear Rainforest is also home / to the Western Red Cedar, / a tree / ④that can live for several hundred years.

동격   주격 관계대명사절

❾ The tree's wood is lightweight and rot-resistant, / ⑤but(→ so) it is used for making buildings and furniture.

~에 사용되다   for의 목적어(동명사구)

해석 ❶ British Columbia의 해안가를 따라서 짙은 황록색과 반짝이는 파란색의 지대가 위치하고 있다. ❷ 이 지대는 Great Bear Rainforest인데, 면적이 640만 헥타르로 대략 Ireland나 Nova Scotia 정도의 크기이다. ❸ 그곳은 매우 다양한 야생 동물의 서식지이다. ❹ 그 지역에 서식하는 독특한 동물 중 하나는 Kermode 곰이다. ❺ 그것은 British Columbia의 공식 포유류로 알려져 있는 희귀종 곰이다. ❻ 연어 또한 이곳에서 발견된다. ❼ 인간뿐만 아니라 매우 다양한 동물들이 그것을 먹기 때문에 그것은 이 지역의 생태계에서 매우 중요한 역할을 한다. ❽ Great Bear Rainforest는 또한 수백 년 동안 살 수 있는 나무인 Western Red Cedar의 서식지이기도 하다. ❾ 그 나무의 목재는 가볍고 부패에 저항력이 있어서 건축물을 짓고 가구를 만드는 데 사용된다.

Words   forest green 짙은 황록색   measure (크기, 길이, 양 등이) ~이다, 측정하다   home 서식지   unique 독특한, 특이한   rare 희귀한
mammal 포유류   vital 매우 중요한   ecosystem 생태계   range 범위   consume 먹다, 마시다   rot-resistant 부패에 저항력이 있는

DAY 1 개념 돌파 전략 ① CHECK

| 36~39쪽

1 he's 2 herself 3 stressful 4 pleasant 5 increasingly 6 louder 7 much 8 ① 9 mixed 10 No, he didn't.
11 had spoken 12 T 13 F 14 has he 15 were 16 do 17 did 18 who

해석 1 오빠가 운전을 잘하기 때문에 그녀는 오빠 Samuel에게 도움을 청하기로 했다. 3 이러한 부정적인 논평은 압도적이고 스트레스를 주는 것처럼 보일 수 있다. 4 밝고 따뜻한 소리를 들으니 그녀의 하루가 더 즐거워졌다. 5 관광의 발전은 점점 더 빨라지고 있다. 6 당신의 행동은 말보다 더 큰 소리로 말한다. 7 천둥이 다시 우르릉거리며 훨씬 큰 소리를 냈다. 8 우리의 시각은 다른 감각들이 발달된 것보다 훨씬 더 발달되어 있다. 9 만약 우리가 물감을 함께 섞는다면, 우리는 의도한 결과를 얻을 수 있을 것이다. 10 그는 처음 운전한 것처럼 어설프게 차를 주차했다. → 그는 처음으로 운전을 했나요? 12 나는 곰이 그 젖소를 죽였냐고 물었다. 13 당신은 어떻게 그곳에 갔는지 말해 줄 수 있나요? 14 그는 그곳에 가 본 적이 없다. 15 옷장 안에는 내가 필요한 물건들이 모두 있었다. 16 지도는 정말로 지도 제작자의 세계관을 반영한다. 17 라틴어는 그에게 매력이 없었으며, 그리스어도 역시 그러했다. 18 이번 사건에 관여해야 할 사람은 바로 당신이다.

DAY 1 개념 돌파 전략 ②

| 40~41쪽

A (a) than (b) brightly (c) himself
B (a) T (b) F (c) F
C ②
D ①

A 해석 이제 연회장 전체가 일어나서 박수를 치고 있었다. 그것은 그녀가 바랐던 것 이상이었다. 환하게 웃으며, 그녀는 앞줄의 익숙한 얼굴들을 보았다. Tom은 박수를 치며 환호했고 뛰어올라와 그녀를 포옹하고 축하하고 싶은 것을 겨우 참고 있는 것처럼 보였다. 그녀도 역시 그를 포옹하고 싶어 견딜 수 없었다.

해설 (a) 비교급은 「형용사/부사의 비교급+than」이므로 than을 써야 한다. 원급 비교는 「as+형용사/부사+as」를 쓴다.
(b) 준동사 smiling을 꾸미고 있으므로 부사 brightly가 와야 한다.
(c) 주어 Tom이 keep ~ from -ing의 목적어이므로 재귀대명사 himself를 쓴다.

끊어 읽기로 보는 구문

그것은 이상이었다 그녀가 바랐던 것
It was / more than / she had hoped for.
　　　비교급　　　　과거완료: had+과거분사

Tom은 박수를 치며 환호했고 처럼 보였다 뛰어올라와 그녀를 포옹하고 축하하고 싶은 것을 겨우 참고 있는 것
Tom clapped and cheered / and looked like / [he could barely keep himself from running up to hug and
　　　　　　　　　　　~처럼 보이다 [전치사 like의 목적어절] keep ~ from -ing: ~가 …하는 것을 막다

congratulate her].

B 해석 여러분은 '내가 직업을 잃는다면 어쩌지? 내가 교통사고가 나면 어쩌지?'하고 끊임없이 물을지도 모른다. 이 모든 '~라면 어쩌지'라는 구절은 끊임없이 다양한 시나리오들을 반복하는 '영화'를 여러분의 머릿속에 만들어 내어, 걱정의 상태를 창조한다. 차라리 '만약 내가 직업을 잃는다면 나는 무엇을 할까? 만약 교통사고가 난다면 나는 무엇을 할까?'하고 스스로에게 말해라. 이러한 질문들로 만들어진 영화들은 여러분을 걱정 속으로 빠뜨리지 않는다. 그것들은 여러분의 머리를 이끄는 행동 단계들을 여러분에게 제공한다.

해설 (a) 동사 ask를 수식하므로 부사 consistently의 쓰임이 적절하다.

(b) say는 명령문이므로 주어가 you이고, say to you에서 주어와 목적어가 같으므로 목적어는 재귀대명사 yourself를 써야 한다.

(c) 주절의 would로 보아 가정법 과거의 문장이므로 종속절의 동사는 과거형 crashed를 쓰는 것이 알맞다.

끊어 읽기로 보는 구문

이 모든 '~라면 어쩌지'라는 구절은　　'영화'를 만들어 내어,　여러분의 머릿속에　끊임없이 다양한 시나리오들을 반복하는
All these 'what if' phrases / create 'movies' / in your mind / that constantly repeat different scenarios,
　　　　S　　　　　　　　　　 V　　 O(선행사)　　　　　　　　　　　주격 관계대명사절

걱정의 상태를 창조한다
/ which creates a state of worry.
　콤마+which: 관계대명사(주격)의 계속적 용법

나는 무엇을 할까　　　　　만약 교통사고가 난다면?
What would I do / if I crashed my car?
가정법 과거: 주어+조동사의 과거형 .... if+주어+동사의 과거형 ~

C **해석** 오늘은 특히 바쁘고 지치게 하는 날이었고, Anderson은 그가 정말로 교직에 적합한지 궁금했다. 그는 아이들이 끊임없이 그의 관심을 요구할 때마다 스트레스를 받았다. 간식 시간에 Emily는 그가 우유팩을 열어주길 바랐고, 그래서 그는 그렇게 해주었다. 그녀가 마시는 동안, Scott은 우유를 엎질러서 Anderson은 그가 우유를 치우는 것을 도와주어야 했다. 그 다음엔 Jenny, Andrew, Mark 그리고 … 아이들은 결코 끝이 없었다.

해설 ②는 opened her milk carton의 뜻이므로 was를 대동사 did로 고쳐야 한다.

끊어 읽기로 보는 구문

간식 시간에　　　　　Emily는 그가 우유팩을 열어 줄 바랐고,　　　　　　　　　　　　그래서 그는 그렇게 해주었다.
At snack time, / Emily wanted him to open her milk carton, / so he did.
　　　　　　　　　　　want+O+OC(to부정사)　　　　　　　　　　　　　= opened her milk carton

그녀가 마시는 동안,　　　　Scott은 우유를 엎질러서　　　Anderson은 그가 우유를 치우는 것을 도와주어야 했다.　　it = his milk
As she was drinking, / Scott spilled his milk / and Anderson had to help him clean it up.
부사절: ~할 때에　　　　　　　　　　　　　　　　　　　　~해야만 했다　　　5형식 help+O+OC(동사원형)

D **해석** 그날은 무언가 불가사의한 것이 앞에 있는 것처럼 드물게 안개가 짙은 날이었다. Hannah는 긴장되고 떨렸다. 교장선생님은 고교 생활의 도전적인 과제들과 설렘에 관해 기운차게 말씀하고 계셨지만, 그녀는 거의 집중할 수 없었다. 교실은 낡았지만 깔끔하고 매력적이었다. Hannah는 창가 자리를 원했지만 복도 쪽 다섯 번째 줄에 앉게 되었다. 고교 생활은 교장선생님이 예언한 것처럼 도전적임이 금세 판명되었다.

해설 ① as if는 가정법으로 쓰여 '~인 것처럼'의 뜻이다. 가정법 과거에서 조건절의 be동사는 were를 쓰므로 is를 were로 고쳐야 한다.

끊어 읽기로 보는 구문

그날은　　　　드물게 안개가 짙은 날이었다　　　것처럼　무언가 불가사의한 것이　　　앞에 있는
That day / was unusually foggy / as if / something mysterious / were ahead.
　　　　　　　마치 ~인 것처럼　　　　　　　 S　　　something+형용사　V

교장선생님은　　　~에 관해 기운차게 말씀하고 계셨지만,　　　그녀는 거의 집중할 수 없었다
The principal / was energetically talking of ~, / but hardly could she concentrate.
　　　　　　　　　　　　　　　　　　　　　　　　　　　부정어+동사+주어(도치 구문)

고교 생활은　　　금세 판명되었다　도전적임이　교장선생님이 예언한 것처럼
High school life / soon proved / as challenging / as the principal had predicted.
　　　　　　　　　　　　　　　　　 as 형용사/부사 as +주어+동사: ~처럼 …한

DAY
2 필수 체크 전략 ①
| 42~43쪽

[대표 유형] 1 ②　　2 ⑤

[대표 유형 **1**]　　　　　　　　　　　　　　　　　　　　　　지 문 한 눈 에 보 기

❶ Psychologists / who study giving behavior ①have noticed / that some people give substantial amounts / to
S(선행사)　　　주격 관계대명사절　　　　　　　 V　　　noticed의 목적어 명사절

one or two charities, / while others give small amounts to many charities. ❷ Those / who donate to one or two
charities seek evidence / about what the charity is doing / and ②what(→ whether) it is really having a positive
impact. ❸ [If the evidence indicates / that the charity is really helping others], they make a substantial donation.
❹ Those who give small amounts to many charities / are not so interested / in [whether what they are ③doing
helps others] — / psychologists call them warm glow givers. ❺ Knowing that they are giving makes ④them feel
good, / regardless of the impact of their donation. ❻ In many cases / the donation is / so small — $10 or less — /
that if they stopped ⑤to think, they would realize that the cost of processing the donation / is likely to exceed
any benefit [it brings to the charity].

해석 ❶ 기부하는 행위를 연구하  는 심리학자들은 어떤 사람들은 한두 자선단체에 상당한 액수를 기부하는 반면에, 어떤 사람들은 많은 자선단체에 적은 액수를 기부한다는 것을 알게 되었다. ❷ 한두 자선단체에 기부하는 사람들은 그 자선단체가 무슨 일을 하고 있는지와 그것이 실제로 긍정적인 영향을 미치고 있는지에 관한 증거를 찾는다. ❸ 그 자선단체가 정말로 다른 사람들을 돕고 있다는 것을 증거가 보여 준다면 그들은 상당한 기부금을 낸다. ❹ 많은 자선단체에 적은 금액을 내는 사람들은 그들이 하고 있는 일이 다른 사람들을 돕는지 아닌지에 대해 그리 흥미를 갖지 않으며, 심리학자들은 그들을 따뜻한 불빛의 기부자라고 부른다. ❺ 그들의 기부가 미치는 영향과 관계없이, 자신들이 기부하고 있다는 것을 아는 것이 그들을 기분 좋게 만든다.

❻ 많은 경우에 기부금은 매우 적은 10달러 이하이기 때문에, 곰곰이 생각한다면 그들은 기부금을 처리하는 비용이 그것이 자선단체에 가져다주는 어떤 이득도 넘어서기 쉽다는 것을 깨닫게 될 것이다.

정답 전략 간접의문문 ② 문맥상 '~인지 아닌지'의 의미를 나타내므로 what을 접속사 whether로 고쳐야 한다.

왜 오답일까? ① 주어 Psychologists는 복수이므로 복수동사 have를 써서 have noticed를 쓴 것이 어법상 적절하다.

③ what they are doing이 주어로 '그들이 하고 있는 것'이라는 뜻이므로 현재진행형 시제가 알맞게 쓰였다.

④ them은 Knowing that they are giving에서 that절 안의 they를 받은 것이므로 they와 them은 주어-목적어 관계가 아니므로 재귀대명사를 쓰지 않고 them을 쓴 것이 적절하다.

⑤ 「stop+동명사」(~하는 것을 멈추다)와 「stop+to부정사」(~하기 위해 멈춰 서다)의 의미가 다르다. 여기서는 부사적 용법의 to부정사를 써서 stop to think를 쓰는 것이 알맞다.

[대표 유형 2]

지 문 한 눈 에 보 기

❶ While working as a research fellow at Harvard, / B. F. Skinner carried out a series of experiments on rats, /
using an invention / that later became known as a "Skinner box." ❷ A rat was placed in one of these boxes, /
①which had a special bar fitted on the inside. ❸ Every time the rat pressed this bar, / it was presented with food.
❹ The rate of bar-pressing / was ②automatically recorded. ❺ Initially, / the rat might press the bar accidentally,
/ or simply out of curiosity, / and as a consequence ③receive some food. ❻ Over time, / the rat learned that
food appeared whenever the bar was pressed, / and began to press ④it purposefully / in order to be fed.
❼ Comparing results from rats ⑤gives(→ [given]) the "positive reinforcement" of food for their bar-pressing
behavior] with those that were not, or were presented with food at different rates, it became clear that
when food appeared as a consequence of the rat's actions, / this influenced its future behavior.

❶ Harvard에서 연구원으로 일하는 동안, B. F. Skinner는 후에 "Skinner box"로 알려진 발명품을 사용하여, 쥐를 대상으로 일련의 실험을 수행했다. ❷ 쥐 한 마리가 이 상자들 중 하나에 넣어졌는데, 그 상자에는 내부에 맞춰 끼워진 특별한 막대가 있었다. ❸ 쥐가 이 막대를 누를 때마다, 그것은 음식을 받았다. ❹ 막대를 누르는 비율은 자동으로 기록되었다. ❺ 처음에 쥐는 우연히, 또는 단순히 호기심으로 막대를 누르고, 그리고 그 결과로 약간의 음식을 받았을 것이다. ❻ 시간이 흐르면서, 쥐는 막대가 눌릴 때마다 음식이 나타난다는 것을 알게 되었고, 먹이를 받기 위해 일부러 그것을 누르기 시작했다. ❼ 그들의 막대 누르는 행동에 대해 음식이라는 "긍정적인 강화"가 주어진 쥐들로부터 나온 결과와, 그렇지 않았거나 또는 다른 비율로 음식을 받은 그것들(쥐들)로부터 나온 결과를 비교할 때, 쥐의 행동의 결과로 음식이 나타났을 때, 이것이 그것(쥐)의 향후 행동에 영향을 미쳤음이 분명해졌다.

본동사와 준동사 ⑤ 뒤에 it became ~으로 시작하는 주절이 있고, Comparing이 이끄는 것은 분사구문이므로 gives의 형태를 고쳐 rats를 꾸미는 형용사 역할을 하게 해야 한다. 글의 흐름으로 보아 쥐가 음식에 대한 '긍정적 강화'를 '받은' 것이므로 수동의 의미가 있는 과거분사 given으로 고쳐야 한다.

① which는 앞에 나온 one of these boxes를 선행사로 하는 주격 관계대명사로 사물을 선행사로 받고 있으므로 which가 적절하다. 콤마가 있는 계속적 용법으로 쓰여 순차적으로 해석하는 것이 자연스럽다.

② '자동으로'라는 뜻의 automatically는 동사 recorded를 수식하므로 부사의 쓰임이 알맞다.

③ might에 연결되는 동사로 press와 receive가 쓰인 것이므로 receive가 알맞다.

④ it은 the bar를 가리키므로 쓰임이 적절하다.

DAY 2 필수 체크 전략 ②

44~47쪽

1 ② 2 ④ 3 ⑤ 4 ②

1 지문 한눈에 보기

"Monumental" is a word that comes very close to [①expressing the basic characteristic of Egyptian art]. ❷ Never
　　　　　　　　　　선행사 └주격 관계대명사절┘ ~에 근접한　전치사 to의 목적어(동명사구)
before and never since has the quality of monumentality been achieved / as fully as it ②did(→ was) in Egypt. ❸
부정어 도치 구문　　　　　　　　　　　S　　　　　　　　V(수동태 완료형)　원급 비교　 = the quality of monumentality
The reason for this / is not the external size and massiveness of their works, / although the Egyptians admittedly
　　부사절(양보)
achieved / some amazing things / in this respect. ❹ Many modern structures exceed ③those of Egypt / in terms
　　　　　　　　　　　　이런 점에서　　　　　　　　　　　　　　　　　　　　= structures
of purely physical size. ❺ But massiveness has nothing to do / with monumentality. ❻ An Egyptian sculpture / no
　　　　　　　　　　　　　　　　　~와 관련이 없다　　　　　　　　　　　　　　　　　　　형용사구 수식
bigger than a person's hand / is more monumental than that gigantic pile of stones ④that constitutes the war
　　　　　　　　　　　　　　　　　　　　　　　　　　선행사　　　　　└주격 관계대명사절
memorial in Leipzig, / for instance. ❼ Monumentality is not a matter of external weight, / but of "inner weight." ❽
　　　　　　　　　　　　　　　　　　　　└ not A but B: A가 아니라 B ┘
This inner weight is the quality which Egyptian art possesses to such a degree that everything in it seems to be
　　　　　　선행사 └목적격 관계대명사절　　　└ such+명사+that 구문 ┘　　　= Egyptian art
made of primeval stone, like a mountain range, [even if it is only a few inches across or ⑤carved in wood].
　　　　　　　　　　　　　　　부사절(양보)└ = Egyptian art　　　　　　　　　(it is 생략)

❶ '기념비적'이라는 말은 이집트 예술의 기본적인 특징을 표현하는 데 매우 근접하는 단어이다. ❷ 그 전에도 그 후에도, 기념비성의 특성이 이집트에서 그랬던 것처럼 완전히 달성된 적은 한 번도 없었다. ❸ 이것의 이유는 비록 이집트인들이 이 점에서 몇몇 놀라운 업적을 달성했다는 것이 인정된다 해도, 그들 작품의 외적인 크기와 거대함 때문은 아니다. ❹ 많은 현대 구조물들이 순전히 물리적인 크기 면에서는 이집트의 구조물들을 능가한다. ❺ 그러나 거대함은 기념비성과 관련이 없다. ❻ 예를 들어, 겨우 사람 손 크기의 이집트의 조각이 Leipzig(라이프치히)의 전쟁 기념비를 구성하는 그렇게나 거대한 돌무더기보다 더 기념비적이다. ❼ 기념비성

은 외적 무게의 문제가 아니라 '내적 무게'의 문제이다. ❽ 이 내적 무게는 이집트 예술 안의 모든 것이, 단지 폭이 몇 인치에 불과하거나 나무에 새겨져 있을지라도, 마치 산맥처럼 원시 시대의 돌로 만들어진 것처럼 보일 정도로 이집트 예술이 지니고 있는 특성이다.

대동사의 쓰임 ② 문맥상 did가 대신해야 하는 것은 수동태 be achieved의 과거형이다. 따라서 일반동사를 대신하는 did 대신 주어 it에 맞게 was로 고치는 것이 알맞다. 대명사 it은 the quality of monumentality를 가리킨다.

① 여기에서 to는 전치사로 쓰였다. 전치사의 목적어로 동명사 expressing이 왔으므로 자연스럽다.

③ 대명사 those가 대신하는 것은 앞에 있는 복수 명사 structures 이므로 어법에 맞는 표현이다.

④ that 뒤에 주어가 없는 불완전한 절이 왔으므로 관계대명사로 바르게 쓰였는지 확인한다. 선행사 that gigantic pile of stones 를 that이 이끄는 관계사절이 꾸미는 것이 의미상 자연스러우므로

어법에 맞게 쓰였다.

⑤ 과거분사 carved는 등위접속사 or에 의해 it is 뒤에 이어져 수동태를 이룬다. 대명사 it은 문맥상 이집트 예술 안의 각각의 예술품을 가리키는 것이므로 동사 carve와 수동 관계이다.

❶ Mental representation is the mental imagery of things / that are not actually present to the senses. ❷ In general, / mental representations can help us learn. ❸ Some of the best evidence for this / ①comes from the field of musical performance. ❹ Several researchers have examined ②what differentiates the best musicians from lesser ones, / and one of the major differences lies / in the quality of the mental representations the best ones create. ❺ When ③practicing a new piece, / advanced musicians have a very detailed mental representation of the music they use to guide / their practice and, ultimately, their performance of a piece. ❻ In particular, / they use their mental representations to provide their own feedback so that they know how ④closely(→ close) they are to getting the piece right and what they need to do differently to improve. ❼ The beginners and intermediate students / may have crude representations of the music / ⑤that allow them to tell, for instance, when they hit a wrong note, / but they must rely on feedback / from their teachers to identify the more subtle mistakes and weaknesses.

해석 ❶ 심적 표상은 감각에 실제로 존재하지 않는 것들에 대한 심상이다. ❷ 일반적으로, 심적 표상은 우리가 학습하는 데 도움을 줄 수 있다. ❸

이것에 대한 최고의 증거 중 몇몇은 음악 연주 분야에서 온다. ❹ 여러 연구자들이 무엇이 최고의 음악가들과 그들보다 못한 이들을 구분 짓는지 조사해 왔으며, 주요한 차이 중 하나는 최고의 음악가들이 만들어 내는 심적 표상의 질에 있다. ❺ 새로운 작품을 연습할 때 상급 음악가들은 작품에 대한 자신의 연습과, 궁극적으로는 자신의 연주를 이끌기 위해 사용하는 음악에 대한 매우 상세한 심적 표상을 가지고 있다. ❻ 특히, 그들은 자신이 그 작품을 올바로 이해하는 것에 얼마나 근접했는지와 그들이 발전하기 위해 무엇을 다르게 할 필요가 있는지를 알 수 있도록 스스로의 피드백을 제공하기 위해 심적 표상을 사용한다. ❼ 초급 및 중급 학생들은 예를 들어 자신이 언제 틀린 음을 쳤는지 알게 해주는, 음악에 대한 투박한 표상

을 가질 수도 있지만, 더 미묘한 실수와 약점을 알아내기 위해서는 자기 선생님의 피드백에 의존해야 한다.

정답 전략 형용사와 부사의 쓰임 ④ 부사가 무엇을 꾸미는지 파악해야 하는데, 간접의문문 how closely they are to getting the piece right에서 closely는 be동사 are에 이어지는 주격 보어 역할을 해야 한다. 부사는 보어로 쓰일 수 없으므로 형용사 close로 고쳐 써야 한다.

왜 오답일까? ① 동사 comes의 주어는 Some of the best evidence for this이다. 전치사 of 뒤의 evidence는 셀 수 없는 명사이므로, some of ~ evidence 전체를 단수로 보아야 한다.

② what은 간접의문문인 명사절을 이끌며, 절 안에서 주어 역할을 하여 어법상 바르게 쓰였다.

③ 접속사가 있는 분사구문의 분사로 쓰였다. 생략된 주어인 advanced musicians와의 관계가 능동이므로 현재분사 형태가 알맞다.

⑤ 뒤에 불완전한 절이 나오는 것으로 보아 that은 관계대명사이다. 선행사가 사물이므로 that이나 which를 쓸 수 있다.

❶ Trying to produce everything yourself / would mean ^(that 생략) you are using your time and resources / to produce
　　S (동명사구)　　　　　　　　　　　　　　V　　　mean의 목적어절　　　　　　　　　　　　　　　　부사적 용법(목적)

many things ①for which you are a high-cost provider. ❷ This would translate into lower production and income.
　　선행사　　　전치사 + 관계대명사

❸ For example, / even though most doctors might be good at record keeping and arranging appointments, /
　　　　　　　　부사절(양보): ~할지라도

②it is generally in their interest / to hire someone to perform these services. ❹ The time doctors use to keep
　가주어　　　　　　　　　　　진주어　　　　　　부사적 용법(목적)　　　　　　선행사 └─┘목적격 관계대명사절

records is time they could have spent seeing patients. ❺ Because the time [③spent with their patients] is worth
　선행사 └─┘목적격 관계대명사절　　　　　　　부사절(이유)　　　S └─┘[과거분사구]　　　　V

a lot, / the opportunity cost of record keeping for doctors / will be high. ❻ Thus, doctors will almost always

find it ④advantageous to hire someone else / to keep and manage their records. ❼ Moreover, when the doctor
find+O(it – 가목적어)+OC(advantageous)+to부정사(진목적어)　　　　부사적 용법(목적)　　　　　　　　부사절(시간): ~일 때

specializes in the provision of physician services / and ⑤hiring(→ hires) someone who has a comparative
　　V1　　　　　　　　　　　　　　　　　　　　　　　　　　　　V2

advantage in record keeping, / costs will be lower / and joint output larger than would otherwise be achievable.
　　　　　　　　　　　　　　　　　　　　　　　　　　(will be 생략)　　　　　가정법 조건절을 대신함

해석 ❶ 모든 것을 당신 스스로 생산하려고 노력하는 것은 당신이 고비용 공급자가 되는 많은 것들을 생산하기 위해 당신의 시간과 자원을 사용하고 있다는 것을 의미할 것이다. ❷ 이것은 더 낮은 생산과 수입으로 해석될 수 있다. ❸ 예를 들면, 비록 대부분의 의사가 기록 관리와 진료 예약 조정에 능숙할지라도, 이러한 서비스를 수행하기 위해 누군가를 고용하는 것이 일반적으로 그들에게 이익이 된다. ❹ 의사가 기록을 하기 위해 사용하는 시간은 그들이 환자를 진료하면서 보낼 수 있었던 시간이다. ❺ 그들이 환자와 보내게 되는 시간은 많은 가치를 지니기 때문에 의사들에게 기록 관리의 기회비용은 높을 것이다. ❻ 따라서 의사는 자료를 기록하고 관리하기 위해 누군가 다른 사람을 고용하는 것이 유리하다는 것을 거의 항상 알게 될 것이다. ❼ 게다가 의사가 진료 제공을 전문으로 하고 기록 관리 면에서 비교 우위인 사람을 고용하면, 그렇게 하지 않고 얻을 수 있는 것보다 비용은 더 낮아지고 공동의 생산량은 더 커질 것이다.

정답 전략 병렬 구조 ⑤ hiring을 포함하는 절에 본동사 specializes가 있는데, 문맥상 hiring은 등위접속사 and로 specializes와 연결되어 있다. 따라서 hires로 고쳐 the doctor를 주어로 하는 두 번째 본동사 역할을 하게 해야 한다.

왜 오답일까? ① 뒤에 완전한 형태의 절이 나오고 앞에 선행사가 될 수 있는 명사구가 있으므로 어법상 자연스럽다.
② it은 가주어이며, 뒤의 to부정사구(to hire ~)가 진주어이다.
③ 과거분사 spent가 앞의 명사 the time을 꾸민다. 시간은 스스로 쓰는 것이 아니라 '쓰이는' 것이므로 수동의 의미가 있는 과거분사를 쓰는 것이 자연스럽다.
④ 「find+목적어(it)+목적격 보어」의 5형식 구조에서 형용사 advantageous가 목적격 보어로 쓰였으므로 자연스럽다. it은 가목적어이고, 뒤의 to hire someone else가 진목적어이다.

　　　　　　　　　　　　　　　　　　┌─ 동격 ─┐
❶ Not only are humans ①unique in the sense that they began to use an ever-widening tool set, / we are also
　not only A (but) also B: A일 뿐만 아니라 B이다　in the sense that: ~라는 점에서

the only species on this planet / that has constructed forms of complexity / that use external energy sources.
　　선행사　　　　　　　　　　└─┘주격 관계대명사절　　　　　　선행사　　└─┘주격관계대명사절

❷ This was a fundamental new development, / ②which(→ for which) there were no precedents in big history. ❸
　　　　　　　　　선행사　　　　　　　　　전치사 + 관계대명사절(계속적 용법)

This capacity may first have emerged / between 1.5 and 0.5 million years ago, / when humans began to control
　　　　may have+과거분사(과거의 사실에 대한 추측)　　　　　　　　　　　부사절(시간)

fire. ❹ From at least 50,000 years ago, / [some of the energy] / stored in air and water flows / ③was used for
　　　　　　　　　　　　　　　　　　　　　[S]　　　　└─┘과거분사구 수식　　　　　V

navigation / and, much later, also for powering the first machines. ❺ Around 10,000 years ago, / humans learned
　　　　　　　(was used 생략)

to cultivate plants / and ④tame animals / and thus control these important matter and energy flows. ❻ Very
learned의 목적어 1　　(to) learned의 목적어 2　　(to) learned의 목적어 3

soon, / they also learned to use animal muscle power. ❼ About 250 years ago, / fossil fuels began to be used
　　　　　　　　　　　　명사적 용법　　　　　　　　　　　　　　　　　　　　　　to부정사의 수동태

on a large scale / for powering machines of many different kinds, / thereby ⑤creating the virtually unlimited
amounts of artificial complexity that we are familiar with today.

해석 ❶ 인간은 계속 확장되는 도구 세트를 이용하기 시작했다는 점에서 유일할 뿐만 아니라, 외부 에너지원을 이용하는 복잡한 형태를 만들어 낸 이 지구상의 유일한 종이다. ❷ 이것은 근본적인 새로운 발전이었는데 거대한 역사에서 (그것에 대한) 전례가 없었다. ❸ 이러한 능력은 150만 년 전에서 50만 년 전 사이에 처음으로 생겨났을지도 모르는데, 그때 인간이 불을 다루기 시작했다. ❹ 적어도 5만 년 전부터 공기와 물의 흐름에 저장된 에너지 일부가 운항에 쓰였고, 훨씬 후에 최초의 기계에 동력을 제공하는 데에 쓰였다. ❺ 1만 년 전 즈음에, 인간은 식물을 경작하고 동물을 길들여서 이런 중요한 물질 및 에너지의 흐름을 다루는 것을 배웠다. ❻ 곧, 인간은 동물의 근력을 이용하는 것도 배우게 되었다. ❼ 약 250년 전에는, 화석 연료가 많은 다양한 종류의

기계에 동력을 공급하는 데 대규모로 사용되기 시작했고, 그렇게 함으로써 오늘날 우리에게 익숙한 사실상 무한한 양의 인공적인 복잡성을 만들어 냈다.

정답 전략 전치사＋관계대명사 ② which 뒤에 완전한 형태의 절이 나오므로 관계사절 속에 부사를 만들기 위해 전치사 for가 와서 no precedents for which의 구조가 되는 것이 자연스럽다.

왜 오답일까? ① 부정어구인 not only가 문장 맨 앞에 와서 도치된 문장이다. 형용사 unique가 be동사 are 뒤에서 주격 보어 역할을 하게 되므로 어법상 자연스럽다.

③ be동사 was의 주어는 some of the energy로 단수이며, stored in air and water flows는 주어를 꾸미는 형용사구이다.

④ tame은 등위접속사 and에 의해 to cultivate와 연결되며, 앞에 반복되는 to가 생략된 것으로 볼 수 있다.

⑤ 앞 절의 내용에 이어지는 연결 동작을 나타내는 분사구문을 이끄는 현재분사의 쓰임이다.

DAY 3 필수 체크 전략 ①

48~49쪽

[대표 유형] 1 ⑤   2 ⑤

[대표 유형 1]   지 문 한 눈 에 보 기

❶ Not all organisms are able to find / sufficient food to survive, / so starvation is a kind of disvalue / often found
in nature. ❷ It also is part of the process of selection ①by which biological evolution functions. ❸ Starvation
helps filter out those [less fit to survive], those [less resourceful in finding food / for ②themselves and their
young]. ❹ In some circumstances, / it may pave the way / for genetic variants ③to take hold in the population
of a species / and eventually allow the emergence / of a new species / in place of the old one. ❺ Thus starvation
is a disvalue / that can help [make ④possible the good of greater diversity]. ❻ Starvation can be of practical or
instrumental value, / even as it is an intrinsic disvalue. ❼ ⑤What(→ That) some organisms must starve in nature
/ is deeply regrettable and sad. ❽ The statement remains implacably true, / even though starvation also may
sometimes subserve ends / that are good.

해석 ❶ 모든 유기체가 생존에 충분한 먹이를 구할 수는 없으므로, 기아는 자연에서 흔히 발견되는 일종의 반가치(反價値)이다. ❷ 그것은 또한 생물학적 진화가 기능하게 되는 선택 과정의 일부이기도 하다. ❸ 기아는 생존에 덜 적합한 것들, 즉 자기 자신과 새끼들을

위한 먹이를 찾는 데 있어 수완이 덜한 것들을 걸러 내는 데 도움을 준다. ❹ 몇몇 상황에서 기아는 유전적 변종이 종의 개체군을 장악할 수 있는 길을 열어 주고 결국에는 이전의 종을 대신하는 새로운 종의 출현을 가능하게 해 줄지도 모른다. ❺ 따라서 기아는 더 큰

다양성이 주는 이익을 가능하게 만드는 데 도움이 될 수 있는 반가치이다. ❻ 기아가 고유한 반가치가 되는 바로 그 순간, 실용적인, 즉 도구적인 가치를 지닐 수 있다. ❼ 어떤 생물들이 자연에서 굶주려야 한다는 것은 매우 유감스럽고 슬프다. ❽ 기아가 때로 좋은 목적에 공헌할 수도 있다 해도, 그 말은 확고히 진실로 남는다.

정답 전략 접속사와 관계대명사 ⑤ What 뒤에 주어와 동사가 있는 완전한 절이 왔으므로 what은 쓸 수 없다. 관계대명사 what을 접속사 that으로 바꾸어야 한다.

왜 오답일까? ① 뒤에 오는 biological evolution functions가 완전한 문장이고 앞에 선행사가 있으므로 「전치사+관계대명사」인 by

which가 자연스럽다.

② finding food의 의미상 주어인 those less resourceful과 동일한 대상을 가리키므로 전치사 for의 목적어로 쓰인 재귀대명사 themselves가 적절하다.

③ for genetic variants는 to부정사의 의미상의 주어이고, the way를 수식하는 to부정사의 형용사적 용법이 필요하므로 to take는 어법상 적절하다.

④ 「make+OC+O」의 형태로 목적어인 the good of greater diversity가 길어져서 목적어와 목적격보어가 도치되었다.

---

❶ An interesting aspect of human psychology is / that we tend to **like** things more and **find** them more
S / V / 보어절(명사절) / (when 생략) / ┌ tend to like ~ and (to) find로 병렬 연결 / find + O + OC(형용사)
①appealing / if everything about those things is not obvious the first time / we experience them. ❷ This is
부사절(조건) / 선행사 / 관계부사절
certainly true in music. ❸ For example, / we might **hear** a song on the radio / for the first time / that catches our
(that 생략) / V1 선행사 ↑ / 주격 관계대명사
interest and ②**decide** we like it. ❹ Then the next time we hear it, / we hear a lyric we didn't catch the first time,
V2 decide의 목적어절 / 부사절(때) / 선행사 목적격 관계대명사
/ or we might notice ③what the piano or drums are doing in the background. ❺ A special harmony ④emerges
선행사를 포함한 목적격 관계대명사절 / S(선행사) / V
/ that we missed before. ❻ We hear more and more / and understand more and more / with each listening. ❼
목적격 관계대명사절
Sometimes, / the longer ⑤that(→ it) takes for a work of art to reveal all of its subtleties to us, / the more fond of
┌── it takes for ~ to부정사: …하는 데 ~ 걸리다 ──┐
「the 비교급+주어+동사 ~, the 비교급+주어+동사 ~」 구문
that thing / — whether it's music, art, dance, or architecture — we become.
부사절: ~이든 간에

해석 ❶ 인간 심리의 흥미로운 일면은, 우리가 처음으로 어떤 것들을 경험할 때 그것들에 대한 모든 것이 분명하지 않다면 그것들을 더 좋아하고 그것들이 더 매력적이라고 생각하는 경향이 있다는 것이다. ❷ 이것은 음악에 있어서 분명히 사실이다. ❸ 예를 들어 우리는 라디오에서 우리의 관심을 끄는 노래를 처음으로 듣고 그 노래가 마음에 든다고 결정을 내릴지도 모른다. ❹ 그러고 나서 다음번에 그것을 들을 때, 우리는 처음에 알아차리지 못한 가사를 듣거나, 배경음으로 들리는 피아노나 드럼의 연주를 알아챌 수도 있다. ❺ 우리가 전에 놓쳤던 특별한 화음이 나타난다. ❻ 우리는 점점 더 많은 것을 듣게 되고, 매번 들을 때마다 점점 더 많이 이해하게 된다.

❼ 때때로 예술 작품이 그것의 중요한 세부 요소들을 우리에게 모두 드러내는 데 더 오랜 시간이 걸릴수록, 그것이 음악이든, 미술이든, 춤이든, 또는 건축이든 간에 우리는 그것을 더 좋아하게 된다.

정답 전략 비교 표현의 주어와 동사 ⑤ the longer ~, the more ~ 형태이므로 「the 비교급+주어+동사 ~, the 비교급+주어+동사 ~」 구문임을 알 수 있다. 앞 절의 의미가 '~하는 데에 오래 걸릴수록'의 뜻이므로 시간의 비인칭주어 it을 쓰는 것이 알맞다.

왜 오답일까? ① 「find+O(them)+OC(more appealing)」의 5형식 문장에서 목적격 보어로 형용사나 분사를 쓸 수 있으므로 '매력적인'이라는 뜻의 appealing은 자연스럽다.

② decide는 hear와 병렬로 might에 걸리는 것이므로 쓰임이 적절하다.

③ what the piano or drums are doing in the background에서 doing 다음에 목적어가 있어야 하므로 what은 선행사를 포함한 관계대명사로 쓰임이 적절하다.

④ A special harmony는 3인칭 단수 주어이므로 3인칭 단수동사인 emerges를 쓰는 것이 자연스럽다.

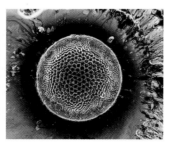

1 ④　2 ⑤　3 ④　4 ③

1　지문 한눈에 보기

❶ Are cats liquid or solid? ❷ That's the kind of question / **that could win a scientist [an Ig Nobel Prize]**, [a parody of the Nobel Prize] / **that honors research / that "makes people laugh, then think."** ❸ But it wasn't with this in mind ①[that **Marc-Antoine Fardin, a physicist at Paris Diderot University,** / set out to find out / **whether house cats flow**]. ❹ Fardin noticed / **that these furry pets can adapt to the shape of the container / they sit in** ②**similarly to** [what fluids such as water do]. ❺ So / he applied rheology, / the branch of physics / **that deals with the deformation of matter**, / to calculate the time / ③it takes for cats to take up the space of a vase or bathroom sink. ❻ The conclusion? ❼ Cats can be / either liquid or solid, / **depending on the circumstances.** ❽ A cat in a small box will behave / like a fluid, / ④**filled(→ filling) up all the space.** ❾ But a cat in a bathtub / full of water / will **try** to minimize its contact with it / and ⑤**behave** very much like a solid.

해석 ❶ 고양이는 액체일까 고체일까? ❷ 이것은 "사람들을 웃게 한 뒤, 생각하게 만드는" 연구에 경의를 표하는, 노벨상의 패러디인 Ig 노벨상을 과학자가 타게 할 수 있는 종류의 질문이다. ❸ 하지만 Paris Diderot 대학의 물리학자인 Marc-Antoine Fardin이 집고양이가 액체처럼 움직이는지 알아내려고 착수한 것은 이런 생각에서 한 것이 아니었다. ❹ Fardin은 털북숭이 애완동물이 물과 같은 액체가 하는 것과 비슷하게 그들이 들어앉은 용기의 모양에 맞출 수 있다는 것을 알아냈다. ❺ 그래서 그는 고양이가 꽃병 또는 세면대의 공간을 채우는 데 걸리는 시간을 계산하기 위해 물질의 변형을 다루는 물리학의 한 분야인 유동학을 적용했다. ❻ 결론은? ❼ 고양이는 환경에 따라 액체도 될 수 있고 고체도 될 수 있다. ❽ 작은 상자 안의 고양이는 액체처럼 행동하며 그 모든 공간을 채울 것이다. ❾ 하지만 물로 가득 찬 욕조의 고양이는 그것과의 접촉을 최소화하려고 노력하면서 고체와 매우 유사하게 움직일 것이다.

정답 전략 본동사와 준동사 ④ 분사구문에서 생략된 주어인 a cat이 공간을 '채우는' 것이므로 능동의 의미가 있는 현재분사 filling을 써서 분사구문을 만드는 것이 적절하다.

왜 오답일까? ① that 뒤에 완전한 절이 왔으므로 that은 명사절을 이끄는 접속사로 쓰였다. 가주어 it이 주어 자리에 쓰이고, 진주어인 that절이 문장 뒤로 온 구조이다.

② similarly to는 '~과 비슷하게'의 뜻으로, similarly가 동사구를 꾸민다고 볼 수 있다.

③ 여기에서 it은 시간을 나타내는 비인칭주어로 쓰였다. 선행사 the time과 it 사이에 목적격 관계대명사 which(that)가 생략되었다고 볼 수 있다.

⑤ 문맥상 behave는 등위접속사 and에 의해 try와 병렬 구조로 조동사 will에 연결되어 있다. 따라서 동사원형으로 쓰는 것이 알맞다.

2　지문 한눈에 보기

❶ The world's first complex writing form, Sumerian cuneiform, / followed / an evolutionary path, / **moving around 3500 BCE / from pictographic to ideographic representations, / from the depiction of objects to** ①that of abstract notions. ❷ Sumerian cuneiform was a linear writing system, / **its symbols usually** ②**set in columns**, / **read from top to bottom and from left to right.** ❸ This regimentation was a form of abstraction: / [the world is not a linear place, / and objects do not organize ③themselves / horizontally or vertically / in real life]. ❹ Early rock paintings, / **thought to have been created for ritual purposes**, / were possibly shaped and organized /

④to follow [the walls of the cave, or the desires of the painters,] / who may have organized them symbolically,
부사적 용법(목적) [follow의 목적어]   선행사   주격 관계대명사절   = early rock paintings

or artistically, or even randomly. ❺ Yet after cuneiform, / virtually every form of script / that has emerged / has
                                                                              S   도치 구문(보어 강조)   주격 관계대명사절   V

been set out / in rows with a clear beginning and endpoint. ❻ So ⑤uniformly(→ uniform) / is / this expectation,
                                                                    so + 형용사 + that절: 너무 ~해서 …하다   V   S

indeed, / that the odd exception is noteworthy, / and generally established for a specific purpose.

해석 ❶ 세계 최초의 복잡한 쓰기 형태인 수메르 쐐기문자는 기원전 3500년경에 상형문자에서 표의문자적 표현으로, 즉 사물의 묘사에서 추상적 개념의 묘사로 나아가며 진화 경로를 따라갔다. ❷ 수메르 쐐기문자는 선형적 쓰기 체계였는데, 대개 그것의 기호가 세로단에 놓이고, 위에서 아래로 그리고 왼쪽에서 오른쪽으로 읽혔다. ❸ 이 조직화는 추상적 개념의 한 형태인데, (왜냐하면) 세상이 선형적 공간이 아니고 사물은 실제의 삶에서는 스스로를 수평적으로나 수직적으로 구조화하지 않는다. ❹ 의식적 목적에서 만들어졌다고 여겨지는 초기의 암각화들은 아마도 동굴의 벽이나 화가의 바람을 따르도록 형상화되고 구조화되었을 것이었고, 화가들은 상징적으로, 예술적으로, 심지어는 무작위로 그것(암각화)들을 구조화했을지도 모른다. ❺ 하지만 쐐기문자 이후에는 등장한 사실상 모든 형태의 문자가 분명한 시작과 종료 지점이 있는 줄로 나열되어 왔다. ❻ 실제로 이러한 예상은 너무나도 획일적이어서, 특이한 예외는 주목할 만하며, 일반적으로 특정 목적을 위해 설정된다.

정답 전략 형용사와 부사 ⑤ 주격 보어가 강조를 위해 문장 맨 앞에 쓰인 도치 구문이다. 부사 uniformly는 보어로 쓰일 수 없으므로 형용사 uniform으로 고쳐 써야 한다.

왜 오답일까? ① that은 앞에 나온 어구가 반복될 때 이를 대신하는 대명사로 쓰인다. 문맥상 앞의 the depiction을 대신하고 있으므로 단수 형태가 알맞다.
② 분사구문의 주어가 주절과 달라 생략하지 않고 남긴 형태의 분사구문이다. 주어 its symbols가 '놓이는' 것이므로 과거분사 set을 쓰는 것이 적절하다.
③ 주어와 목적어가 가리키는 대상이 같을 때 재귀대명사를 쓴다. 문맥상 themselves가 가리키는 것이 주어 objects이므로 어법상 자연스럽다.
④ 앞의 be동사 were가 본동사로 쓰였고, to follow는 목적을 나타내는 부사적 용법으로 쓰였다.

---

3 지문 한 눈에 보기

❶ Metacognition simply means / "thinking about thinking," / and it is one of the main distinctions / between
                                                              = metacognition

the human brain and that of other species. ❷ Our ability [to stand high on a ladder above our normal thinking
                              (to 생략) = brain   S   형용사적 용법 / Our ability 수식 1

processes and ①evaluate / why we are thinking / as we are thinking] / is / an evolutionary marvel. ❸ We have
              Our ability 수식 2   evaluate의 목적어절(간접의문문)   부사절: ~인 것처럼   V

this ability / ②because the most recently developed part of the human brain — the prefrontal cortex — /
              부사절(이유)   S   동격

enables / self-reflective, abstract thought. ❹ We can think about ourselves / as if we are not part of ③ourselves.
   V   부사절: ~인 것처럼

❺ Research / on primate behavior / indicates that even our closest cousins, the chimpanzees, ④lacking(→ lack)
                                  indicates의 목적어절   S   동격   V

this ability / (although they possess / some self-reflective abilities, / like being able to identify themselves in a
              부사절(양보)

mirror / instead of thinking / the reflection is another chimp). ❻ The ability is a double-edged sword, / [because
        instead of의 목적어(동명사)   thinking의 목적어절   [부사절(이유)]

/ while it allows us to evaluate why we are thinking / ⑤what we are thinking, / it also puts us in touch / with
  while: ~인 한편   evaluate의 목적어(간접의문문)   thinking의 목적어절(관계대명사절)

difficult existential questions / that can easily become obsessions].
              선행사   주격 관계대명사절

해석 ❶ 메타인지는 간단히 말하면 "생각에 대해 생각하는 것"을 의미하며, 그것은 인간의 두뇌와 다른 종의 두뇌 간의 주요한 차이점 중 하나이다. ❷ 우리의 일반적인 사고 과정 위의 사다리에 높이 서서 왜 우리가 지금 생각하고 있는 대로 생각하고 있는지 평가할 수 있는 우리의 능력은 진화론적으로 놀라운 일이다. ❸ 우리는 인간 두뇌에서 가장 최근에 발달한 부분인 전두엽 피질이 자기 성찰

적이고 추상적인 사고를 가능하게 하기 때문에 이 능력을 가지고 있다. ④ 우리는 우리가 우리 자신의 일부가 아닌 것처럼 스스로에 대해 생각할 수 있다. ⑤ 영장류의 행동에 대한 연구는 우리의 가장 가까운 사촌인 침팬지조차도 (그들이 거울에 비친 모습을 다른 침팬지라고 생각하는 대신 자기 자신을 알아볼 수 있는 것과 같은 약간의 자기 성찰적 능력을 갖고는 있지만) 이 능력이 없음을 보여 준다. ⑥ 그 능력은 양날의 칼인데, 왜냐하면 그것은 우리로 하여금 우리가 생각하고 있는 것을 왜 생각하고 있는지 평가할 수 있게 해주는 한편, 또한 우리로 하여금 쉽게 강박 관념이 될 수 있는 어려운 실존적 질문들에 닿게 하기 때문이다.

정답 전략 주어와 동사 ④ 동사 indicates의 목적어인 that절에

even our closest cousins를 주어로 하는 동사가 없으므로, lacking을 lack으로 고쳐 동사로 써야 한다.

왜 오답일까? ① 문맥상 evaluate는 to stand와 등위접속사 and로 연결되어 병렬 구조를 이루고 있다. 공통인 to가 생략된 형태라 볼 수 있으므로 원형 evaluate가 알맞다.

② 뒤에 주어와 동사가 있는 절이 나오므로 이유의 접속사 because의 쓰임이 적절하다.

③ 재귀대명사 ourselves가 가리키는 것이 주어 we이므로 어법상 적절하다.

⑤ what 뒤에 목적어가 없는 불완전한 절이 왔으며 앞에 선행사가 없으므로 선행사를 포함하는 관계대명사로 쓰였다.

---

❶ An independent artist is probably the one / ①who lives closest / to an unbounded creative situation. ❷ Many artists have considerable freedom / from external requirements / about what to do, / how to do it, / when to do it, / and why. ❸ At the same time, / however, / we know / that artists usually limit themselves quite ②forcefully / by choice of material and form of expression. ❹ To make the choice to express a feeling by carving a specific form from a rock, / without the use of high technology or colors, / ③restricting(→ restricts) the artist significantly. ❺ Such choices are / not made to limit creativity, / but rather to cultivate ④it. ❻ When everything is possible, / creativity has no tension. ❼ Creativity is strange / in that it finds its way / in any kind of situation, / no matter how restricted, / [just as the same amount of water flows faster and stronger through a narrow strait ⑤than across the open sea].

해석 ❶ 독립 예술가는 아마도 억압받지 않는 창조적인 상황에 가장 근접하게 살아가는 사람일 것이다. ❷ 많은 예술가가 무엇을 하는지, 어떻게 그것을 하는지, 언제 그

것을 하는지, 왜 하는지에 관한 외적인 요구로부터 상당한 자유를 가진다. ❸ 그러나 동시에 우리는 예술가들이 재료와 표현 형식을 선택함으로써 대개 자신을 상당히 강력하게 제약한다는 것을 알고 있다. ❹ 고도의 기술이나 색을 사용하지 않고 바위에서 특정한 형태를 깎아냄으로써 감정을 표현하는 선택을 하는 것은 예술가를 크게 제약한다. ❺ 그러한 선택은 창의성을 제한하기 위해서가 아니라 오히려 그것을 기르기 위해서 이루어진다. ❻ 모든 것이 가능할 때 창의성에는 아무런 긴장감이 없다. ❼ 창의성은, 아무리 제한될지라도 어떤 종류의 상황에서든 자신의 길을 찾아낸다는 점에서 이

상하며, 이는 똑같은 양의 물이 탁 트인 바다를 건널 때보다 좁은 해협을 통과할 때 더 빠르고 세게 흐르는 것과 같다.

정답 전략 본동사와 준동사 ③ 문장의 주어는 to부정사구(To make the choice ~ colors)이며, 동사가 없으므로 restricting을 restricts로 고쳐야 한다. to부정사구는 단수로 취급하므로 동사도 단수형으로 쓴다.

왜 오답일까? ① 앞에 사람을 가리키는 대명사 the one(= An independent artist)이 있고 뒤의 관계사절에 주어가 없으므로 관계대명사 who가 쓰인 것이 자연스럽다.

② 부사가 무엇을 꾸미는지 확인한다. 동사 limit를 꾸미고 있으므로 어법상 적절하다.

④ 대명사 it이 가리키는 것은 문맥상 셀 수 없는 명사인 creativity이므로 3인칭 단수 대명사 it으로 받은 것이 적절하다.

⑤ 앞에 비교급 faster and stronger가 쓰였으므로 than이 알맞다.

1 ①   **2** ④   **3** ⑤   **4** ③

1　지 문 한 눈 에 보 기

❶ People seeking legal advice / should be assured, / when discussing their rights or obligations with a lawyer,
　　　　└현재분사구(명사 수식)┘　　　　　　　　　　　　　　　　when+분사구문

①which(→ that) the latter will not disclose to third parties the information provided. ❷ Only if this duty of
　assured의 목적어절┘　　= a lawyer　　　　　　　　　　　　　　　　　↑┄┄┄┄과거분사　　　도치 구문(부사절 강조)

confidentiality is respected / ②will people feel free to consult lawyers and provide the information / required
　　　　　　　　　　　　조동사　S　　V1　　부사적 용법　　　　　　　　　　V2　　　　　　　　과거분사구

for the lawyer to prepare the client's defense. ❸ Regardless of the type of information ③disclosed, / clients must
└의미상 주어　　부사적 용법(목적)┘　　　　　　　　　　　　　　　　　　　　↑┄┄┄┄과거분사

be certain / that it will not be used against them / in a court of law, / by the authorities or by any other party.
be certain that ~: ~을 확실하게 하다

❹ It is generally considered / to be a condition of the good functioning of the legal system / and, thus, in the
　　　　　　　　　　명사적 용법　　　　　　　　　　　　　　　　　　　　(it is generally considered to be 생략)

general interest. ❺ Legal professional privilege / is ④much more than an ordinary rule of evidence, / limited in
　　　　　　　　　　　　　　　　　　　비교급 more를 강조하는 부사　　　　　　　분사구문

its application / to the facts of a particular case. ❻ It is a fundamental condition / on which the administration of
　　　　　　　　　　　　　　　　　　　　　= Legal professional　선행사　　↑┄┄┄전치사+관계대명사　　　S
　　　　　　　　　　　　　　　　　　　　　privilege

justice as a whole ⑤rests.
　　　　　　　　　　V

해석 ❶ 법적인 조언을 구하는 사람들은, 변호사와 그들의 권리나 의무를 논의할 때, 후자(변호사)가 제공받은 정보를 제3자에게 노출시키지 않을 것을 보장받아야 한다. ❷ 이 비밀 유지 의무가 준수될 경우에만, 사람들은 자유롭게 변호사와 상의하고, 변호사가 의뢰인의 변호를 준비하기 위해 필요한 정보를 제공할 것이다. ❸ 털어놓은 정보의 종류와 관계없이, 의뢰인은 그것이 당국이나 다른 당사자에 의해 법정에서 자신에게 불리하게 사용되지 않을 것임을 확신해야 한다. ❹ 그것은 법 체제가 잘 작동하기 위한 조건이며, 따라서 공익에 유리한 것으로 일반적으로 여겨진다. ❺ 법률가의 비밀 유지 특권은 일반적인 증거법보다 훨씬 그 이상의 것으로,

특정한 소송의 사실에 그 적용이 제한된다. ❻ 그것은 법의 집행이 전체적으로 기초를 두고 있는 기본적인 조건이다.

정답 전략 관계대명사와 접속사 ① 뒤에 완전한 형태의 절이 나오며 동사 be assured의 목적어가 없으므로 which를 접속사 that으로 고쳐 명사절이 되게 해야 한다.

왜 오답일까? ② Only if this duty of confidentiality is respected의 부사절이 문두로 나와서 주절의 주어와 동사가 도치된 구조이다.
③ 과거분사 disclosed가 앞의 명사 information을 꾸미고 있다. 정보가 '털어놓아지는' 것이므로 수동의 의미가 있는 과거분사가 알맞다.
④ 부사 much는 비교급을 강조한다.
⑤ 동사 rests의 주어는 the administration of justice이므로 단수 동사로 쓰는 것이 적절하다.

2　지 문 한 눈 에 보 기

❶ To begin with a psychological reason, / the knowledge of another's personal affairs / can tempt the possessor
　　　　　　　　　　　　　　　　　　　　　　　　S　└┄전치사구 (명사 수식)┘　　　tempt+O+OC(to부정사):

of this information / ①to repeat it as gossip / because / as unrevealed information / it remains socially inactive.
~을 …하도록 부추기다　　　　　　　　　　　부사절(이유)

❷ Only when the information is repeated / can its possessor ②turn the fact / that he knows something /
도치 구문(only + 부사절의 강조)　　　　　　조동사　　S　　　V　　　　└┄동격┄┄┘

into something socially valuable / like social recognition, prestige, and notoriety. ❸ As long as he keeps his
turn A into B: A를 B로 전환하다　　　　　　　　　　　　　　　　　　　부사절: ~하는 한　　keep A to oneself:
　　　A를 비밀로 지키다

information to ③himself, / he may feel superior / to those / who do not know it. ❹ But knowing and not
　　　　　　재귀대명사　　　　　　　　　　　선행사　주격 관계대명사절　　　　　　　　　　S

telling / does not give him that feeling of "superiority that, / so to say, / [latently contained in the secret,] / fully
　　　　　V　　　　　　　　　　　　　선행사　↑┄주격 관계대명사절　　　　　　　[분사구문]

④actualizing(→ actualizes) itself only at the moment of disclosure." ❺ This is the main motive / for gossiping
　　　　　　　　　　　　V

---

about well-known figures and superiors. ❻ The gossip producer assumes / [that some of the "fame" of the
[assumes의 명사절 목적어]

subject of gossip, / as ❺whose "friend" he presents himself, / will rub off on him].
선행사   부연 설명(전치사+관계형용사 whose+명사)   ~에 영향을 미치다

해석 ❶ 심리적인 이유부터 시작하자면, 다른 사람의 개인사에 대해 아는 것은 이 정보를 가진 사람으로 하여금 그것을 가십으로 반복하도록 부추길 수 있는데, 숨겨진 정보로서는 그것이 사회적으로 비활성화된 상태로 남기 때문이다. ❷ 그 정보가 반복될 때만이 그 정보 소유자는 자신이 무언가를 알고 있다는 사실을 사회적 인지, 명성 그리고 악명과 같은 사회적으로 가치 있는 어떤 것으로 전환할 수 있다. ❸ 자신의 정보를 비밀로 지키는 동안은, 그는 그것을 알지 못하는 사람들보다 자신이 우월하다고 느낄 수도 있다. ❹ 그러나 알면서 말하지 않는 것은 '말하자면 그 비밀 속에 잠재적으로 포함되어 있다가 폭로의 순간에만 완전히 실현되는 우월감'이라는 그 기분을 그에게 주지 못한다. ❺ 이것이 잘 알려진 인물과 우월한 사람에 대해 뒷말을 하는 주요 동기이다. ❻ 가십을 만들어 내는 사람은 자신을 그의 '친구'라고 소개하는 그 가십 대상의 '명성' 일부가 자신에게 옮겨올 것이라고 생각한다.

정답 전략 주어와 동사 ④ actualizing은 that feeling of superiority를 선행사로 하는 관계대명사절에 포함되어 있다. 관계대명사절 안에 주어가 없으므로 that이 주격 관계대명사임을 알 수 있으며, actualizing이 동사 역할을 해야 하므로 actualizes로 고쳐 써야 한다. so to say와 latently contained in the secret은 둘 다 부사구이다.

왜 오답일까? ① 「tempt+목적어+to부정사」는 '~가 …하도록 부추기다'라는 뜻이다. 즉 to부정사가 목적격 보어 역할을 한다.
② Only가 포함된 부사구가 문장 맨 앞에 쓰이면서 조동사 can과 주어 its possessor가 도치되었다. 따라서 can에 동사원형 turn이 이어지는 것이 자연스럽다.
③ keep A to oneself는 'A를 비밀로 지키다'라는 뜻이다. 행위의 대상이 주어와 같으므로 재귀대명사를 쓰는 것이 적절하다.
⑤ 소유격 관계대명사 whose의 선행사는 the subject of gossip이며, 뒤의 명사 friend의 소유격 역할을 하는 관계사절을 이끌고 있으므로 어법상 바르게 쓰였다.

3 　　　　　　　　　　　　　　　　　　　　　　　지 문 한 눈 에 보 기

❶ The term *objectivity* is important / in measurement / because of the scientific demand / that observations
동격

be subject to public verification. ❷ A measurement system is objective / to the extent / that two observers
(should 생략)　　　　　　　　　　　　　　　　　　　　　　　　　　　　　　　　　　S

[(A) evaluate / evaluating the same performance] arrive / at the same (or very similar) measurements. ❸
[S를 수식하는 현재분사구]　　　　　　　　　　V

For example, using a tape measure to determine the distance [a javelin (B) threw / was thrown] / yields very
S (동명사구 주어)　　　부사적 용법(목적)　　　선행사　　[관계부사절]　　　　　V

similar results / regardless of who reads the tape. ❹ By comparison, / evaluation of performances / such as
of의 목적어(간접의문문)　　　　　　　　　　S(핵심 주어 – 단수)

diving, gymnastics, and figure skating / is more subjective — / although elaborate scoring rules help / make
V (단수 동사)　　　　　　　　　　　　부사절(양보)

(C) it / them more objective. ❺ From the point of view of research / in motor behavior, / it is important to use
it = evaluation of performances　　　　　　　　　　　　　　　　　　　가주어　　　　진주어

performances in the laboratory for which the scoring can be as objective as possible.
선행사　　　　전치사+ 관계대명사절

해석 ❶ 측정에서 '객관성'이라는 말은 중요한데, 관찰된 사실들은 공공의 검증 대상이 되어야 한다는 과학적인 요구 때문이다. ❷ 측정 시스템은 같은 동작을 평가하는 두 관찰자가 같은 (혹은 매우 유사한) 측정치에 도달하는 한 객관적이다. ❸ 예를 들어, 투창이 던져진 거리를 판정하기 위해서 줄자를 사용하는 것은 누가 줄자의 눈금을 읽느냐에 상관없이 매우 비슷한 결과를 산출한다. ❹ 그에 비해, 정교한 채점 규정이 평가를 더 객관적이게 만드는 데 도움을 준다 해도, 다이빙, 체조, 피겨스케이팅과 같은 동작에 대한 평가는 더 주관적이다. ❺ 운동 행동을 연구하는 관점에서 볼 때, (운동 동작에 대한 점수를 부여할 때는) 점수 부여가 가능한 객관적으로 이루어

질 수 있는 실험실(전문 측정 시스템이 갖추어진 곳) 내의 행동을 사용하는 것이 중요하다.

정답 전략 본동사와 준동사, 수동태, 대명사 (A) that절에는 이미 본동사 arrive가 있으므로 주어인 two observers를 꾸미는 현재분사 evaluating을 쓰는 것이 어법상 자연스럽다.
(B) 투창(a javelin)은 '던져지는' 것이므로 수동태인 was thrown을 쓰는 것이 적절하다.
(C) 문맥상 대명사가 문장의 주어인 evaluation of performances를 가리키므로, 3인칭 단수 대명사 it이 적절하다.

❶ The Internet and communication technologies / play an ever-increasing role / in the social lives of young
　　　　　　　　　　　　　　　　　　　　　　　　　　　현재분사구(명사 수식)
people / in developed societies. ❷ Adolescents have been quick / to immerse themselves in technology /
　　　　　　　　　　　　　　　　　　　　　　　　　　　　　　부사적 용법
with most ①using the Internet to communicate. ❸ Young people treat the mobile phone / as an essential
　　　　　　전치사 with의 목적어(동명사구)　　　　　　　　　S　　　V1　　　　　　　~로서
necessity of life / and often prefer to use text messages / to communicate with their friends. ❹ Young people
　　　　　　　　　　　　　V2　　　　　　　　　　　　　부사적 용법: ~하기 위해
also ②increasingly access social networking websites. ❺ As technology and the Internet are a familiar resource
　　　　동사 수식하는 부사　　　　　　　　　　　　　　　　　부사절(이유)
for young people, it is logical / ③what(→ that) they would seek assistance from this source. ❻ This has been
　　　　　　　　　　가주어　　　　　진주어　　　　　　　　　　　　　　　　　　　　　　　완료형 수동태
shown by the increase in websites that provide therapeutic information for young people. ❼ A number of 'youth
　　　　　　　　　　　선행사　주격 관계대명사절　　　　　　　　　　　　　　　　　　= Many (복수 취급)
friendly' mental health websites / ④have been developed. ❽ The information ⑤presented often takes the form
　　　　　　　　　　　　　　　완료형 수동태　　　　　　S　　　과거분사구　　V
/ of Frequently Asked Questions, fact sheets and suggested links. ❾ It would seem, therefore, logical to provide
　전치사 of의 O1　　　　　　O2　　　　O3　　　　　　가주어　　　　　　　　진주어
online counselling for young people.

해석 ❶ 인터넷과 통신 기술은 선진 사회에 있는 청년들의 사회 생활에서 점점 더 큰 역할을 한다. ❷ 청소년들은 대부분 소통하기 위해 인터넷을 사용하면서 빠르게 과학기술에 몰두해 왔다. ❸ 청년들은 휴대전화를 생활에 꼭

필요한 필수품으로 다루고 친구들과 소통하기 위해 보통 문자 메시지를 사용하기를 선호한다. ❹ 청년들은 또한 소셜 네트워킹 웹사이트에 점점 더 많이 접속한다. ❺ 과학기술과 인터넷이 청년들에게 친숙한 자원이기에, 그들이 이 정보원에서 도움을 구할 것이라는 것은 논리적이다. ❻ 이것은 청년들을 위한 치료법 정보를 제공하는 웹사이트의 증가로 증명되었다. ❼ 많은 수의 '청년 친화적인' 정신 건강 웹사이트들이 개발되어 왔다. ❽ 제공되는 정보는 종종 '자주 묻는 질문', 자료표, 그리고 추천 링크의 형태를 띤다. ❾ 그러므

로 젊은이들에게는 온라인 상담을 제공하는 것이 논리적으로 보일 것이다.

정답 전략 관계대명사, 가주어 – 진주어 구문 ③ 뒤에 완전한 형태의 절이 왔으므로 접속사 that을 쓰는 것이 적절하다. 주어 it은 가주어이며, that절이 진주어가 된다.

왜 오답일까? ① 「with+독립분사구문」으로 주어 most의 동작을 나타내는 현재분사 using의 쓰임은 적절하다.

② 부사 increasingly가 동사 access를 꾸미고 있으므로 쓰임이 적절하다.

④ 주어가 복수인 A number of 'youth friendly' mental health websites이므로 have를 쓰는 것이 적절하다.

⑤ 문장의 동사는 takes이고, presented는 주어 The information을 수식하는 분사로 쓰였다. 정보는 스스로 제시하는 것이 아니라 '제시되는' 것이므로 과거분사로 꾸미는 것이 어법상 적절하다.

창의·융합·코딩 전략　　　　　　　　　　　| 58~61쪽

1 ④　　2 ③

❶ One of the simplest and most effective ways / to build empathy in children / ①is / to let them play more on
　one of the+최상급+복수 명사: 가장 ~한 것들 중 하나　　S　　형용사적 용법　　　　　　　V　　보어(명사적 용법)
their own. ❷ Unsupervised kids are not reluctant / to tell one another how they feel. ❸ In addition, / children at
　　　　　　　　　　　　　　　　　　　　　　　　　　　　tell의 목적어절(간접의문문)
play often take on other roles, / pretending to be Principal Walsh or Josh's mom, happily forcing ②themselves
　　　　　　　　　　　　　　　　분사구문(= and they pretend)　　　　　　　　　　　　　　(= and they happily force)

to imagine how someone else thinks and feels. ❹ Unfortunately, free play is becoming rare. ❺ One research
imagine의 목적어 명사절(간접의문문)

indicates that children's opportunities to play in their own ways have ③continuously and dramatically declined
indicates의 목적어절　S　형용사적 용법　V

/ over the past fifty years in many developed countries. ❻ The effects, / according to the research, / have been
S

especially ④damaged(→ damaging) to empathy. ❼ A decline of empathy and a rise in narcissism / would be
현재완료 진행: 훼손해 왔다

exactly ⑤[what we see in children who have little opportunity to play socially].
보어절(관계대명사)　선행사　주격 관계대명사절　형용사적 용법

[해석] ❶ 아이들의 공감 능력을 길러 줄 수 있는 가장 간단하고도 효과적인 방법 중 하나는 스스로 더 놀도록 내버려 두는 것이다. ❷ 감독 없이 노는 아이들은 그들이 어떻게 느끼는지를 서로에게 주저 없이 말한다. ❸ 게다가, 놀고 있는 아이들은 흔히 다른 역할을 맡아서 Walsh 교장 선생님이나 Josh 엄마인 척하고, 즐거운 마음으로 다른 누군가가 어떻게 생각하고 느끼는지를 스스로 상상하게 만든다. ❹ 불행하게도, 자유로운 놀이는 드물어지고 있다. ❺ 한 연구는 여러 선진국에서 지난 50년에 걸쳐서 아이들이 자기 자신의 방식으로 놀 기회가 지속적이고 급격하게 감소하고 있음을 시사한다. ❻ 연구에 따르면, 그 결과는 특히 공감 능력을 훼손해 왔다. ❼ 공감 능력의 감소와 자아도취의 증가가 바로 사회적으로 놀 기회를 거의 갖지 못하는 아이들에게서 우리가 보게 될 것이다.

Words　effective 효과적인　unsupervised 감독을 받지 않는　reluctant 주저하는　pretend ～인 척하다　rare 드문, 흔하지 않은
continuously 지속적으로　dramatically 극적으로　decline 감소하다; 감소　rise 증가, 상승　narcissism 자아도취

❶ With all the passion for being slim, / it is no wonder ①that many people view / any amount of visible fat on
가주어　진주어

the body / as something to get rid of. ❷ However, / the human body has evolved over time / in environments
형용사적 용법

of food scarcity; / hence, / the ability to store fat ②efficiently / is a valuable physiological function that served
S　형용사적 용법　동사 store를 수식하는 부사　주격 관계대명사절

our ancestors well / for thousands of years. ❸ Only in the last few decades, / in the primarily industrially
부사구 강조(도치 구문)

developed economies, / ③have(→ has) food become so plentiful and easy to obtain / as to cause fat-related
조동사　S　V　so+형용사+as+to부정사: 너무 ～해서 …하다　as to

health problems. ❹ People no longer have to spend / most of their time and energy / ④gathering berries and
더 이상 ～하지 않다　spend+시간+동명사구(gathering ～ and hoping ～)　gathering과 hoping은 병렬 구조

seeds / and hoping that a hunting party will return with meat. ❺ All we have to do / nowadays / is drive to the
hoping의 목적어 명사절　S(단수 주어)　V (단수 동사)

supermarket or the fastfood restaurant, / ⑤where for very low cost we can obtain nearly all of our daily calories.
선행사(장소)　관계부사절(계속적 용법)

[해석] ❶ 날씬해지고 싶은 모든 열정으로, 많은 사람들이 몸 위에 보이는 지방이 얼마만큼이든 간에 그것을 없애야 하는 것으로 여기는 것은 놀랄 일이 아니다. ❷ 그러나 인간의 몸은 식량이 부족한 환경에서 시간이 흐르면서 진화해 왔다. 따라서 지방을 효율적으로 저장하는 능력은 우리 조상에게 수천 년 동안 많은 도움을 준 귀중한 생리학적 기능이다. ❸ 겨우 지난 몇 십 년 동안, 주요 산업 선진 경제국에서 식량이 매우 풍부해지고 구하기 쉬워져서 지방과 관련된 건강 문제를 야기하게 되었다. ❹ 사람들은 더 이상 대부분의 시간과 에너지를 열매와 씨앗을 모으고 사냥 나간 무리가 고기를 가지고 돌아오기를 바라면서 쓸 필요가 없다. ❺ 요즘 우리는 슈퍼마켓이나 패스트푸드 식당으로 운전하여 가기만 하면 되고, 그곳에서 아주 적은 비용으로 하루 열량의 거의 전부를 얻을 수 있다.

Words　get rid of ～을 없애다　evolve 진화하다　scarcity 부족, 결핍　physiological 생리학적인　plentiful 풍부한　obtain 얻다
fat-related 지방과 관련된

1 ④　　**2** ①　　**3** ③　　**4** ①

---

❶ Oxygen is what it is all about. ❷ Ironically, / the stuff that gives us life / eventually kills it. ❸ The ultimate
　　　　　　　보어(명사절): 가장 중요한 것　　　　　S　　주격 관계대명사절　　　　　　　V
life force / lies / in tiny cellular factories of energy, / [called mitochondria,] / that burn nearly all the oxygen /
　　　　　　　　　　　선행사　　　　　　　　　[삽입구]　　tiny ~ energy를 선행사로 하는 주격 관계대명사절
we breathe in. ❹ But breathing has a price. ❺ The combustion of oxygen / that keeps us alive and active / (A)
(that 생략) 목적격 관계대명사절　　　　　　　　　　　　　　　　　S　　　　주격 관계대명사절
send(→ sends) out by-products / called oxygen free radicals. ❻ They have Dr. Jekyll and Mr. Hyde characteristics.
　V　　　　　　　　　　과거분사구(명사 수식)
❼ On the one hand, / they help guarantee our survival. ❽ For example, / when the body mobilizes (B) fight(→ to
　　한편으로는
fight) off infectious agents, it generates a burst of free radicals / to destroy the invaders very efficiently. ❾ On the
　　　　　　　　　　= the body　　　　　　　　　　　　　　　　부사적 용법(목적)　　　　　　　다른 한편으로는,
other hand, free radicals move uncontrollably through the body, attacking cells, rusting their proteins, piercing
반면에　　　　　　　　　　　　　　　　　　　　분사구문 1　　　분사구문 2　　　　분사구문 3
their membranes and (C) corrupt(→ corrupting) their genetic code / until the cells become dysfunctional / and
　　　　　　　　　　분사구문 4　(which are 생략)　　　　　　부사절: ~할 때까지
sometimes give up and die. ❿ These fierce radicals, built into life as both protectors and avengers, / are potent
　　　　　　　　　　　　　　S　　　과거분사구　　　　　　　　　　　　　　　　　　　　　　　V
agents of aging.

해석 ❶ 산소야말로 중요한 것이다. ❷ 역설적이게도, 우리에게 생명을 주는 것이 결국 그것을 죽인다. ❸ 궁극적인 생명력은 우리가 들이마시
는 거의 모든 산소를 태우는, 미토콘드리아라고 불리는 아주 작은 에너지 세포 공장에 있다. ❹ 그러나 호흡에는 대가가 있다. ❺ 우리를 살아
있고 활동적이게 해 주는 산소 연소는 활성 산소라고 불리는 부산물을 내보낸다. ❻ 그것들은 지킬 박사와 하이드 씨의 특징을 가지고 있다. ❼
한편으로는, 그것들은 우리의 생존을 보장하도록 돕는다. ❽ 예를 들어, 신체가 감염원과 싸워 물리치기 위해 동원될 때, 그것은 침입자들을 매
우 효율적으로 파괴하기 위해 활성 산소를 쏟아낼 듯 생산한다. ❾ 반면, 활성 산소는 통제할 수 없이 신체를 누비고 다니며 세포를 공격하고,
그들의 단백질을 부식시키고, 세포막을 뚫고 세포의 유전 암호를 변질시켜 마침내 그 세포는 제대로 기능을 하지 못하게 되고 때로는 포기하고
죽어버린다. ❿ 보호자인 동시에 보복자로 생명체에 들어가 있는 이런 험악한 활성 산소는 노화의 강력한 동인이다.

정답 전략 (A) 문장에 본동사가 없으므로, send가 본동사 역할을 해야 한다. 주어가 The combustion of oxygen이므로 3인칭 단수로 보아
sends로 써야 한다. that keeps alive and active는 주격 관계대명사절이다.
(B) 문맥상 신체가 감염원과 '싸우기 위해' 동원되는 것이므로 목적을 나타내는 to부정사 to fight로 쓰는 것이 알맞다.
(C) corrupt는 문맥상 등위접속사 and에 의해 piercing과 연결되므로 현재분사 corrupting으로 쓰는 것이 적절하다. attacking, rusting,
piercing, corrupting이 모두 병렬 구조로 연결되어 있다.

---

❶ During the early stages / when the aquaculture industry was rapidly expanding, / mistakes were made /
　　　　　　선행사(시간)　　관계부사절
and these were costly / both / in terms of direct losses / and in respect of the industry's image. ❷ High-density
　　= mistakes　　　　　　　　　　　　　　　　　　　　　　　　　　　　　　　　　　　　　　S
rearing led to / outbreaks of infectious diseases / that in some cases (A) devastated / was devastated / not just
　V　　　　　　　　　　　선행사　　　주격 관계대명사절　　　　　　　　　　　　　　　　└ not just
the caged fish, / but local wild fish populations too. ❸ The negative impact / on local wildlife inhabiting areas
A but B: A뿐만 아니라 B도　　　　　　　　　　　　　　　　　S　　　　　　　　　　　현재분사구(명사 수식)
close to the fish farms continues to be an ongoing public relations problem for the industry. ❹ Furthermore,
　　　　　　　　　　　　V
[a general lack of knowledge and insufficient care being taken when fish pens were initially constructed] /
[S]　　　　　　　　　　　　　　　　　　　　　　현재분사구(수동태)　　부사절(때)

meant / (B) `that / whether` pollution from excess feed and fish waste / created huge barren underwater deserts.
　V　　　　　meant의 목적어 명사절

❺ These were costly lessons to learn, / but now stricter regulations are in place / to ensure / that fish pens are
　　　　　　　　　　　　　　　　　　　　　　　　　　　　　　　　　　　　　　부사적 용법(목적)　ensure의 목적어 명사절

placed in sites / [where there is good water flow to remove fish waste]. ❻ This, [in addition to other methods
　선행사(장소)　　　관계부사절　　　　　　　　　형용사적 용법　　　　　　　　S　[삽입구]　　　선행사

that decrease the overall amount of uneaten food], has helped aquaculture to clean up (C) `its / their` act.
　주격 관계대명사절　　　　　　　　　　　　　　　　　　V

해석 ❶ 수산 양식 산업이 급속히 확장되고 있던 초기 단계 동안, 실수들이 발생하였으며 이 것들은 직접적인 손실 면에서와 그 산업의 이미지 측면 양쪽에 있어 대가가 컸다. ❷ 고밀도 사육은 몇몇 경우에서 가두리에 있는 어류뿐만 아니라 지역의 야생 어류 개체군 또한 황폐화하는 전염성 질병의 발발을 초래했다. ❸ 어류 양식장 근처 지역에 서식하는 지역 야생 생물에 미치는 부정적 영향은 그 산업에 있어서 지속적으로 대중과의 관계 문제로 계속되고 있다. ❹ 게다가 양식용 가두리가 처음 지어졌을 때 전반적인 지식 부족과 불충분하게 행해지던 관리는 초과된 사료와 어류 폐기물로부터 발생하는 오염이 거대한 불모의 해저 사막을 만들어냈다는 것을 의미했다. ❺ 이것들은 비싼 대가를 치르고 배우게 된 교훈이었지만, 이제는 양식용 가두리를 반드시 어류 폐기물을 제거할 수 있는 물의 흐름이 원활한 장소에 설치하도록 하는 더 엄격한 규제들이 시행되고 있다. ❻ 이것은 섭취되지 않은 먹이의 전반적인 양을 줄이는 다른 방법들에 더하여, 수산 양식이 자신의 행위를 깨끗이 청소하는 데 도움이 되어왔다.

정답 전략 (A) 주어는 관계대명사절의 선행사인 infectious diseases이며, 전염성 질병이 어류를 황폐화시키는 것이 자연스러우므로 능동의 devastated가 알맞다.

(B) 주어부인 a general lack ~ constructed가 어떤 사실을 '의미하는' 것이 자연스러우므로 의문을 나타내는 whether가 아닌 that이 적절하다.

(C) 문맥상 aquaculture, 즉 수산 양식의 행위이므로 3인칭 단수 소유격 its가 자연스럽다.

3　　　　　　　　　　　　　　　　　　　　　　　　　　　　　지문 한눈에 보기

❶ Thanks to newly developed neuroimaging technology, / we now have access to the specific brain changes /
　~덕분에　　부사　　과거분사(형용사적)　　　　　　명사　　　　　　　　　　　선행사

that occur / during learning. ❷ Even though all of our brains (A) `contain` the same basic structures, / our neural
주격 관계대명사절　　　　　　　　부사절(양보): ~하긴 하지만

networks are / as unique as our fingerprints. ❸ The latest developmental neuroscience research / has shown
　　　　　　원급 비교

/ that the brain is much more malleable throughout life than previously assumed; / it develops / in response
has shown의 목적어절　비교급 강조 부사　　　　　비교급　　　　　　　　　= the brain　　　~에 반응하여

to its own processes, / to its immediate and distant "environments," / and to its past and current situations. ❹
병렬 구조 1　　　　　　병렬 구조 2　　　　　　　　　　　　병렬 구조 3

The brain seeks / to create meaning / through establishing or (B) `refining` existing neural networks. ❺ When
　　　　　　　　　　　　　　　　전치사 through의 동명사 목적어　현재분사　　　　　　　　　　부사절: ~할 때

we learn a new fact or skill, / our neurons communicate / to form networks of connected information. ❻ Using
　　　　　　　　　　　　　　　　　　　　　　부사적 용법(목적)　　　　과거분사　　　　S: 동명사구(단수 취급)

this knowledge or skill / results in / structural changes to allow similar future impulses to travel more quickly
　　　　　　　　　　V: 결과적으로 ~이 되다　　　형용사적 용법　allow+O+OC(to부정사)

and (C) `efficiently` than others. ❼ High-activity synaptic connections / are stabilized and strengthened, /
병렬(부사)

while connections / with relatively low use / are weakened and eventually pruned. ❽ In this way, / our brains are
부사절: 반면에

sculpted / by our own history of experiences.

해석 ❶ 새로 개발된 신경 촬영 기술 덕분에, 이제 우리는 학습 도중에 일어나는 특정한 뇌 변화에 접근할 수 있다. ❷ 우리의 뇌는 모두 동일한 기본 구조를 가지고 있지만, 우리의 신경망은 우리의 지문만큼이나 고유하다. ❸ 가장 최근의 발달 신경과학 연구는 이전에 가정되었던 것보다 뇌가 평생에 걸쳐 훨씬 더 순응성이 있다는 것을 보여줘 왔고, 그것(뇌)은 자기 자신의 처리 과정에, 자신에게 인접한 '환경'과 멀리 떨어진 '환경'에, 그리고 자신의 과거와 현재의 상황에 반응하여 발달한다. ❹ 뇌는 기존의 신경망을 확고히 하거나 개선함으로써 의미를 만들어 내려

고 한다. ❺ 우리가 새로운 사실이나 기술을 배울 때, 우리의 뉴런들은 연결된 정보망을 형성하기 위해 소통한다. ❻ 이 지식이나 기술을 사용하는 것이 미래의 유사한 자극은 다른 것들보다 더 빠르고 효율적으로 이동할 수 있게 해 주는 구조적 변화를 가져오는 것이다. ❼ 고활동성 시냅스 연결이 안정화되고 강화되는 반면에, 상대적으로 적게 사용되는 연결은 약화되고 결국에는 잘린다. ❽ 이런 식으로, 우리의 뇌는 우리 자신의 경험의 이력에 의해 형상이 만들어진다.

정답 전략 ③ (A) 접속사 Even though 뒤에는 절이 오므로 빈칸에는 all of our brains를 주어로 하는 본동사가 와야 한다. 주어가 복수이고 현재 시제가 자연스러우므로 contain이 알맞다.

(B) 문맥상 establishing과 병렬 연결되므로 refining이 적절하다. existing은 뒤의 명사 neural networks를 수식하는 현재분사이다.

(C) 뒤에 than이 있으므로 비교급이 오는 것이 적절하며 등위접속사 and로 부사 more quickly와 병렬 연결될 수 있는 efficiently가 적절하다. more는 반복되어 생략된 구조이다.

4

❶ (A) [Accept / ~~Accepting~~] whatever others are communicating / only pays off / if their interests correspond to
　　　　　S(동명사구)　　복합 관계대명사절　　　　　　　　V　　　부사절(조건)

ours — think / cells in a body, / bees in a beehive. ❷ As far as communication between humans is concerned, /
= our interests　　　　　　　　　　　　　　　　　　　　　　　　　　　　　　　　　　　~에 관한 한

such commonality of interests is rarely achieved; / even a pregnant mother has reasons to mistrust the chemical
　　형용사적 용법

signals sent by her fetus. ❸ Fortunately, / there are ways of making communication work / even in the most
　　　　　과거분사구　　　　　　　　　　　　　　　　　전치사 of의 동명사 목적어　　　make+O+OC(동사원형)

adversarial of relationships. ❹ A prey can convince a predator / not to chase it. ❺ But for such communication
　　　　　　　　　　　　　　　　　　　　　　　　　　　　to부정사의 부정　= a prey　　　　　　to부정사의 의미상 주어

to occur, / there must be strong guarantees (B) [which / [that]] those who receive the signal / will be better off
　　　　　　　　　　　　　　　　　　　　　　　　　　　that절과 동격　　　S(선행사)　　주격 관계대명사절　　V

believing it]. ❻ The messages have to (C) [keep / be kept], / on the whole, / honest. ❼ In the case of humans, /
　　　　　　　　　　　　　　　　　　　　　부사의 수동태 / keep+형용사: ~한 상태로 유지하다

honesty is maintained / by a set of cognitive mechanisms / that evaluate communicated information. ❽ These
　　　　　　　　　　　　　　　　선행사　　　　　　주격 관계대명사절　　과거분사

mechanisms allow us / to accept most beneficial messages — to be open — / while rejecting most harmful
　　　　　　　　5형식: allow+O+OC(to부정사)　　　　　　　　　　　　　　　　부사절: 반면에

messages — to be vigilant.

해석 ❶ 다른 사람들이 전달하고 있는 것이 무엇이든 받아들이는 것은 그들의 관심사가 우리의 것과 일치할 때에만 성공한다. 체내의 세포, 벌집 속의 벌을 생각해 보라. ❷ 인간 사이의 의사소통에 관한 한, 관심사의 그런 공통성은 좀처럼 이루어지지 않는데, 심지어 임산부도 태아가 보내는 화학적 신호를 믿지 못할 이유가 있다. ❸ 다행히도, 가장 적대적인 관계에서도 의사소통이 이루어지도록 할 수 있는 방법이 있다. ❹ 먹잇감은 포식자에게 자신을 쫓지 않도록 설득할 수 있다. ❺ 그러나 그러한 의사소통이 일어나기 위해서는, 그 신호를 받는 자가 그것을 믿는 것이 더 좋을 것이라는 강력한 보장이 있어야 한다. ❻ 메시지는 전체적으로 정직한 상태로 유지되어야 한다. ❼ 인간의 경우, 정직성은 전달된 정보를 평가하는 일련의 인지 기제에 의해 유지된다. ❽ 이러한 기제는 우리가 가장 유익한 메시지를 받아들이며(개방적이면서), 반면에 가장 해로운 메시지를 거부할(경계할) 수 있게 해 준다.

정답 전략 ① (A) 문장에 본동사 역할을 하는 pays off가 있으므로, 준동사인 동명사 Accepting이 되는 것이 적절하다. 동명사구가 주어 역할을 하는 구조이다.

(B) 뒤에 완전한 절이 나오는 것으로 보아 관계대명사가 아닌 접속사 that이 적절하다. 이때 that은 앞의 명사 guarantees와 동격절을 이끈다.

(C) 메시지가 '지켜지는' 것이 자연스러우며, keep의 목적어가 문장의 주어인 The messages이므로 수동태 be kept가 적절하다.

1 ①　　**2** ③　　**3** ⑤　　**4** ④

1　지문 한눈에 보기

❶ Application of Buddhist-style mindfulness to Western psychology / came primarily / from the research of
<u>S</u>
Jon Kabat-Zinn / at the University of Massachusetts Medical Center. ❷ He initially <u>took on</u> the difficult task /
~을 떠맡다
of treating <u>chronic-pain patients</u>, / many of ①<u>them</u>(→ whom) had not responded well / to traditional pain-
선행사　　　　　　　　　목적격 관계대명사
management therapy. ❸ In many ways, / such treatment <u>seems</u> completely ②<u>paradoxical</u> — / you teach people
seem + 형용사: ~인 것처럼 보인다
to deal with pain / by <u>helping them to become more aware of it</u>! ❹ However, / the key is / to help people let
전치사 by의 목적어(동명사구)　　　　　　　　　　　　　　보어(명사적 용법)
go of <u>the constant tension</u> / [that ③<u>accompanies</u> / their fighting of pain, / a <u>struggle</u> that actually prolongs
선행사　　　　　　주격 관계대명사절　　　　　　　선행사　　　주격 관계대명사절
their awareness of pain]. ❺ Mindfulness meditation / <u>allowed</u> many of these people <u>to increase</u> their sense
allow　　　　　　　　O　　　　　　OC1
of well-being / and ④<u>to experience</u> a better quality of life. ❻ How so? ❼ Because such meditation is based
OC2
on <u>the principle</u> [that if we try to ignore or repress unpleasant thoughts or sensations, then we only <u>end up</u>
= that절과 동격　　　　　　　　　　　　　　　　　　　　　　　　end up -ing: 결국 ~하게 되다
⑤<u>increasing</u> their intensity].

해석　❶ 불교 방식의 마음 챙김을 서양 심리학에 적용하는 것은 원래 Massachusetts 대학교 의료 센터의 Jon Kabat-Zinn의 연구에서 비롯됐다. ❷ 그가 처음에는 만성 통증 환자들을 치료하는 힘든 일을 맡고 있었는데, 그들 중 다수는 전통적인 통증 관리 요법에는 잘 반응하지 않았다. ❸ 여러 가지 면에서, 그러한 치료는 완전히 역설적인 것으로 보이는데, 즉 사람들이 통증에 대해 더 많이 인식하도록 도와줌으로써 통증을 다루는 법을 가르치는 것이다! ❹ 그러나 그 핵심은 통증과의 싸움, 즉 통증에 대한 인식을 사실상 연장시키는 싸움을 동반하는 지속적인 긴장감을 사람들이 떨치도록 돕는 것이다. ❺ 마음 챙김 명상은 이 사람들 중 많은 이들이 행복감을 높이고 더 나은 삶의 질을 경험하게 해 주었다. ❻ 어떻게 그랬을까? ❼ 왜냐하면 그러한 명상은 우리가 불쾌한 생각이나 감각을 무시하거나 억누르려고 하면, 우리가 결국 그것의 강도를 증가시키게 된다는 원리에 바탕을 두고 있기 때문이다.

정답 전략　① 두 개의 절이 접속사 없이 연결되어 있으며, them은 앞에 있는 절의 chronic-pain patients를 가리킨다. 따라서 them이 접속사와 대명사 역할을 동시에 할 수 있도록 관계대명사 whom으로 고쳐야 한다.

왜 오답일까?　② 형용사 paradoxical이 동사 seems 뒤에서 주격 보어 역할을 하는 구조이다. 부사 completely는 paradoxical을 꾸미고 있다.

③ 주격 관계대명사절의 동사는 선행사와 수를 일치시켜야 한다. 선행사가 단수 the constant tension이므로 단수형인 accompanies가 알맞다. 또한 accompany는 '~와 동반하다'라는 의미의 타동사로, 전치사를 필요로 하지 않는다.

④ to experience는 to increase와 병렬 구조로 연결되어 있으며 allowed의 목적격 보어로 쓰였다. 「allow+목적어+목적격 보어(to부정사)」 구조의 5형식 문장이다.

⑤ 「end up+동명사」는 '결국 ~하게 되다'라는 의미로 쓰인다.

Words　mindfulness 마음 챙김　primarily 주로　initially 처음에　chronic-pain 만성 통증　respond to ~에 대응하다
pain-management 통증 관리　therapy 치료, 요법　paradoxical 역설적인　tension 긴장　accompany 동반하다　prolong 지속하다
meditation 명상　repress 억누르다　sensation 감각　intensity 강도

❶ Although prices in most retail outlets are set / by the retailer, / this does not mean / ①that these prices do
부사절(양보)　　　　　　　　　　　　　　　　　　　　　　　　　　　　　　　　　　　mean의 목적어 명사절

not adjust to market forces over time. ❷ On any particular day / we find / that all products have a specific price
　　　　　　　　　　　　　　　　　　　　　　　　　　　　　　　find의 목적어 명사절

ticket on ②them. ❸ However, / this price may be different / from day to day or week to week. ❹ The price / that
　　　= all products　　　　　　　　　　　　　　　　　　　~할런지도 모른다　　그날그날　　　매주　　　　　　　선행사　↑──┘목적격 관계
　　　대명사절

the farmer gets from the wholesaler / is much more flexible / from day to day / ③as(→ than) the price / that the
　　　　　　　　　　　　　　　　　　　V　비교급 강조 부사　　　　　　　　　　　　　　　　　선행사　　　　↑──┘목적격 관계
　　대명사절

retailer charges consumers. ❺ If, for example, bad weather leads to a poor potato crop, / then the price / that
　　　　　　　　　　　　　　　부사절(조건)　　　　　　　　　　　　　　　　　　　　　　　　　S1(선행사)　↑──┘목적격 관계
　　　대명사절

supermarkets have to pay to their wholesalers for potatoes / will go up and / this will be reflected in the prices /
　　　　　　　　　　　　　　　　　　　　　　　　　　　　　　　　V1　　S2　　V2　　　　　선행사　↑──┘

they mark on potatoes in their stores. ❻ Thus, / these prices ④do reflect the interaction of demand and supply
목적격 관계대명사절　　　　　　　　　　　　　　　　　　　　　　　강조 조동사

/ in the wider marketplace for potatoes. ❼ ⑤Although they do not change in the supermarket / from hour to
　　　　　　　　　　　　　　　　　　　　　　　　부사절(양보)　　= prices

hour / to reflect local variations / in demand and supply, / they do change over time / to reflect the underlying
　　　부사적 용법(목적)　　　　　　　　　　　　　　　　　　　　　　　강조 조동사　　　　　부사적 용법(목적)

conditions of the overall production of and demand for the goods in question.

해석　❶ 대부분의 소매점에서 가격은 소매상에 의해 결정되지만, 이 말은 이 가격이 시간이 지나면서 시장의 힘에 조정되지 않는다는 것을 의미하는 것은 아니다. ❷ 그 어느 특정한 날에도 우리는 모든 제품에 명확한 가격표가 붙어 있다는 것을 안다. ❸ 그러나 이 가격은 날마다 또는 주마다 다를 수 있다. ❹ 도매상에게서 농부가 받는 가격은 소매상이 소비자에게 부과하는 가격보다 그날그날 훨씬 더 유동적이다. ❺ 예를 들어, 악천후가 감자의 흉작을 초래한다면, 슈퍼마켓이 감자에 대해 도매상에게 지급해야 하는 가격은 상승할 것이고, 이것은 그들이 자기 가게의 감자에 매기는 가격에 반영될 것이다. ❻ 따라서 이 가격은 더 광범위한 감자 시장에서의 수요와 공급의 상호 작용을 정말로 반영하는 것이다. ❼ 그 가격이 수요와 공급에서의 지역적 변동을 반영하기 위해 슈퍼마켓에서 시간마다 바뀌지는 않지만, 그 가격은 문제의 상품의 전체적인 생산과 수요의 기저에 있는 상황을 반영하기 위해 시간이 지나면서 정말로 바뀐다.

정답 전략　③ as는 원급의 비교 표현에 쓰인다. 앞에 more flexible의 비교급 표현이 나왔으므로 as 대신에 비교 대상을 받는 than을 써야 한다.

왜 오답일까?　① that 뒤의 문장이 완전한 절인 것으로 보아 that은 mean의 목적어로 쓰인 명사절을 이끄는 접속사이므로 적절하다.

② 대명사는 앞의 명사 all products를 받은 것이므로 3인칭 복수형 them이 적절하다.

④ 동사를 강조할 때 주어의 수와 시제에 맞춰 do, does, did를 동사원형 앞에 쓴다. 주어 these prices가 3인칭 복수 주어이므로 do의 쓰임이 알맞다.

⑤ '~이지만'의 의미인 양보의 부사절이므로 Although의 쓰임이 적절하다. 주어 all products와 일치하나 공간을 나타내는 전치사 on 등의 뒤에서는 재귀대명사를 쓰지 않는다.

Words　retail outlet 소매점　retailer 소매상　adjust to ~에 적응하다　market force 시장 상황　over time 시간이 지나면서
charge (요금을) 청구하다　crop 수확, 농작물　demand and supply 수요와 공급　variation 변동, 변화　underlying 근본적인
in question 논의되고 있는, 문제의

❶ Don't be afraid / to move around and try different things, / ①however old you are. ❷ The most important
　　　　　　　　　　　　　　　　　　　　　　　　　　　　　　= no matter how(양보 부사절)　　　　　　S

thing / you want to find out / is who you are / and what capabilities you have. ❸ Give yourself a time limit / to
　　　↑────┘목적격 관계대명사절　　V　C1(의문사절)　　　C2(의문사절)　　　　　　　　　　　　　　　　　　　　　↑────┘수식1

dig into yourself / and find out ②what you need. ❹ In this period, / there is no way around it, / so you have to be
(형용사적 용법)　　　(to 생략) 수식2　find out의 목적어절(관계대명사절)

a risk taker. ❺ If you don't take any risks, / you don't get any sweetness / out of life. ❻ And the truth of the matter

/ is that the sweetness in life ③comes with the risk. ❼ I've lived my life / ④taking risks / and I wish I could tell you
　　보어 명사절　　　　S　　　　　　V　　　　　　　　　　　　　　　　　분사구문　　　　　　I wish+가정법 과거(현재 상황에 대한 유감)

/ they were all successful, / but they weren't. ❸ But you want to know something? ❾ I learned more / from my
= risks   = risks
failures / than I ⑤was(→ did) / from my successes.
                    = learned

해석 ❶ 여러분이 아무리 나이가 들었더라도 돌아다니거나 여러 가지를 시도하는 것을 두려워하지 마라. ❷ 여러분이 알아내고 싶어 하는 가장 중요한 것은 여러분 자신이 어떤 사람이며, 여러분이 어떤 능력을 가지고 있는가이다. ❸ 스스로를 면밀하게 살피고, 여러분이 필요로 하는 것을 찾을 시간의 한계를 설정하라. ❹ 이 기간에는 다른 방법이 없으므로, 여러분은 위험을 감수해야 한다. ❺ 여러분이 어떤 위험도 감수하지 않는다면, 인생에서 어떤 달콤함도 얻을 수 없다. ❻ 그리고 사실, 인생의 달콤함은 위험과 함께 온다. ❼ 나는 위험을 감수하면서 인생을 살아왔고, 여러분에게 그 모험들이 모두 성공적이었다고 말하고 싶지만, 그렇지는 않았다. ❽ 그러나 여러분은 무언가 알고 싶은가? ❾ 나는 성공에서보다 실패에서 더 많은 것을 배웠다.

정답 전략 ⑤ 마지막 문장은 I learned more from my failure than I learned from my successes.의 의미이므로, 밑줄 친 부분은 앞에 나온 동사를 대신하는 대동사 역할을 한다. 일반동사 learned를 대신하는 것이므로 did로 고쳐 쓰는 것이 적절하다.

왜 오답일까? ① however는 양보의 부사절로 '아무리 ~할지라도'의 의미가 된다. 의미상으로도, 어법상으로도 적절하게 쓰였다.

② 선행사가 없고, 뒤에 목적어가 없는 불완전한 절이 왔으므로 선행사를 포함하는 관계대명사 what의 쓰임이 적절하다.

③ comes의 주어는 단수 the sweetness in life이므로 수가 일치한다.

④ 동시에 일어나는 일을 나타내는 분사구문으로 쓰였다.

Words   capability 능력   limit 한계   dig into ~을 파헤치다, 파고들다   risk taker 모험가   sweetness 달콤함

❶ According to Pierre Pica, / understanding quantities approximately in terms of estimating ratios / is a universal
                              S (동명사구 주어)   ~의 면에서   V
human intuition. ❷ In fact, / humans who do not have numbers / have no choice but ①to see the world in
                              S(선행사) └──── 주격 관계대명사절   V   have no choice but to부정사: ~할 수밖에 없다
this way. ❸ By contrast, / understanding quantities in terms of exact numbers / is not a universal intuition; / it
                          S(동명사구 주어)
is a product of culture. ❹ The precedence of approximations and ratios over exact numbers, / Pica suggests,
                          S(핵심 주어)   삽입절
/ ②is due to the fact [that ratios are much more important for survival in the wild / than the ability to count].
   V   동격   비교급 강조   형용사적 용법
❺ ③Faced with a group of spear-wielding adversaries, / we needed to know instantly / whether there were
   수동태 분사구문 = When we were faced ~   know의 명사절 목적어
more of them than us. ❻ When we saw two trees, we needed to know instantly ④that(→ which) had more fruit

hanging from it. ❼ In neither case / was it ⑤necessary to enumerate every enemy or every fruit individually. ❽
                  도치 구문(문두의 부사구)   가주어   진주어   every + 단수명사
The crucial thing was / to be able to make quick estimates of the relative amounts.
                        보어(명사적 용법)

해석 ❶ Pierre Pica에 따르면, 비율 측정 면에서 양을 대략적으로 이해하는 것이 보편적인 인간의 직관이다. ❷ 사실, 수를 가지고 있지 않은 사람들은 이런 방식으로 세상을 바라볼 수밖에 없다. ❸ 반면에, 정확한 수의 면에서 양을 이해하는 것은 보편적인 직관이 아니며, 그것은 문화의 산물이다. ❹ 정확한 수보다 근사치와 비율이 앞서는 것은 비율이 수를 세는 능력보다 야생에서의 생존에 훨씬 더 중요하다는 사실 때문이라고 Pica는 주장한다. ❺ 창을 휘두르는 적들의 무리에 직면했을 때, 우리는 우리보다 그들이 더 많은지를 바로 알아야만 했다. ❻ 나무 두 그루를 보았을 때 어느 것에 과일이 더 많이 매달려 있는지를 즉시 알아야 했다. ❼ 두 경우 모두 모든 적이나 모든 과일을 하나씩 일일이 셀 필요는 없었다. ❽ 중요한 것은 상대적인 양을 재빨리 추정할 수 있는 것이었다.

정답 전략 ④ needed to know(알아야 했다)로 보아 간접의문문이 목적어로 오는 것이 자연스럽고, 흐름상 '두 나무 중 어느 것이'의 의미가 들어가는 것이 적절하므로 의문사 which를 넣어 간접의문문을 만든다.

왜 오답일까? ① 「have no choice but +to부정사」는 '~하지 않을 수 없다'라는 의미로 쓰인다.

② be동사 is의 주어를 찾는다. 단수 The precedence가 핵심 주어이므로 be동사도 단수형이 알맞다.

③ 「A is faced with B」는 'A가 B에 직면하다'라는 의미이며, 이 문장에서는 주어가 생략되고 being도 생략된 수동태 분사구문으로 쓰였다.

⑤ 부정어가 들어간 부사구 In neither case가 문장 맨 앞으로 나가면서 주어와 동사가 도치된 구문이다. 따라서 형용사 necessary는 원래 be동사 was 뒤에 오는 주격 보어로 쓰였으므로 어법상 자연스럽다.

Words quantity 양 approximately 대략적으로 estimate 추정하다; 추정(치) ratio 비율, 비 intuition 직관, 직감 precedence 우선(함) approximation 근사치 spear-wielding 창을 휘두르는 adversary 적수, 상대방 instantly 즉각 enumerate (수를) 세다, 헤아리다 individually 개별적으로 crucial 중대한 relative 상대적인

1·2등급 확보 전략 2회

1 ④ **2** ⑤ **3** ④ **4** ①

1

지문 한눈에 보기

❶ The Greeks' focus / on the salient object and its attributes / led to ①their failure / to understand the fundamental nature of causality. ❷ Aristotle explained / that a stone falling through the air / is due to the stone having the property of "gravity." ❸ But of course / a piece of wood ②tossed into water / floats / instead of sinking. ❹ This phenomenon / Aristotle explained / as being due to the wood having the property of "levity"! ❺ In both cases / the focus is ③exclusively on the object, / with no attention paid to the possibility / that some force outside the object might be relevant. ❻ But the Chinese saw the world / as consisting of continuously interacting substances, / so their attempts to understand it ④causing(→ caused) them to be oriented / toward the complexities of the entire "field," / that is, / the context or environment / as a whole. ❼ The notion ⑤that events always occur in a field of forces / would have been completely intuitive / to the Chinese.

해석 ❶ 그리스인이 두드러진 물체와 그것의 속성에 초점을 맞춘 것은 인과 관계의 근본적인 성질 이해에 대한 실패로 이어졌다. ❷ 아리스토텔레스는 돌이 공중에서 떨어지는 것은 돌이 '중력'이라는 성질을 가지고 있기 때문이라고 설명했다. ❸ 하지만 물론 물에 던져진 나무 조각은 가라앉는 대신 뜬다. ❹ 이 현상을 아리스토텔레스는 나무가 '가벼움'이라는 성질을 가지고 있기 때문이라고 설명했다! ❺ 두 경우 모두 초점은 오로지 그 물체에 있고, 그 물체 밖에 있는 어떤 힘이 관련 있을지도 모른다는 가능성에는 전혀 주의를 기울이지 않는다. ❻ 그러나 중국인은 세계를 끊임없이 상호 작용하는 물질의 구성으로 보았고, 그래서 그것을 이해하고자 하는 그들의 시도는 그들로 하여금 전체적인 '장(場)', 즉 전체로서의 맥락이나 환경의 복잡성에 중점을 두도록 했다. ❼ 사건은 언제나 여러 힘이 작용하는 장에서 발생한다는 개념이 중국인에게는 전적으로 직관적이었을 것이다.

정답 전략 ④ so가 이끄는 부사절에 동사가 없으므로 준동사인 현재분사 causing을 본동사로 바꿔야 한다. 흐름상 과거시제로 써야 하므로 caused로 고치는 것이 알맞다.

왜 오답일까? ① their는 앞에 나온 the Greeks'를 가리키는 소유격 대명사이므로 3인칭 복수형이 적절하게 쓰였다.

② 과거분사 tossed가 앞의 명사구 a piece of wood를 꾸미고 있다. 나무 조각은 '던져지는' 것이므로 수동의 의미가 있는 과거분사의 쓰임이 적절하다.

③ 부사 exclusively가 전치사구 on the object를 꾸미고 있으므로 적절하게 쓰였다.

⑤ 접속사 that이 이끄는 절이 The notion의 내용을 설명하는 동격절로 쓰였으므로 적절하다.

76 수능전략 • 영어 영역 어법 • Book 3

Words attribute 속성, 자질   causality 인과 관계   property 성질, 속성   gravity 중력   toss (가볍게) 던지다   phenomenon 현상
exclusively 오로지, 배타적으로   relevant 관련 있는   substance 물질   oriented toward ~에 중점을 둔, ~을 지향하는   complexity 복잡성
context 맥락   notion 개념, 관념   intuitive 직관적인

2 지문 한눈에 보기

❶ When children are young, / much of the work is demonstrating to them / that they ①do have control. ❷ One
부사절(때) 　demonstrating의 명사절 목적어 　　　본동사 강조의 do

wise friend of ours / who was a parent educator for twenty years / ②advises **giving** calendars to preschool-age
S (선행사)　　主격 관계대명사절　　　　　　　　advises의 목적어1(동명사)

children / and **writing** down all the important events in their life, / in part because it helps children understand
advises의 목적어2(동명사)　　　　　　　　　　　부사절(이유): 부분적으로는 ~ 때문에

/ the passage of time better, / and how their days will unfold. ❸ We can't overstate / the importance of the
understand의 목적어1　　　understand의 목적어2

calendar tool / in helping kids feel in control of their day. ❹ Have them ③cross off days of the week / as you
help+O+OC(동사원형)　　　　　　have+O+OC(동사원형): O가 ~하게 하다　　부사절(때)

come to them. ❺ Spend time going over the schedule for the day, / [giving them choice in that schedule /
= days of the week　spend time -ing: ~하는 데 시간을 보내다　　　[분사구문] 4형식: give+간접목적어+직접목적어

wherever ④possible]. ❻ This communication expresses respect — they see / that they are not just a tagalong to
시간의 부사절(~할 때마다)에서 「대명사 주어+be동사」는 생략 가능　　　see의 목적어 명사절

your day and your plans, / and they understand what is going to happen, when, and why. ❼ As they get older,
부사절: ~함에 따라

/ children will then start to write in important things for themselves, ⑤it(→ which) further helps them develop
주격 관계대명사의 계속적 용법

their sense of control.

해석 ❶ 아이들이 어릴 때, 일의 많은 부분은 아이들이 정말로 통제권을 가지고 있음을 그들에게 보여 주는 것이다. ❷ 20년간 부모 교육자로 일했던 우리의 현명한 친구 한 명은 취학 전 연령의 아이들에게 달력을 주고 아이들 생활에서 중요한 모든 일들을 적어 보라고 조언하는데, 이는 부분적으로 아이들이 시간의 흐름과, 자신들의 하루하루가 어떻게 펼쳐질지 이해하도록 도움을 주기 때문이다. ❸ 아이들이 자신의 하루를 통제하고 있다고 느끼도록 돕는 데 있어 달력이라는 도구의 중요성은 아무리 과장해도 지나치지 않다. ❹ 한 주의 하루하루에 이르면 아이들이 그날들을 지워가도록 하라. ❺ 그날의 일정을 검토하는 데 시간을 보내며 가능한 경우마다 그 일정 내에서 아이들에게 선택권을 주어라. ❻ 이러한 의사소통은 존중을 보여 준다 — 아이들은 자신들이 그저 여러분의 하루와 여러분의 계획에 붙어서 따라다니는 사람이 아니라는 것을 알고, 무슨 일이 일어날지, 언제, 왜 일어날지 이해한다. ❼ 아이들은 나이를 더 먹으면서, 그 다음에는 스스로 중요한 일들을 써넣기 시작할 것이며, 그것은 나아가 그들이 자신의 통제 감각을 발전시키는 것을 돕는다.

정답 전략 ⑤ it이 포함된 절이 앞의 절과 접속사 없이 연결되어 부자연스럽고, 두 개의 절을 연결해야 하는데 대명사 it은 적절하지 않다. 이 경우에는 and it으로 쓰거나 관계대명사 which를 써야 한다.

왜 오답일까? ① 일반동사 have를 강조하기 위해 do가 쓰였다. 흐름상 현재시제가 적절하고 주어가 3인칭 복수이므로 do가 적절하다.
② 주어는 One wise friend of ours로 3인칭 단수이다. 따라서 3인칭 단수동사 advises의 쓰임은 적절하다.
③ 사역동사 have의 목적격 보어로 동사원형이 오므로 cross는 어법상 알맞다.
④ 앞에 it is가 생략되었다고 볼 수 있다. 이때 대명사 it은 앞 절의 내용(일정 내에서 아이들에게 선택권을 주는 일)을 가리킨다.

Words   demonstrate (실례를 통해) 보여 주다, 설명하다   educator 교육자   preschool-age 취학 전 연령의   passage 흐름, 경과
unfold 펼쳐지다, 전개되다   overstate 과장하다, 허풍을 떨다   cross off (선을 그어) ~을 지우다   go over ~을 검토하다   tagalong 남에게 붙어
따라다니는 사람

❶ One study showed / ①that a certain word (e.g., boat) seemed more pleasant / [when presented / after related
S   V   showed의 목적어 명사절   [부사절] = when it was presented
words (e.g., sea, sail)]. ❷ That result occurred / because of conceptual fluency, / a type of processing fluency
                                                    ~ 때문에   동격
related to / ②how easily information comes to our mind. ❸ Because "sea" primed the context, / the heightened
         과거분사구   전치사 to의 목적어 명사절(간접의문문)   부사절(이유)
predictability caused the concept of "boat" ③to enter people's minds more easily, / and that ease of processing
S   V   O   OC (명사적 용법)   지시형용사
produced / a pleasant feeling that became misattributed to the word "boat." ❹ Marketers can take advantage
                        선행사   주격 관계대명사절   ~을 이용하다
of conceptual fluency / and enhance the effectiveness of their advertisements / by strategically positioning
their ads / in predictive contexts. ❺ For example, / an experiment showed / ④which(→ that) consumers found
                                                                            showed의 목적어 명사절
a ketchup ad more favorable / [when the ad was presented / after an ad for mayonnaise]. ❻ The mayonnaise
                              [부사절(때)]   S
ad primed / consumers' schema / for condiments, / and [when the ad for ketchup was presented afterward],
V   O   [부사절(때)]
the idea of ketchup came to their minds more easily. ❼ As a result of ⑤that heightened conceptual fluency, /
                                                                  ~의 결과로서   지시형용사
consumers developed / a more positive attitude / toward the ketchup advertisement.
S   V   O

해석 ❶ 한 연구는 특정 단어(예를 들면, 배)가 관련 단어(예를 들면, 바다, 항해하다) 이후에 제시되었을 때 더욱 호감이 느껴지는 것 같다는 점을 보여 주었다. ❷ 그 결과는 정보가 얼마나 쉽게 우리 머릿속에 떠오르는가와 관련된 일종의 처리 유창성의 유형인 개념적 유창성 때문에 발생했다. ❸ '바다'가 맥락을 준비시켰기 때문에 고조된 예측가능성이 '배'의 개념이 사람들의 머릿속에 좀 더 쉽게 들어올 수 있도록 야기했고, 그 처리의 용이함이 '배'라는 단어에 실수로 부여되는 호감을 만들어냈다. ❹ 전략적으로 마케터들은 예상케 하는 맥락들 속에 자신들의 광고들을 배치함으로써 개념적 유창성을 이용하여 자신들의 광고의 효과를 강화할 수 있다. ❺ 예를 들어, 한 실험은 소비자들이 케첩 광고가 마요네즈 광고 후에 제시되었을 때 그 케첩 광고를 더 호의적이라고 느꼈다는 것을 보여 주었다. ❻ 마요네즈 광고는 소비자들의 양념에 대한 스키마를 준비시켰고, 케첩 광고가 그 뒤에 제시되면 케첩에 대한 개념이 그들의 머릿속에 더 쉽게 떠올랐다. ❼ 그러한 고조된 개념적 유창성의 결과로 소비자들은 그 케첩 광고에 대해 더 긍정적인 태도를 형성했다.

정답 전략 ④ an experiment showed는 '한 실험이 ~을 보여 주었다'의 뜻으로 목적어가 와야 하므로 which가 아니라 명사절을 이끄는 접속사 that을 써야 한다.

왜 오답일까? ① One study showed 다음에 목적어가 와야 하고 명사절을 이끄는 that절이 적절하게 쓰였다.

② related to(~에 관련된)에서 to는 전치사이므로 뒤에 목적어로 명사 상당어구가 와야 한다. how 이하는 간접의문문이 이끄는 명사절로 쓰임이 적절하다.

③ 「cause+목적어+목적보어(to부정사)」 구문으로 to enter는 적절하게 쓰였다.

⑤ that은 접속사가 아니고 명사 fluency를 수식하는 지시형용사로 '그러한'의 뜻이므로 쓰임이 적절하다.

Words conceptual 개념상의 fluency 유창함, 거침없음 heightened 고조된, 높아진 predictability 예측 가능성 misattribute 실수하여 다른 것의 탓으로 돌리다 take advantage of ~을 이용하다 enhance 강화하다 strategically 전략적으로 position 두다, 위치시키다
predictive 예측의 schema 개요, 도식

❶ The future of our high-tech goods may lie / not in the limitations of our minds, / ①and(→ but) in our ability
                                              — not A but B: A가 아니라 B이다 —
to secure the ingredients to produce them. ❷ In previous eras, / such as the Iron Age and the Bronze Age, /
         형용사적 용법   형용사적 용법   ~와 같은
the discovery of new elements brought forth / seemingly ②unending numbers of new inventions. ❸ Now the
              S   V   numbers 이하를 수식하는 현재분사   O
combinations may truly be unending. ❹ We are now witnessing a fundamental shift / in our resource demands.

❺ At no point in human history / ❸have we used more elements, / in more combinations, / and in increasingly
부정 의미 부사구가 문두에 나와서 주어와 동사가 도치되어 쓰임

refined amounts. ❻ Our ingenuity will soon outpace our material supplies. ❼ This situation comes / at a defining

moment / ❹when the world is struggling to reduce / its reliance on fossil fuels. ❽ Fortunately, / rare metals
　　선행사　　　관계부사절　　　　　　　　　　　　　　　부사적 용법

are key ingredients in green technologies / such as electric cars, wind turbines, and solar panels. ❾ They help

to convert free natural resources like the sun and wind / into the power / ❺that fuels our lives. ❿ But without
　　　　　　convert A into B: A를 B로 전환하다　　　　　　　　　　선행사　　　　주격 관계대명사

increasing today's limited supplies, / we have no chance / of developing the alternative green technologies / we
　　　　　　　　　　　　　　　　　　　　　　　　　　　　　　　　선행사　　　　　　　　　목적격 관계대명사절

need to slow climate change.
부사적 용법(목적)

해석 ❶ 첨단 기술 제품의 미래는 우리 생각의 제한점에 있는 것이 아니라, 그것을 생산하기 위한 재료를 확보할 수 있는 우리의 능력에 있을 지도 모른다. ❷ 철기와 청동기와 같은 이전 시대에, 새로운 원소의 발견은 외견상으로는 끝이 없을 것 같은 무수한 새로운 발명품을 낳았다. ❸ 이제 그 조합은 진정 끝이 없을 수도 있다. ❹ 우리는 이제 자원 수요에 있어서 근본적인 변화를 목격하고 있다. ❺ 인류 역사의 어느 지점에서도, 우리는 (지금보다) '더 많은' 조합으로, 그리고 점차 정밀한 양으로, '더 많은' 원소를 사용한 적은 없었다. ❻ 우리의 창의력은 우리의 물질 공급을 곧 앞지를 것이다. ❼ 이 상황은 세계가 화석연료에 대한 의존을 줄이고자 분투하고 있는 결정적인 순간에 온다. ❽ 다행히, 희귀한 금속들이 전기 자동차, 풍력 발전용 터빈, 태양 전지판과 같은 친환경 기술의 핵심 재료이다. ❾ 그것들은 태양과 바람과 같은 천연 자유재를 우리의 생활에 연료를 공급하는 동력으로 전환하는 데 도움을 준다. ❿ 하지만 오늘날의 제한된 공급을 늘리지 않고는, 우리는 기후 변화를 늦추기 위해 우리가 필요로 하는 친환경 대체 기술을 개발할 가망이 없다.

정답 전략 ① not A but B는 'A가 아니라 B이다'의 뜻이며 A(in the limitations of our minds)와 B(in our ability to secure ~ them)는 전치사구로 같은 형태를 갖는 병렬 구조이다. 따라서 and가 아니라 but을 써야 한다.

왜 오답일까? ② 명사를 수식하는 형용사 역할을 하고 있고 능동 의미이므로 현재분사 unending의 쓰임이 알맞다. 한 단어일 때에는 앞에서 수식한다.

③ 부정 의미의 부사구 At no point in human history가 문두에 오면 주어와 동사가 도치되므로 have we used는 어법상 알맞다.

④ when 이하의 문장이 완전한 문장이고 앞의 선행사 a defining moment가 시간을 나타내므로 때의 관계부사 when의 쓰임이 적절하다.

⑤ the power를 선행사로 하는 주격 관계대명사로 쓰인 that은 어법상 알맞다.

Words　ingredient 재료, 요소　previous 이전의　bring forth ~을 낳다　combination 조합　witness 목격하다　fundamental 근본적인　shift 변화　refined 정밀한, 정제된　outpace 앞지르다　defining 결정적인　reliance 의존　convert 전환하다　fuel 연료를 공급하다　alternative 대체의, 대안의

memo